Schaduwspel

Van Lars Rambe verscheen bij De Fontein:
Sporen op het ijs (2011)

Schaduwspel

Lars Rambe

De Fontein

Voor Hedda

© 2010 Lars Rambe by Agreement with Grand Agency
© 2013 voor deze uitgave: Uitgeverij De Fontein, Utrecht

Oorspronkelijke uitgever: Kura Skymning Förlag
Oorspronkelijke titel: *Skuggans spel*
Uit het Zweeds vertaald door: Corry van Bree
Omslag: Marry van Baar
Omslagfoto: Julie de Waroquier
Auteursfoto: Håkan Målbåck
Vormgeving binnenwerk: Hans Gordijn, Baarn
ISBN 978 90 261 3331 2
ISBN e-book 978 90 261 3332 9
NUR 305

www.uitgeverijdefontein.nl

Personages – een selectie:

Andersson, Budde	Heler met een vooraanstaande rol in de Clan, het criminele netwerk van Eskilstuna.
Bauer, Udo	Rudi Taubermanns lijfwacht.
Carlson, Maria	Hoofdinspecteur van politie in Strängnäs.
Crantz, Stanislaw	Jazzsaxofonist van grote klasse. Uitgenodigd voor het jazzfestival in Strängnäs.
Friborg, Sanna	Kassier in Mariefred. Heeft een verhouding met Anna-Lena Olofsson.
Gibbons, Emilia	Zomerstagiaire bij *Strengnäs Dagblad*, werkt voor Fredrik.
Gege	Chef nieuwsredactie bij *Strengnäs Dagblad*.
Gense, Ulla	Journalist bij *Strengnäs Dagblad*. Steunpilaar van de redactie en beste vriendin van Fredrik op de redactie.
Gransjö, Fredrik	Journalist bij *Strengnäs Dagblad*, gespecialiseerd in misdaadverslaggeving en specialist in lokale politiek. Vanuit Stockholm in Strängnäs komen wonen, heeft zekere aanpassingsproblemen.
Gransjö, Ulrika	Teamleider bij een uitzendbureau en Fredriks net bevallen vrouw.
Gransjö, Klara	Dochter van Fredrik en Ulrika, drie jaar oud.
Gransjö, Hampus	Pasgeboren zoon van Fredrik en Ulrika.
Heinz, Rolf	Rudi Taubermanns advocaat en voortdurende metgezel/begeleider.
Holmgren, Sune	Woordvoerder van de cultuurcommissie en voormalige financiële wethouder. Initiatiefnemer van het jazzfestival in Strängnäs.
Jacus	Marcins mysterieuze broer.
Jonsson, Kjell	Politieagent in Strängnäs. Pas verliefd en partner van Per Strand.
Jonstoft, Göran	VD Cirkeln Fastigheter. De rijkste man van Sträng-

näs en een gewilde vrijgezel. Hij ziet altijd mogelijkheden voor nieuwe veroveringen en relaties.

Kyrkström, Arne   Autohandelaar met een grote behoefte aan revanche.

Larsson, Jan-Börje   Boer in Åker en leider van de ultrarechtse partij Svensk Samling die het uitstekend lijkt te gaan doen bij de verkiezingen en waarschijnlijk een zetel in de gemeenteraad haalt.

Lindby, Berra   Drugsdealer in Strängnäs en kameraad van Jimmy Phil.

Olofsson, Anna-Lena   Manager van het toeristenbureau en coördinator van het jazzfestival in Strängnäs.

Olofsson, Johanna   Anna-Lena's omgekomen zus.

Phil, Jimmy   Inbreker uit Härad. Heeft een gecompliceerde relatie met Budde Andersson en de Clan. Droomt ervan om een fulltime rallyrijder te worden.

Ragnarök   Hoofdredacteur van *Eskilstunaposten* en *Strengnäs Dagblad*. Een bombastische man met grootse plannen. Is bijzonder enthousiast over Fredrik.

Sjöquist, Boel   Motoragente met een stoere instelling.

Strand, Per   Politieagent. De beste chauffeur van het politiekorps in Strängnäs en Maria's meest gewaardeerde werknemer.

Szalas, Marcin   Beroepscrimineel die er alles voor over heeft om naar Polen terug te keren.

Taubermann, Rudi   Duitse directeur van een platenmaatschappij die bij het jazzfestival in Strängnäs aanwezig is.

Theorin, Simon   Ambitieuze bankemployé met een telefoonprobleem.

PROLOOG

Hey Summer Sun, you always smile, clouds in the sky
You never mind, happy or sad, you always shine
Never before I've met your kind

'Summer Sun' – KOOP

Zaterdag 1 juli 2006, 08.38 uur

Het was net een droom, moeilijk te vangen, vluchtig en op zijn eigen manier ronduit ondraaglijk. Het was de mooiste en tegelijkertijd de verdrietigste dag. De dag waarop ze zo lang had gewacht.

De meren van Marviken waren onbeschrijflijk mooi. De dramatische hellingen met de dennenbomen die uit de rotsen groeiden en broze schaduwen over het water wierpen, fascineerden haar. De druppels van de peddel veroorzaakten elke keer dat hij uit het water kwam oppervlakkige kringen die net zo snel weer verdwenen.

Ze had de Zweedse zomer nog nooit met zo veel blijdschap beleefd. Ze hield van deze omgeving, ondanks alle herinneringen die terugkwamen. Åkers Bergslag was een unieke plek, een sprookjesland dat vanuit het niets opdook en de bezoekers omarmde. Het was iets wat ze al heel lang had willen delen met de man die voor haar in de kajak zat. Het was een persoonlijk cadeau zonder voorwaarden, een manier om blijdschap te schenken.

Ze zeiden bijna niets tegen elkaar. Misschien was het een stilte uit tevredenheid, het gevoel bij elkaar te horen, of misschien was het de verdrietige reis naar het moment van de waarheid waarop alles wat ze vreesden, gezegd moest worden. Ze was boos op hem geweest, bozer dan ze ooit op iemand was geweest, verschrikkelijk teleurgesteld en verdrietig. Zijn verraad had haar in een leven gedreven dat ze haatte, een leven dat het niet waard was om te leven. Maar dat leven zou nu voorbij zijn. Ze glimlachte toen ze dacht aan de weg die ze had afgelegd om hier te komen, aan de onwaarschijnlijke verbanden en gebeurtenissen die hen samen hadden gebracht.

Wat ze had gedaan, was verwerpelijk en egoïstisch, maar ook intens bevredigend. Er was bloed gevloeid en het had levens gekost, maar ze was niet van plan om terug te kijken. Nog even en dan was het voorbij. Nog even en dan waren ze samen, ver hiervandaan.

Het verbaasde hem hoe plezierig hij het vond om zijn spieren te laten werken en de kracht te voelen die door zijn gebogen lichaam stroomde en via zijn armen in het donkere water verdween. Het was een bijna geluidloze, verleidelijke, voorwaartse beweging boven de angstaanjagende diepte onder de fragiele kajak. Hij was overgeleverd aan de vrouw die hij terug had gekregen en opnieuw had ontdekt, en hij was nog steeds verbaasd dat het was gebeurd. Hij voelde haar in elke beweging, een erotische nabijheid die een onafgebroken pijn in hem veroorzaakte.

Ze hadden vannacht de liefde met elkaar bedreven, onvoorwaardelijk en eindeloos.

Hij was bang dat ze nooit begrip zou kunnen opbrengen voor zijn gewetenswroeging, zijn aanbidding van haar die zo ondraaglijk was vermengd met berouw. Schaamte, schuld en geluk, alles op hetzelfde moment. Het was heel verwarrend.

Hij glimlachte. Misschien had hij erop moeten staan om achter in de kajak te mogen zitten, zodat hij naar haar kon kijken, naar haar mooie nek die hij al duizend keer had gekust en het blonde haar dat in een paardenstaart zat. Hoewel hij dan zijn zintuigen had afgesloten voor de omgeving, en dat zou jammer zijn. Glanzende libellen dansten boven het glinsterende water. Af en toe verbrak een vis het gladde oppervlak op jacht naar insecten en verdween weer. Behalve het gekrijs van de meeuwen was alleen het afgelegen gebrom van een helikopter te horen, het enige bewijs dat er andere mensen op de wereld waren.

Helaas duurde het dromerige gevoel niet lang. Het kostte niet veel tijd om van de ene naar de andere kant van de lange, smalle meren te peddelen, zelfs niet voor twee beginnelingen die geen haast hadden. Het optillen van de boot om van het ene meer naar het andere te lopen was zonder enige twijfel het minst prettige aan hun uitstapje, maar hij klaagde niet. Ze was in een goede conditie en tien jaar jonger dan hij, terwijl hij het begin van een buikje vertoonde. Een natuurlijke plek om een saxofoon op te laten rusten, had een collega het ooit genoemd.

Jazz, alles draaide uiteindelijk om jazz.

Hij zocht natuurlijk iets nieuws, daar was geen twijfel aan. Misschien begreep ze het, misschien niet. Hij besefte dat hij haar eigenlijk niet kende. Ze was een hersenschim, een illusie die hij als waarheid had aangenomen. Men zegt dat een mens als laatste zijn hoop opgeeft, maar het was hopeloos om te dromen over opnieuw beginnen als zijn gezonde verstand en rechtschapenheid hem vertelden dat hij haar moest laten gaan voordat het te laat was, voordat hij alles opnieuw kapotmaakte.

Met zowel angst als verdriet dacht hij aan zijn vrouw en hun kinderen, aan zijn broer, die het volste recht had om hem te haten, maar ook aan datgene wat minder dan twee dagen geleden duidelijk was geworden. Een vreselijke mogelijkheid die eiste dat hij haar liet zien waar hij stond, dat hij het haar vertelde. Hoewel hij ook duistere geheimen met zich meedroeg, een verleden dat hij wilde vergeten, dus wie was hij om te oordelen? Daarom aarzelde hij. Er was zo veel te winnen, zo veel te verliezen.

Hij zag het eind van de peddeletappe en de plek waar ze de boot weer moesten tillen. De vorige keer dat ze de volgepakte kajak over een overwoekerd bospad sjouwden, had ze hem met een schalkse glimlach een verrassing beloofd. Ze had geweigerd om hem een hint te geven en hij begon nu echt nieuwsgierig te worden. De oever van het meer voor hen zag er niet bijzonder gastvrij uit. Een bospad, dat over de landtong tussen dit meer en het volgende meer liep, was zichtbaar tussen de dennenbomen. Er klonk geronk en een zilvergrijze auto reed langs. Hij benadrukte menselijke nabijheid en prikte zijn zeepbel van geforceerde gemoedsrust lek.

Nu zag ze de betonnen buis. Vanaf deze afstand was het niet meer dan een zwarte stip met een lichtgrijze rand. Het zou hem blij maken, het was overduidelijk hoe lastig hij het vond om de kajak te moeten dragen. Nu hoefde hij dat niet. Toch huiverde ze. Ze had altijd moeite gehad met krappe ruimten, smalle passages en vochtige duisternis.

Hij zou het spannend vinden. Bovendien was het een perfecte afsluiting.

Ze tikte op zijn schouder en hij draaide met moeite zijn bovenlichaam zodat hij haar kon zien. Ze glimlachte, wees met haar peddel naar de oever en het gat. 'Daar gaan we naartoe. Je hoeft niet meer te tillen.'

Hij draaide zich naar voren en tuurde verbaasd naar de buis.

Gott im Himmel! Was dat mogelijk? Moesten ze daar echt doorheen?

Ver weg hoorde hij een zwakke bonk. Het leek op een autoportier, maar misschien was het een vallende boom in het bos. Naarmate ze dichterbij kwamen werd het gat groter, maar het zou krap zijn. Hoe ver was het naar de andere kant? Zijn maag verkrampte, maar hij had geen andere keus dan haar vertrouwen.

'Leg de peddel langs de kajak en buig je hoofd. Ik zorg dat we vaart hebben.'

Hij deed wat ze zei. De duisternis omringde hen. Hij probeerde op te kijken, maar trok zijn hoofd snel terug toen hij het ruwe beton boven hem pijnlijk raakte.

Daarna kwamen het licht en de schaduw.

Eerst het licht, duizend glinsterende stralen in het water op de plek waar de zon de opening van de buis zocht, een heerlijk contrast met de claustrofobische duisternis, gevolgd door de warmte op zijn gezicht toen hij weer buiten was en eindelijk rechtop kon zitten. Daarna de schaduw, de contouren van een gestalte die de zon blokkeerde. Hij sperde zijn ogen open toen hij zag wie het was.

Het schot was oorverdovend. Het smeet hem eerst naar achteren en daarna opzij. Verlamd zakte hij in het water en trok de kajak en zijn geliefde met zich mee.

DEEL 1 - BLOEITIJD

Impassioned lovers
Wrestle as one
Lonely man cries for love
And has none
New mother picks up
And suckles her son

'*Nights in White Satin*' – MOODY BLUES

1

Maandag 12 juni 2006, 02.52 uur

Hampus krijste, maar Fredrik hoorde het nauwelijks meer. Hij voelde zich een zombie, een geest die niets liever wilde dan gaan liggen en het dekbed over zijn hoofd trekken.

Hij droeg de baby op zijn schouder, drentelde heen en weer en zag zijn spiegelbeeld met de grijze baardstoppels en de kraaienpootjes rond zijn ogen in het keukenraam. Ulrika was zo mogelijk nog vermoeider, maar vast en zeker wakker. Hij wist dat ze elke kreet van haar baby hoorde en dat daardoor elke poging om te slapen, gedoemd was te mislukken.

Ulrika gaf het kind dag en nacht om het uur de borst. Fredrik had het gevoel dat Hampus bijna onafgebroken aan haar vastgekleefd zat. Haar tepels waren kapot en pijnlijk, ze was voortdurend bang voor melkstuwing, had pijn van de hechtingen en Klara, hun driejarige dochter, ging steeds meer zeuren. Hij deed wat hij kon, maar raakte steeds gefrustreerder. Hoewel hij luiers verwisselde bij allebei zijn kinderen en 's nachts zo veel mogelijk uit bed ging, sliep Ulrika nauwelijks. Ze was één met Hampus. Het was mooi om te zien, maar hij vond het bijna net zo moeilijk als Klara om de rol van figurant te spelen.

Bijna twee weken geleden waren ze moe maar gelukkig thuisgekomen uit het ziekenhuis. Na een dramatische start was het goed geëindigd. Hij zou het vertrek nooit vergeten. Toen de weeën een paar dagen eerder dan verwacht om vijf uur 's ochtends begonnen, waren ze daar absoluut niet op voorbereid. Klara was op de uitgerekende datum geboren en op een of andere idiote manier waren ze ervan uitgegaan dat het dit keer ook zo zou gaan. Ulrika's ouders zouden pas de volgende dag uit Axvall arriveren, dus moest Fredrik zijn ouders bellen om te vragen of zij konden komen. Ze beloofden om meteen in de auto te stappen. Fredrik, in zijn pyjama, wekte de familie Sjödin aan de overkant van de straat en dwong hun de belofte af om voor Klara te zorgen als zijn ouders niet op tijd zouden zijn. Terwijl

Ulrika in de slaapkamer tegen de pijn vocht, rende hun dochter onrustig en opgewonden door het huis. Ze wist dat ze haar moeder niet mocht storen, maar kon onmogelijk stilzitten. Hij belde het Mälarziekenhuis om te vertellen dat het niet lang meer zou duren voordat ze vertrokken, maar dat ze zouden proberen om nog even te wachten. Dat lukte niet. Met de hoorn nog in zijn hand hoorde hij Ulrika schreeuwen. De weeën werden snel krachtiger en inmiddels was haar water gebroken.

Op een of andere manier lukte het hem een koffertje voor Klara in te pakken en haar naar de overburen te brengen, nadat hij naar Ulrika had geroepen dat ze zouden vertrekken zodra hij terug was. Hij vroeg haar om het nog even vol te houden, maar kreeg alleen gekreun als antwoord, waarna ze dreigde om in de gang te bevallen als hij niet opschoot.

Ze deden de deur niet eens op slot toen ze vertrokken. Toen Fredrik de E20 naar Eskilstuna op reed, begon het te stortregenen. Grote druppels sloegen tegen de auto, waardoor het bijna onmogelijk was om iets te zien. Hij moest ver onder de snelheidslimiet rijden, hoewel Ulrika's weeën steeds sneller op elkaar volgden. Zwijgend telde hij de seconden tussen elke nieuwe kramp, vervloekte de regen en dacht aan alle griezelverhalen over bevallingen op de achterbanken van auto's. Toen ze in het ziekenhuis waren, liepen ze een volle wachtkamer in en de golf van energie die hem op een of andere manier had gedragen, verdween heel even. Minstens twintig paar ogen staarden naar hen, er allemaal net zo op gebrand om als eerste aan de beurt te zijn. Een paar van de wachtenden kenden ze, onder wie Jennifer en PO Ahlgren, die hun derde kindje verwachtten, een echt nakomertje. Jennifer en Ulrika hadden af en toe contact met elkaar via het sociale netwerk Ladies' Circle. Zij en haar man woonden in een kleine boerderij uit de achttiende eeuw buiten Mariefred. Fredrik wist dat PO bij een bank werkte terwijl Jennifer zich bezighield met de boerderij, de kinderen, de honden en de paarden. Ulrika zei altijd dat ze nog nooit een vrouw met zo veel energie had ontmoet. Fredrik vond PO een opgewekte en af en toe heel grappige man, maar tegelijkertijd moeilijk om echt te leren kennen. Hij leek altijd een beetje zenuwachtig en stuurde alle gesprekken in een richting die hem uitkwam. Ze gingen zelden over iets persoonlijks.

In de wachtruimte zagen PO en Jennifer er net zo gespannen uit als alle anderen, maar ze sloten zich tegelijkertijd af voor de buitenwereld en leken alleen elkaar te zien. Het was ontegenzeggelijk romantisch.

Nu Fredrik in de zomernacht met de ontroostbare Hampus in zijn armen stond, was de gedachte aan nog meer kinderen duizelingwekkend, maar misschien was er een moment voor alles. De blikken waarmee PO en zijn vrouw naar elkaar hadden gekeken, zouden iedereen jaloers maken. Ulrika en hij zouden zo'n opleving van hun relatie toejuichen. Hoewel Fredrik inmiddels uit ervaring wist dat kleine kinderen de kans op een echt liefdesleven ruïneerden, en niet andersom.

Op de kraamafdeling hoefde Ulrika niet lang te wachten; het personeel besefte hoe het ervoor stond. Ze waren in minder dan een kwartier in de verloskamer. Ulrika had negen centimeter ontsluiting en vroeg meteen om lachgas.

Het was Fredriks taak om te proberen te voorkomen dat ze onafgebroken in het masker hyperventileerde, en dat was gemakkelijker gezegd dan gedaan.

'Geef terug! Geef terug!' riep ze zodra hij het masker weghaalde. Af en toe raakte ze bijna bewusteloos omdat ze vergat adem te halen. Aan het eind ging het snel, zo snel dat er geen tijd was voor de epiduraal waar Ulrika om vroeg.

Op dat moment was het bijna een fijn gevoel om een stap naar achteren te kunnen doen en Ulrika door het personeel te laten verzorgen. De baby kwam met één gestrekte arm naar buiten en de verloskundige moest het laatste stuk helpen. Hij zou nooit de eerste blik op zijn zoon vergeten toen het eindelijk achter de rug was en het kleine ventje in een handdoek gewikkeld op Ulrika's borst lag.

Ze waren nu met z'n vieren, een echt modelgezin. Ulrika en hij hadden gepraat over hun bezorgdheid over Klara's reactie op de concurrentie van de nieuwe baby. Tot nu toe was het te vroeg om daar iets over te zeggen, vooral door de zeepbel waarin Ulrika en Hampus zich bevonden. Het was in elk geval duidelijk dat ze trots op haar broertje was. Ze probeerde zo goed mogelijk te helpen, wat vaak leidde tot kleine ongelukjes zoals gemorst babymelkpoeder en gevallen borden, maar dat moesten ze verdragen. Op dit moment was hij blij dat ze sliep. Het zou heel erg zijn als zij ook wakker werd. Het was meer dan eens gebeurd dat hij wanhopig probeerde haar weer te laten slapen terwijl Hampus tegelijkertijd steeds harder schreeuwde.

Met een zucht ging hij op de bank zitten. Hij moest ook slapen, in elk geval een beetje. Vandaag zou de zomerstagiaire op de redactie beginnen en zij was zijn verantwoordelijkheid. Hij kon eigenlijk nog vier verlofdagen opnemen, maar dat zou moeten wachten.

Hij had er helemaal geen zin in om iemand op sleeptouw te nemen die alles gadesloeg wat hij deed, maar hij kon moeilijk weigeren. Hij was tenslotte degene die Gege had overgehaald om het meisje aan te nemen. Het leek toen een goed idee, maar nu was hij daar niet zo zeker meer van. Het was opnieuw een bewijs dat hij niet had beseft hoe groot het verschil tussen één of twee kinderen was.

De eerste zonnestralen van de dag schenen door de jaloezieën en hij wist dat zijn hoop om nog even te kunnen slapen vruchteloos was. Berustend liep hij naar het koffiezetapparaat, deed er met één hand water en koffie in terwijl hij met zijn andere hand op Hampus' luier klopte.

Twee koppen koffie later sliep zijn zoon, precies op het moment dat Klara binnenkwam en de televisie aanzette.

2

Maandag 12 juni 2006, 08.15 uur

Het geluid snerpte door het trappenhuis. Anna-Lena duwde haar vinger voor de derde keer hard op de bel. Ze krijgt nog één kans, daarna bekijkt ze het maar, dacht ze.

Ze balde haar vuist en sloeg hard tegen de deurpost. Het was belachelijk dat ze hier stond terwijl ze daar absoluut geen tijd voor had. Bovendien vond ze het niet prettig om 's ochtends vroeg in haar eentje door de smalle straten van Mariefred te lopen. Ze schrok van elk geluid, verstijfde door elke onverwachte beweging. Het ergst was het als ze bij een straathoek kwam. Ze was er altijd op voorbereid dat híj er zou staan.

Maar ze moest Sanna spreken. Ze had een knuffel nodig en iemand die naar haar luisterde, al was het maar een paar minuten. Ze wilde niet denken aan alles wat er vandaag op kantoor gedaan moest worden.

Ze hoorde het gebonk van vermoeide voetstappen op de houten vloer van de hal en daarna een korte stilte terwijl Sanna door het kijkgaatje keek, precies zoals ze hadden afgesproken. Daarna verscheen haar vriendin met verward haar en wallen onder haar ogen in de deuropening.

'Kom binnen. Ik sliep.'

Anna-Lena keek demonstratief naar de klok. 'Hoef je vandaag niet te werken?'

Sanna schudde haar hoofd. 'Ik heb me ziek gemeld. PO doet daar niet moeilijk over. Niet bij mij.'

Anna-Lena deed de deur achter zich dicht. Ze voelde zich meteen kalmer. Sanna's flat was veilig terrein. 'Waarom heb je je ziek gemeld? Eerlijk?'

Sanna gaf geen antwoord. Ze liep naar de kleine keuken, zette het koffiezetapparaat aan en pakte bekers van de plank boven het aanrecht. 'Wat kom je eigenlijk doen? Je hebt het toch zo druk?'

Anna-Lena hoorde de irritatie in Sanna's stem; de stekeligheid die er vroeger nooit was geweest, maar die steeds gewoner werd.

Ik werk te veel en neem meer dan ik geef, dacht ze. En dat alles voor een festival. Ik heb het recht niet om hiernaartoe te komen en om nog meer te vragen. 'Natuurlijk heb ik het druk, maar ik miste je. Is dat verkeerd?'

Sanna keek naar het koffiezetapparaat en de straaltjes bruinzwart vocht die zachtjes op de bodem van de glazen bekers stroomden. Daarna draaide ze zich naar de koelkast en haalde er een pak melk uit. 'Natuurlijk niet. Ik was alleen verbaasd. En ik ben niet in vorm, zoals je begrijpt.'

'Maar wat is er dan? Want er is iets.'

Sanna haalde haar schouders op. 'Hetzelfde als altijd. Deze verdomde stad. Zo snoezig, zo mooi en zo ontzettend weerzinwekkend.'

Anna-Lena schrok. Haar voorhoofd voelde warm. Ze vond het heel moeilijk als iemand nare dingen over Mariefred zei, zelfs als dat Sanna was. Ze wilde de stad verdedigen, Sanna dwingen om van mening te veranderen, maar dat had natuurlijk geen zin en ze had het recht er niet toe. Sanna was een echtere inwoonster van Mariefred dan zij ooit zou worden, geboren met de wind van de Gripsholmsbaai in haar gezicht.

Anna-Lena was hier net komen wonen, en dus een vreemdeling. Het was niet belangrijk dat ze uit het nabijgelegen Åker kwam, dat ze de leiding had over het toeristenbureau en vlak bij het plein woonde. Ze was toch een vreemdeling. Maar weerzinwékkend? Ze moest iets zeggen. 'Komt het niet gewoon door je werk? Is het echt de stad?'

Sanna glimlachte, maar het was geen lieve glimlach. Eerder een grimas die maskeerde dat ze Anna-Lena doorhad. Misschien provoceerde ze haar expres, dat deed ze vaker. Sanna was altijd op zoek naar reacties. Ze wilde bewijs dat er aandacht werd geschonken aan wat ze zei. Dat het belangrijk was.

'Je bent me aan het jennen, nietwaar?' Ze liep naar Sanna toe en woelde met haar handen door het blonde, verwarde haar waar ze zo veel van hield. Ze verstrengelde haar vingers erin, boog zich naar voren en kuste de koele lippen.

Sanna beantwoordde de kus, maar er was iets wat Anna-Lena niet herkende. Een lichte aarzeling, gedachten die wegzwierven naar een plek waar zij geen toegang had.

'Het bed is waarschijnlijk nog warm.'

Sanna gaf zich lachend over. 'Ga jij maar vast, dan neem ik de koffie mee.'

Anna-Lena gehoorzaamde en liep door de gang naar de slaapkamer. Ze hoorde het rinkelen van de koffiebekers en daarna de zachte plof toen Sanna's badjas op de grond viel. Anna-Lena draaide zich om en bewonderde het slanke, aantrekkelijke vrouwenlichaam dat helemaal van haar was. Misschien reageerde ze daarom zo sterk op Sanna's woorden. Mariefred en Sanna hoorden bij elkaar en ze wilde geen van beide missen. Ze kleedde zich uit en kroop onder het dekbed.

Er is iets wat ze niet vertelt, dacht ze. Het gevoel was sterk, maar ze weigerde het toe te laten. Ze kon het zich niet veroorloven om Sanna opnieuw te wantrouwen.

Johanna had zo lang tussen hen in gestaan dat het een klein wonder was dat ze uiteindelijk toch verder waren gekomen. Haar zusje Johanna, die nooit thuis was gekomen van de treinreis door Europa die Johanna en Sanna naar Duitsland had gebracht. Daar was de vakantie geëindigd.

De pijn was er nog, ondanks alle jaren die voorbij waren gegaan. Maar ze had het Sanna vergeven. Ja, ze had het haar helemaal vergeven.

Maandag 12 juni 2006, 09.13 uur

Fredrik liep de redactie aan de Storgatan binnen. Hij haatte het om zo laat te zijn. Het dutje op de bank had niet geholpen. Bovendien was hij vergeten om zijn tanden te poetsen.

Emilia stond natuurlijk al op hem te wachten. Ze droeg een strakke, gebleekte jeans, een colbertje en een witte blouse waarvan de bovenste knoopjes open waren. Haar donkere haar was in pagestijl geknipt, zo te zien pas geleden. Het was een beetje ongelijk en sprietig, een stoer kapsel dat duidelijk duur was geweest. Ze had het waarschijnlijk in Stockholm laten doen.

Tijdens het sollicitatiegesprek had ze verteld dat haar vader afkomstig was van Jamaica. Ze was heel mooi, met een stralende glimlach en de vrolijkste bruine ogen die Fredrik ooit had gezien. Het was misschien niet zo verbazingwekkend dat Gege haar wenkbrauwen had opgetrokken, maar hij geloofde niet dat hij zo enthousiast over haar was om haar uiterlijk. Het was de onverschrokken blik in haar ogen, de nieuwsgierigheid en energie die ze uitstraalde.

Hij bood zijn verontschuldigingen aan omdat hij zo laat was. Ze zei dat het niet erg was en zag eruit alsof ze het meende, hoewel dat moeilijk te geloven was.

Ze gingen samen een kop smerige koffie uit de oude koffieautomaat in de kelder halen en daarna liet hij haar haar kantoor zien. Het was niet veel meer dan een kast die Tore, de redactiefotograaf, tot voor kort had gebruikt als opslagplek. De bureaustoel en het versleten bureau had Gege laten ophalen uit de opslagruimte bij Gula Rosornas Företagsby, waar ze na de renovatie een aantal spullen hadden opgeslagen. Het kantoorkerkhof was een enorme chaos. Het kon nooit de bedoeling zijn om de kantoorlijken te moeten opgraven als ze daar eenmaal lagen.

De computer was in elk geval in redelijke staat, hoopte hij. Het was Ulla Gense een maand geleden gelukt om een nieuwe Mac te krijgen, en Emilia had haar oude computer gekregen. Die was nog maar drie jaar oud en Fredrik probeerde er niet aan te denken dat hij Ulla heel vaak had horen vloeken omdat het ding niet deed wat het moest doen.

Hij zei tegen Emilia dat hij hoopte dat ze zich thuis zou voelen en liep daarna naar zijn eigen kantoor.

Zijn collega's begroetten hem terwijl hij door de gang liep. Af en toe zag hij iemand glimlachen. Lachten ze achter zijn rug? Vooral Tore leek onbeschaamd vrolijk. Tore hield er weliswaar van om te pesten, maar als er iemand was die minstens net zo enthousiast over Emilia was geweest als Fredrik, dan was hij dat. De fotograaf steunde Fredrik tegenwoordig trouwens in alle situaties. Dat was een fantastische verandering in vergelijking met vorig jaar, toen ze als kat en hond tegenover elkaar hadden gestaan.

Waarom waren ze allemaal zo vrolijk? Was er iets gebeurd terwijl hij weg was, en wat kon dat dan zijn?

Het irriteerde hem dat hij zich één moment een buitenstaander voelde, maar het onbehagen verdween toen hij zijn kantoor in liep. Het *Strengnäs Dagblad* van vandaag lag opengeslagen op zijn toetsenbord. Lukas Jansson, de Skåner die het kantoor naast hem had, bonkte op het tussenraam en riep lachend: 'Welkom terug! Je krijgt het druk. Die kerel is flink onder handen genomen!'

De halve pagina werd in beslag genomen door een foto van Sune Holmgren, de vroegere financiële wethouder, voor het expositiegebouw Grafikens Hus in Mariefred. Sune hield zijn handen voor zijn gezicht en zijn kostuum zat vol grote, rode vlekken.

PLAATSELIJKE POLITICUS GEBOMBARDEERD MET TOMATEN, luidde de

kop. Sune had een openingstoespraak gehouden voor de tentoonstelling van Madeleine Pyk. Geïrriteerde bewoners van Mariefred waren tijdens de toespraak naar voren gedrongen en hadden de politicus bekogeld met overrijpe tomaten.

'Strängnäs rot op! Grafikens Hus is top!' hadden ze gescandeerd.

Er zou een internationaal jazzfestival in Strängnäs gehouden worden. Jarenlang waren de jazzdagen in Mariefred een van de hoogtepunten van de zomer en de trots van het stadje geweest. Dit jaar was het evenement afgelast en dat was te danken aan Sune Holmgren. In plaats van de jazzdagen zouden alle middelen gebruikt worden voor een 'echt' jazzfestival op het eiland Visholmen en heel Västerviken zou betrokken worden bij de festiviteiten. Het programma leek heel ambitieus. Het festival zou vijf dagen duren, van 26 tot en met 30 juni. Dat was zelfs een dag langer dan het Jazz & Blues Festival in Stockholm. De lijst met musici die zouden optreden was indrukwekkend. Het was een topprestatie van Anna-Lena Olofsson en inmiddels werd er in heel Zweden over het zomerfeest gepraat. Wie wilde er niet bij zijn als Magnus Lindgren met Joshua Redman en Joe Lovano ging jammen?

Afgelopen voorjaar had Sune Holmgren iedereen gechoqueerd door zijn vertrek als financieel wethouder aan te kondigen. Hij zou de politiek niet verlaten, absoluut niet, maar met het oog op de naderende verkiezingen wilde hij plaatsmaken voor nieuwe, frisse krachten in het gemeentebestuur. Hij zou zich in plaats daarvan gaan bezighouden met cultuur in de functie van woordvoerder van de cultuurcommissie.

Misschien was dat het verbazingwekkendste. Sune had vroeger nauwelijks speciale interesse voor kunst getoond. Veel mensen vonden dat hij niet voldoende kennis had op dat gebied.

Fredrik wist uit eigen ervaring dat Sune vooral dweepte met pompeuze bouwprojecten en niets deed zonder de kopstukken van het lokale bedrijfsleven erbij te betrekken. Het was geen geheim dat Sune een groot voorstander was van de bouw van een jazzmuseum op Visholmen, op het terrein van het oude waterleidingbedrijf. Maar waarom een carrièrejager als Holmgren vrijwillig een stap terug had gedaan, was moeilijk te begrijpen. Met het oog op zijn nieuwe vertrouwenspositie was het zelfs verdacht. Of ontbrak het hem aan elke vorm van zelfkennis?

Fredrik had gehoord dat de leden van de cultuurcommissie onlangs naar een congres in de hoofdstad waren geweest. Na afloop waren ze voor

23

een biertje naar O'Learys in de Scheelegatan gegaan. Op de televisieschermen in het café werd een internationale ijshockeywedstrijd uitgezonden.

'Wie spelen er?' vroeg Sune, die het blauw-gele tenue blijkbaar niet had opgemerkt.

Een collega zag zijn kans schoon. 'Rusland geeft Zweden een pak slaag. Die Russische aanvallers Tsjaikovski en Stravinski zijn verschrikkelijk goed. En het wordt er niet beter op dat onze doelman staat te slapen. Nee, weg met Ferlin, geef mij Peter Skoglund maar! Ik denk dat er nog hoop is voor de andere vijf. Je hebt toch wel gehoord over het aanstormende talent, Sune? Ulf Lundell en Rolf Wikström, wat een kerels zijn dat!'

De anderen in het gezelschap wisselden geamuseerde blikken met elkaar, maar niemand zei iets. Sune knikte en meldde dat ijshockey een van zijn favoriete sporten was. Een tijdje later fluisterde hij tegen zijn buurman: 'Vertel eens, die Ulf Lundell, is die echt nieuw in het nationale team? Ik heb volgens mij eerder over hem gehoord.'

Het lezen van het artikel bezorgde Fredrik een goed humeur. Lukas had gelijk, het was goed nieuws en zo inspirerend dat de vermoeidheid die hem daarnet nog had verdoofd, verdween.

Het zou een spannende zomer worden met de verkiezingsstrijd en misschien uiteindelijk een regeringswisseling, het jazzfestival met veel internationale sterren, de besluitvorming voor wat betreft een aantal omstreden bouwprojecten en de onzekerheid wie er de beslissingen nam in de gemeente.

Wat was Sune Holmgren van plan? Fredrik zou zich daar graag in verdiepen als hij er de tijd voor had. Het zou niet de eerste keer zijn dat een onderzoek naar de politicus resultaat opleverde. Toen hij onlangs naar een bijeenkomst van de journalistenbond was geweest, hadden meerdere van zijn collega's zich erover opgewonden dat de onderzoekende journalistiek een uitzondering was geworden, dat het tegenwoordig voornamelijk om ontspanning en roddels ging, dat strakke deadlines en de slechte financiële situatie van kranten de mogelijkheden tot verdieping tegenhielden en dat het ongelofelijk was dat het publiek dat pikte. Fredrik was het ermee eens, maar besefte ook dat hij het goed had getroffen. Het was niet altijd even gemakkelijk om de *coming man* van hoofdredacteur Ragnarök te zijn, maar hij klaagde niet als hij daardoor de kans had om voldoende tijd aan zijn werk te besteden. Het grappige was dat het voordeel berustte op een misverstand. De hoofdredacteur dacht dat het zo ging bij de grote dagbladen.

Het maakte het natuurlijk gemakkelijker dat Sune Holmgren een fenomeen was. Een naar macht hunkerende politicus die zich na een verloren strijd binnen de jeugdafdeling van de Conservatieve Partij had moeten richten op de lokale politiek. Daar had hij succes gehad, maar het was niet moeilijk om een mening te hebben over zijn werk. Er was een parallel en een paradox met wat er momenteel op nationaal niveau gebeurde. Heel veel mensen hadden genoeg van Göran Perssons droge stijl en leiderschap nadat hij twaalf jaar premier was geweest, maar in deze stad was de pompeuze leider tot voor kort iemand van de Conservatieve Partij geweest die er bijna net zo lang zat. Bovendien was hij een van de hoofdpersonen in een zeldzaam schandaal dat Fredrik het jaar ervoor boven water had gekregen. Leden van de milieupartij die Fredrik had ontmoet, noemden Strängnäs nu 'Sörmlands Teckomatorp', daarmee verwijzend naar het grote milieuschandaal van de jaren zeventig. Een beetje overdreven, maar de sanering van het regimentsterrein zou nog lang duren.

Toch had de Alliantie kans op een nieuwe verkiezingsoverwinning als ze hun kaarten goed speelden, maar Holmgren begon een serieus probleem te worden nu hij de burgers van Mariefred tegen zich had. De aanhang van de Strängnäspartij en de Mariefredpartij groeide en bovendien was de ultrarechtse plaatselijke partij Svensk Samling bezig aan een verontrustende opmars in de opiniepeilingen.

Er was echt heel veel waar hij zich in kon vastbijten. Het probleem was wat hij met Emilia moest doen. De rol van mentor maakte hem onzeker. Hij vond het prettig om zijn eigen weg te gaan en alleen samen te werken met collega's als hij daar zin in had. Ulrika had meer dan eens hatelijk geconstateerd dat zijn mening over zijn collega's niet zo heel veel verschilde van de manier waarop Ragnarök naar zijn werknemers keek. Bruikbaar als hem dat uitkwam, maar verder overbodig. Hij hoopte en wilde graag geloven dat het niet zo was, maar kon niet anders dan toegeven dat er een kern van waarheid in zat.

Nu troostte hij zich ermee dat de gebeurtenissen in Mariefred werk voor Emilia zou betekenen, zodat hij haar niet voortdurend bezig hoefde te houden. Ze kon mensen op straat interviewen en opinieonderzoek doen. De mensen hielden ervan om hun mening te geven in de krant en dit soort peilingen waren geliefd. Er was echter een wezenlijk verschil. Veel mensen waren echt boos en er zouden gegarandeerd heftige reacties volgen. Gevoelsuitingen waarmee hij Sune Holmgren kon confronteren. Emilia zou het gaaf vinden om zich op het slagveld te begeven. Daar leek ze het type voor te zijn. Onverschrokken en sterk. En bovendien zou de opdracht haar voorbereiden op het festival, als de hele redactie zou omkomen in het werk. Hij was ineens een beetje trots op zichzelf. Het deed hem eerder denken aan een stage bij een landelijk dagblad dan op een slaperige regionale redactie.

Hij verlangde ernaar om te beginnen, maar eerst moest hij naar de Coop in Präntaren om een tandenborstel te kopen en het nieuwe mondwater waar ze in de televisiereclames over doorzeurden. Er waren grenzen aan wat zijn collega's konden verdragen.

3

Zaterdag 17 juni 2006, 13.02 uur

Fredrik was onder de indruk, niet alleen als journalist maar ook als man. Emilia was snel van begrip, dacht zelf na en benaderde mensen beter dan veel van zijn collega's. Misschien beter dan hijzelf. Ze luisterde aandachtig naar wat hij vertelde, maar durfde ook commentaar te geven en had een eigen mening. Er was echter nog iets anders. Na vier dagen samenwerken sprak ze al vertrouwelijk met hem.

Ze zouden het personeel van Grafikens Hus interviewen om erachter te komen wat ze ervan vonden dat de jazzdagen niet in Mariefred zouden plaatsvinden. Het was Emilia's idee. Fredrik had aangenomen dat die interviews al waren gedaan. Tenslotte had de cultuurcommissie met Holmgren aan het hoofd al bijna twee weken geleden aangekondigd dat de jazzdagen in Mariefred geschrapt zouden worden, of liever gezegd: zouden opgaan in het jazzfestival van Strängnäs. Hij had het echter mis gehad. Ulla had weliswaar een artikel geschreven, maar had zich op de politici geconcentreerd. Sölve Svensson, die vanuit het filiaal in Mariefred werkte, had daarna een interview gehad met Greta Kvarngren, de voorzitster van de Mariefredpartij. Natuurlijk verkondigde zij dat het besluit een ramp was. Vijf personen op straat vonden dat ook, maar dat was alles. Fredrik was niet onder de indruk. Iedereen kon zien dat er meer uit te halen was, zelfs een meisje met glanzend zwart haar, een gezicht als een model en een tatoeage op haar kuit, dat rechtstreeks van de hogeschool voor de journalistiek kwam.

Fredrik was in die tijd op de kraamafdeling geweest.

Het was niet moeilijk om de bewoners van Mariefred te interviewen, integendeel. Iedereen kookte van woede. Je hoefde nauwelijks aan de oppervlakte te krabben om ervoor te zorgen dat ze hun ongezouten mening gaven. De tomatengooiers hadden de sympathie van bijna iedereen. Het ging niet om hooligans of revolutionairen. De activisten waren een stel Golden Girls die betrokken waren bij het culturele leven van Mariefred en die werden geholpen door studenten. Emilia bedacht al snel de naam 'bibliotheekterroristen' voor hen. De acties waren voorbereid op de volksuniversiteit tijdens de cursus 'Zweedse Muzieklegenden'. De oudere dames en hun jonge metgezellen hadden enorm veel bewondering voor Jojje Wadenius en Nils Landgren. Ze waren dolenthousiast geweest toen ze hoorden dat hun helden waren geboekt voor de jazzdagen in Mariefred, maar dat enthousiasme was al snel omgeslagen in verbittering en Sune Holmgren werd het mikpunt van hun haat. Zijn garantie dat een deel van de optredens en activiteiten in Mariefred zouden plaatsvinden, maakte niet veel indruk.

Veel inwoners waren van mening dat het alleen bewees wat ze al wisten. De politici van Strängnäs waren arrogant en hadden maling aan Mariefred.

Sommigen wisten munt te slaan uit het ongenoegen. Op het Rådhusplein hield Jan-Börje Larsson een vurige toespraak. Hij vertegenwoordigde de onaangenaam populaire Svensk Samling, die duidelijk was begonnen met de verkiezingscampagne. Veel mensen namen Jan-Börje en zijn partij niet serieus, maar Fredrik dacht daar anders over. Er waren weinig mensen aan wie hij zo'n hekel had als aan extremisten, wat vaak ook betekende dat ze racist waren. Als ze bovendien steun kregen van steeds meer 'gewone' mensen door hun echte agenda te verbergen achter politieke holle frasen, zoals 'een veiliger samenleving willen creëren' en 'de trots op Zweden in ere herstellen' werd het griezelig. Voordat je het wist bevond je je in een manifestatie ter ere van Karl xii. Geografische polarisatie door alles in zwart-wit voor te stellen was een klassieke truc. Jan-Börje wist alle instrumenten te gebruiken en op dit moment was Sune Holmgren zijn beste vriend.

'We moeten onze stad verdedigen!'

Het klonk als een strijdkreet en veel mensen die over het plein liepen bleven staan, nieuwsgierig naar wie er sprak en waar het over ging.

'Opnieuw hebben de politici in Strängnäs laten zien wat ze vinden van ons en onze mooie stad! Ze hebben ons in de modder getrapt. Zijn jullie van plan dat te pikken?'

De toehoorders reageerden met wat verspreid 'nee'-geroep en veel mensen schudden hun hoofd.

'We moeten ons verzamelen! Laten zien waar we staan! Wat gebeurt er als we het accepteren dat Strängnäs ons blijft besturen? Wat wordt de volgende stap? Vluchtelingenwoningen in kasteel Gripsholm?'

Jan-Börje kreeg een paar aarzelende lachjes ten antwoord. De mensen-massa groeide. Dat spoorde hem aan.

'Wij, die al zo veel jaar in Mariefred wonen, verwelkomen het natuurlijk als hier capabele mensen komen wonen. Veel Stockholmers beseffen de waarde van onze kleine stad en dat is fijn. Feit is dat we hier meer bekwame en doortastende mensen hebben dan in de hoofdstad. Moeten we dan toekijken als Strängnäs zich op onze kosten verrijkt?'

Er klonk instemmend gemompel. Hij drukte duidelijk op de juiste knoppen.

'We hebben ons deel al gekregen. Maar een paar kilometer hiervandaan staat een gevangenis vol misdadigers. Verkrachters en moordenaars, vaak uit andere landen, die wij opgesloten moeten houden. Geloven jullie dat het zo zou gaan als Mariefred invloed zou hebben?'

Niet iedereen was het eens met wat Jan-Börje zei, maar er klonken geen protesten. Een paar mensen begrepen welke kant het op ging, maar de meesten bleven staan en er kwamen voortdurend nieuwsgierigen bij.

'Laten we van ons afbijten! Zorg ervoor dat de oude politici jullie toekomst niet vernietigen! Voor succesvol ondernemen en een levendig platteland, en tegen meer immigrantengetto's en hogere lasten van de bobo's in Strängnäs. Stem op Svensk Samling!'

Het applaus was indrukwekkend. Zelfs Jan-Börje leek verrast. Meerdere mensen liepen naar voren om hem een hand te geven.

Zowel Fredrik als Emilia had met stijgende interesse en tegelijkertijd met afkeer geluisterd. Het leek erop dat er rekening gehouden moest worden met Svensk Samling. Emilia gaf Fredrik een snelle blik. 'Zal ik om een interview vragen?'

Ze wachtte niet op zijn antwoord, maar liep meteen naar Jan-Börje toe, die de poster met het embleem van Svensk Samling, die hij als achtergrond had gebruikt, inpakte. 'Mogen we je een paar vragen stellen?'

Emilia schonk hem haar charmantste glimlach. Die zou iedereen laten smelten, maar dat gold niet voor Jan-Börge. 'Wie ben je?'

'Ik ben van *Strengnäs Dagblad*. Dit is mijn collega Fredrik Gransjö.'

Jan-Börje keek naar haar met een koude, bijna dreigende blik in zijn ogen en draaide zich daarna demonstratief naar Fredrik. 'Goed, vraag maar. Wat willen jullie weten?'

Emilia raakte de draad kwijt. 'Tja... Eh... Dus... Tot wie is je politiek gericht?'

Jan-Börje glimlachte minachtend. 'Wat denk je van de Zweed? Je komt rechtstreeks van het jongerencentrum in Rinkeby, nietwaar? En dan vraag je je af wie onze kiezers zijn? Dat kan ik je vertellen. Dat zijn Zwéden. Snap je?' Hij lachte. 'Zigeunerwijven horen niet tot onze doelgroep.'

Fredrik nam het woord om Emilia te redden, ongeacht de vraag of dat nodig was of niet. 'Op welke manier kan Svensk Samling bijdragen aan een betere politiek voor de mensen in Strängnäs?'

'Heb je niet geluisterd? We hebben het over Mariefred. Strängnäs is tenslotte het probleem.'

'Jullie richten je dus alleen op in Zweden geboren burgers in Mariefred? Is dat niet een heel kleine kiezersbasis?'

'Nee, dat is een goede basis. Bovendien zullen veel inwoners van de gemeente al snel begrijpen waar het om gaat. Degenen die hier wonen weten het best wat Mariefred nodig heeft, ben je het daar niet mee eens?'

'Maar jij woont toch in Åker?'

Jan-Börje keek hem geïrriteerd aan. 'Hoezo? Wat heeft dat ermee te maken?'

'Op welke manier denk je de bewoners van Mariefred dan te kunnen vertegenwoordigen? Je komt hier toch niet vandaan?'

Het werd stil. Jan-Börje dacht na. De rimpel op zijn voorhoofd werd dieper en hij sloeg zijn armen over elkaar. 'Neem je me in de maling? Ik vind dat je daarmee moet oppassen.'

Fredrik negeerde het dreigement. Hij had de kleine racist precies waar hij hem hebben wilde. 'Vertel eens, je hebt klachten over Bondhagen, maar jouw partij wil toch een strengere aanpak van misdadigers? Dan is het toch juist goed dat er gevangenissen zijn?'

'Jawel, maar die hoeven niet hier te staan. Op het platteland van Norrland is voldoende ruimte.'

'We moeten dus belastinggeld uitgeven om nieuwe gevangenissen te bouwen en de oude te sluiten. Dat klinkt als een kostbare grap. En wat betreft de criminaliteit, denk je niet dat er harder opgetreden moet worden tegen alle soorten misdaad?'

'Absoluut, als we de buitenlanders naar huis sturen, is er meer plaats in de gevangenis voor Zweedse nietsnutten. Dat is ook veel beter voor de fatsoenlijke burgers.'

Emilia's zenuwachtigheid was weg en ze werd steeds bozer. Ze was een beetje geïrriteerd over Fredrik, die het gesprek gewoon had overgenomen, maar ze was razend op die racistische klootzak. Een trap tegen zijn hoofd was wat die idioot moest krijgen. In plaats daarvan deed ze een stap naar achteren en bekeek het schouwspel. Er was iets meedogenloos angstaanjagends aan de man en het was zowel komisch als onaangenaam hoe de oppervlakte barstjes begon te vertonen zodra de vragen lastig of persoonlijk werden. Fredrik leek te weten wat hij deed, maar ze hoopte niet dat het ermee zou eindigen dat hij een dreun kreeg.

'Natuurlijk, maar dan moeten we vrouwenmishandeling en gesjoemel met uitkeringen ook aanpakken, of niet soms?'

Nu besefte Jan-Börje waar Fredrik naartoe wilde. De rode kleur van zijn gezicht werd donkerder. 'Ik zei dat je moest oppassen.'

'Bedreig je me? Ben je van plan me te mishandelen? Zoals je met je vrouw hebt gedaan?'

'Loop naar de hel!'

Fredrik kon het niet laten om te glimlachen en maakte daarna dat hij wegkwam. Jan-Börje was uitzinnig van woede. Hij begon te schelden en stak zijn middelvinger op. Emilia lachte hardop en stak twee middelvingers in de lucht voordat ze zich omdraaide en wegliep. Toen ze de Storgatan in liepen, hoorden ze hem nog steeds schreeuwen.

'Ja, dat is goed, neem die buitenlandse hoer van je mee en ga terug naar dat verdomde Strängnäs!'

Emilia zag Fredriks gezichtsuitdrukking en glimlachte verdrietig naar hem. 'Maak je geen zorgen, ik heb ergere dingen gehoord, veel erger zelfs. Je hebt hem flink uit zijn evenwicht gebracht.'

Hij glimlachte onzeker naar haar. Ze was een stoere meid, of was dat alleen de buitenkant? Hij dacht het niet. 'Zulke types moet je kort houden. Wat zeggen ze ook alweer? Hij is een zweer op het lichaam van de maatschappij.' Hij haalde verontschuldigend zijn schouders op en probeerde zich geen oude kerel te voelen.

Ze gaf hem spontaan een stevige omhelzing. 'Bedankt dat je me verdedigd hebt, hoewel ik je kan beloven dat ik hem zelf had aangekund.'

In de auto zette Fredrik de radio aan en zweeg. Nu de adrenaline wegebde, begon hij zijn optreden anders te zien. Het was niet professioneel om zijn gevoelens zo de overhand te laten nemen. Eigenlijk moest hij Emilia uitleggen dat obscene gebaren niet thuishoorden in het repertoire van een journalist, maar hij wilde absoluut niet dat ze zich terechtgewezen zou voelen. Bovendien kon hij het niet verdragen dat ze hem nog een keer zou uitlachen.

31

Toen ze terug waren op de redactie vroeg hij Emilia om een concept voor een artikel te schrijven, waarna hij zich naar zijn kantoor haastte. Hij was blij dat niemand de tijd nam om te vragen hoe het was gegaan. Hoewel het niet zijn beste moment als journalist was geweest, kon hij het niet laten om leedvermaak te hebben. Hij had die kleine racist zo ver gekregen dat hij had laten zien hoe hij echt was. Hij had hem gepeld als een overrijpe sinaasappel en de rotte binnenkant laten zien.

In zijn achterhoofd speelden tegelijkertijd andere gedachten. Als hij eerlijk tegen zichzelf was, had hij Jan-Börje dan niet voornamelijk op zijn nummer gezet om indruk op Emilia te maken? En als dat waar was, dan was hij een verschrikkelijk slechte mentor.

Bovendien was het moeilijk om niet te denken aan haar omhelzing en de manier waarop ze met die plagerige blik in haar ogen naar hem had gekeken.

Emilia's concept was goed, merkte Fredrik een uur later trots. Het lukte hem niet om te ontkomen aan haar enthousiasme. Hij had zich misschien gedragen als het eerste het beste alfamannetje, maar het was moeilijk om ontevreden te zijn als dit het resultaat was. Jan-Börje en Svensk Samling zouden aandacht in de krant krijgen, maar dat zou niet worden gevierd in het hoofdkwartier in Åker.

Hij zond in gedachten een bedankje naar Ulla. Zij was degene die altijd beweerde dat het de moeite waard was om te weten wat er in de gemeente leefde en te luisteren naar de roddels. Dit keer had hij achtergrondinformatie. Jan-Börje Larsson was bekend bij de politie vanwege financiële onregelmatigheden en fraude met EU-subsidies en het werkloosheidsfonds. Tijdens een huiszoeking bij de boerderij van Larsson waren een elandenjachtgeweer en een hagelgeweer aangetroffen waarvoor Jan-Börje geen vergunning had. Hij was er met boetes van afgekomen.

De tweede keer was veel ernstiger geweest, en toen kwam hij er ongestraft van af. Het was een slecht bewaard geheim. Vijf jaar geleden was Jan-Börje getrouwd met een meisje uit Åker. Hij was twee jaar ouder dan zij en ze hadden op dezelfde school gezeten. De vonken sprongen niet van hun relatie af, maar in het begin leken ze tevreden. Ze hadden een mooie boerderij en onder haar zorg bloeide die op. Ze hadden een traditionele, ouderwetse relatie. Sommigen zeiden dat Jan-Börje zijn vrouw verafgoodde, maar dat veranderde al snel in jaloerse bezetenheid. Later zou blijken dat ze een sterke vrouw was, maar op een of andere manier accepteerde ze de rol waarin hij haar wilde zien. Dat was natuurlijk niet voldoende om hem tevreden te houden. Het patroon was beklemmend klassiek. Ze werd steeds minder vaak buiten gezien en ook haar vriendinnen hoorden steeds minder van haar.

Er waren veel mensen in Åker die wisten wat er aan de hand was, maar niemand zei iets. De verhalen kwamen pas na die dag in oktober van het afgelopen jaar, toen ze met een ambulance naar het ziekenhuis in Södertälje was gebracht. Maria Carlson, hoofdinspecteur in Strängnäs en een vriendin van Fredrik, had een keer verteld wat er allemaal mis was in deze zogenaamde idylle.

Maria had gevochten tegen de hopeloosheid van de voortdurende mishandelingen, maar had weinig kunnen doen. Tot ze haar collega de kamer in het ziekenhuis uit had gestuurd, op de rand van het bed was gaan zitten en de hand van de vrouw had vastgepakt. Ze hadden samen gehuild en daarna had Maria haar nadrukkelijk gesmeekt om de systematische mishandelingen aan te geven.

Dat deed ze niet, maar ze ging wel bij hem weg. Daarna had ze laten zien waartoe ze in staat was. Ja, Anna-Lena Olofsson was alle bewondering waard.

DEEL 2 - DE ONTSNAPPING

This land is mine but I'll let you rule
I'll let you navigate and demand
Just as long as you know, this land is mine
So find your home and settle in
Oh I'm ready to let you in
Just as long as we know, this land is mine

'*This Land is Mine*' – DIDO & ROLLO ARMSTRONG/RICK NOWELS

4

Dinsdag 20 juni 2006, 00.29 uur

Marcin haatte deze verdomde plek. Hij had erger gezien, maar dat was niet belangrijk. Het was de sfeer die afschuwelijk was. Er was geen trots, geen wil. Het waren allemaal laffe pedofielen en flikkers die zich afrukten en medelijden met zichzelf hadden. De gevangenis in Opole in zijn vaderland Polen was op elke dag van de week beter, ook al wilde hij niet terug.

Maar wie wilde er in de bajes zitten? Hij ging hier weg en dat zou vannacht gebeuren. Hij had al veel te veel tijd verloren. Thuis deden de bendeleiders wat ze wilden en vierden het feit dat ze van hem af waren. Maar hun lachende gezichten zouden al snel veranderen in gekwelde grimassen. Hij zou eerst Vladimir te grazen nemen en daarna, als hij die klootzak een tijdje had laten zweten, Dietmar.

Het bericht dat hij drie weken geleden van Jacus had gekregen, was te mooi om waar te zijn en hij had lang getwijfeld of het echt was. Het was een geschenk uit de hemel en dat maakte hem wantrouwend. Zijn bronnen bevestigden de informatie echter, en wat had hij voor keus?

Hij lag op zijn bed met zijn kleren aan en wachtte op de cipier, zijn onwillige medeplichtige. Waar bleef die klootzak? Hij zou hier nu moeten zijn. De nachtrondes vonden volgens een vast tijdschema plaats en afwijkingen waren niet toegestaan.

De cipiers deden steekproeven in de cellen. Ze zochten naar drugs, mobieltjes, wapens en andere dingen die het leven in de gevangenis een beetje plezieriger maakten. Vannacht zouden ze hem fouilleren en zijn cel inspecteren. Of in elk geval was er één klootzak van een cipier die dat geloofde. Marcin keek ernaar uit.

Andrzej werd Andy genoemd, maar Marcin wist al sinds de dag dat hij in Bondhagen arriveerde dat hij een landgenoot van hem was. Hij kon niet zeggen of dat door het accent of door het kapsel kwam. Misschien was het ook de duidelijke wrok die Andrzej tegen hem koesterde. Het was niet

37

moeilijk te bedenken waarom dat was. Het was in eerste instantie niet persoonlijk, maar werd dat al snel.

Het was niet gemakkelijk om een immigrant in Zweden te zijn. Als een Pool iets verkeerd deed, kregen alle anderen daar ook de schuld van. Een knoeiende werkkracht uit Polen stond meteen bekend als 'die onbetrouwbare Pool' en trok al zijn landgenoten mee in het slijk. Andrzej had genoeg van het ironische commentaar en de veelbetekenende blikken van zijn collega's zodra er in de krant stond dat een 'Oost-Europeaan' sigaretten had gesmokkeld, dronken achter het stuur had gezeten of een auto had gestolen. En het bleef niet bij wat zijn landgenoten deden, hij kreeg de schuld van wat alle Oost-Europeanen uithaalden.

Marcin wist dat Andrzej er trots op was dat ze geen Polen in de gevangenis hadden, tot hij arriveerde.

Het was natuurlijk heel moeilijk geweest om te verwerken. Andrzej werkte hard om een nieuw, prettig leven in Zweden op te bouwen. Hij wilde bewijzen dat hij minstens zo flink was als zijn buren, een volwaardige Zweedse burger die ze moesten respecteren. Als lid van de Rotaryclub had hij het gevoel dat hij goed op weg was om daarin te slagen. Pasgeleden was het hem gelukt om belangstelling te wekken voor een tentoonstelling over de Poolse onderzeebootbemanningsleden die tijdens de oorlog in Mariefred geïnterneerd waren.

Hoewel Marcin bijna meteen begreep hoe de vork in de steel zat, deed hij zijn best om bevriend te raken met Andrzej. Dat maakte het alleen erger. Andrzejs wrok verergerde en veranderde al snel in haat.

Dat kon Marcin niet schelen. Hij had al snel bedacht hoe hij dat kon uitbuiten. Mensen die geregeerd werden door hun gevoelens waren eenvoudig te manipuleren. Andrzej kon hem niet zien zonder te blokkeren. De cipiers mochten niet betrokken raken bij de gevangenen, maar dat was precies wat Andrzej deed, hoewel hij dat zelf niet besefte. Marcin stookte het vuurtje nog eens op door aan iedereen die wilde luisteren te vertellen dat ze landgenoten waren. Eén keer sloeg hij voor de grap een arm om Andrzejs schouders toen Polen een voetbalinterland had gewonnen, waarna hij een klap van hem kreeg.

Andrzej werd bij de gevangenisdirecteur geroepen en kreeg een uitbrander. Hij kwam ervan af met een waarschuwing en een kleine korting op zijn loon, maar niemand twijfelde eraan hoe groot zijn hekel aan Marcin was. Het was bijna ontroerend.

Marcins volgende stap was informatie inwinnen. Hij vroeg zijn kameraden in Krakau om Andrzej Bialy na te trekken. In eerste instantie leek dat niets op te leveren. Zijn ouders woonden in Lodz. Niemand had slechte dingen over Andrzej te vertellen. Hij stuurde elke maand geld naar huis. Er waren geen schandalen of gokschulden. Bialy was wit als sneeuw, een saaie man zonder zwakten of belangrijke wapenfeiten.

Toch had Marcin uiteindelijk beet. Het bleek dat Andrzej een jongere zus had die in Duitsland woonde. Ze werkte als prostituee in Hamburg voor Walther Zinder, een gangster die Marcin ooit had ontmoet. Haar ouders schaamden zich verschrikkelijk, maar het was niet duidelijk of Andrzej het wist. Marcin vertelde het graag. Hij smokkelde zelfs een foto de gevangenis in zodat Andrzej niet aan de informatie hoefde te twijfelen. Het werd een verschrikkelijke rel en het scheelde weinig of Marcin had een pak slaag gekregen. Uiteindelijk begreep Andrzej echter waar Marcin op uit was. Voor één keer was zijn reputatie een voordeel. Andrzej had iets om over na te denken.

De dagen daarna wachtte Marcin, die alles op één kaart had gezet, gespannen af. Alles hing af van de vraag of Andrzej zich aan de afspraak zou houden.

Eindelijk hoorde hij de cipiers in de gang. Nieuwsgierige Nicke met zijn parmantige loopje en Andrzej die voor hem uit sjokte. Ze bleven voor zijn deur staan en klopten aan. Daarna klonk het geluid van een sleutel die in het slot werd gestoken.

Marcin kwam langzaam overeind. Hij was verschrikkelijk zenuwachtig, maar dat mocht Nicke absoluut niet merken. Hij probeerde er slaperig en geïrriteerd uit te zien. 'Wat is er?'

Niklas Olsson stond in de deuropening en glimlachte onaangenaam. 'Controle! Maak het jezelf niet moeilijk. Je kent de routine. Trek je broek naar beneden en ga met gespreide benen met je handen tegen de muur staan. Als je niet lastig doet, zijn we over drie minuten vertrokken.'

Marcin ging vlak bij de tafel staan en deed wat hem gezegd werd. Nieuwsgierige Nicke had zijn bijnaam te danken aan zijn uiterlijk en zijn snelle bewegingen, maar vooral omdat hij het heerlijk vond om in het privéleven van de gevangenen te snuffelen. Het verbaasde Marcin daarom niet dat het fouilleren snel ging en dat Nicke niet alle lichaamsopeningen onderzocht. De cipier was geïnteresseerd in andere dingen.

'Oké, trek je broek omhoog, maar blijf daar staan tot we klaar zijn.'

39

Andrzej zei geen woord. Hij stond bij het voeteneind van Marcins bed en bekeek het tafereel. Dat was normaal. De cipiers waren met z'n tweeën en een van hen zorgde voor de veiligheid door toezicht op de gevangene te houden terwijl de ander de inspectie uitvoerde.

Niklas boog zich over de tafel en begon tussen Marcins papieren te snuffelen. Het lokaas lag voor hem, tussen de muur en het bureau zodat het aan één kant omhoogstak.

Marcin keek naar de cipier zonder zijn hoofd te draaien. Vanuit zijn ooghoeken zag hij de metalen presse-papier. Die stelde de kathedraal van Krakau voor en bevond zich binnen zijn bereik.

Nicke zag de kaart en stak zijn hand triomfantelijk uit om hem te pakken. Omdat de tafel vrij breed was, moest hij een stap bij Marcin vandaan doen en zich vooroverbuigen. Op het moment dat hij dat deed pakte Marcin de presse-papier, die hij een paar dagen geleden met cement had gevuld zodat hij het juiste gewicht zou hebben.

Nicke pakte de kaart en draaide zich naar Marcin. 'Wat hebben we hie-'

Het lukte hem niet zijn zin af te maken. De scherpe toren van Krakaus kathedraal raakte zijn slaap en veroorzaakte een wond van een decimeter. Hij zakte zonder een kik te geven op de tafel.

De wond bloedde enorm en het bloed liep over de tafel over Marcins papieren. Andrzej staarde ontzet naar zijn collega, maar zei niets.

Marcin keek waarschuwend naar Andrzej, die er verstijfd bij stond, en legde de bewusteloze cipier daarna op zijn rug op het bed. Hij knoopte diens uniformoverhemd open, trok het uit en deed hetzelfde met de broek. Daarna trok hij de kleding aan, maar koos ervoor om zijn eigen schoenen te houden. Waarschijnlijk waren die niet zichtbaar op de camera's.

De cel was beschermd gebied. Er mochten geen camera's hangen, maar zodra ze naar buiten gingen werden ze geobserveerd. Het was echter midden in de nacht en degene die de televisieschermen controleerde was hopelijk moe of had er geen zin in.

Marcin zag dat Andrzejs handen trilden. Nieuwsgierige Nicke zag er niet uit of hij snel wakker zou worden en als hij dat wel deed, zou hij opgesloten zijn en waarschijnlijk een verschrikkelijke hoofdpijn hebben. Marcin pakte de vieze handdoek die bij de wastafel hing en gebruikte die als knevel. Hij genoot ervan om hem stukje bij beetje in Nickes lelijke mond te proppen. Hij deed geen moeite om de cipier vast te binden en de handboeien moesten volgens de regels op zijn rug aan zijn riem hangen. De knevel gaf hem misschien een beetje extra tijd, maar als hij hier niet binnen een paar minuten weg was, was zijn kans verkeken.

Hij keek naar zijn verstarde landgenoot. 'Verman je, verdomme. Het is bijna voorbij, als je tenminste niet doordraait in de gang.' Hij sprak heel zachtjes in het Pools. Andrzej knikte. 'Heb je de pet?'

Andrzej haalde hem uit zijn zak en gaf hem aan Marcin. Het was een uniformpet die de cipiers op de luchtplaats droegen. Nieuwsgierige Nicke droeg hem soms ook binnen, maar was blootshoofds de cel binnen gekomen. Dat was het zwakke punt in het plan. Zou de man die de monitoren bekeek zich herinneren dat Nicke zonder pet naar binnen was gegaan? En als dat zo was, zou hij dan onraad ruiken?

'We gaan. Jij eerst.'

Ze liepen de gang op. Marcin draaide zich om, stak zijn hand op in een lusteloze groet, deed een paar stappen naar achteren en liet Andrzej de deur dichttrekken en op slot doen.

Marcin sloeg demonstratief met de wapenstok tegen zijn linker handpalm. Er waren meerdere redenen waarom hij Nieuwsgierige Nicke had gekozen. Ten eerste omdat ze dezelfde lichaamsbouw hadden en omdat Nicke van zijn pet hield, ten tweede omdat hij ongedurig was en graag met zijn wapenstok speelde en ten derde omdat hij een klootzak was en het een plezier was geweest om hem neer te slaan.

Ze begonnen door de gang te lopen. Marcin hoopte dat zijn sneue medegevangenen sliepen of in elk geval geen aandacht wilden trekken door uit het luikje te kijken. Er waren heel veel gevangenen die hem graag zouden verlinken.

Hij keek verlangend naar de uitgang. Gelukkig liep Andrzej voorop, anders wist hij niet of het hem was gelukt om niet sneller te gaan lopen.

Hij luisterde gespannen of het alarm afging. Andrzej was het eerst bij de deur en keek in de camera terwijl hij de code intoetste. Marcin keek naar beneden. Andrzej zou de meeste moeite hebben om dat uit te leggen, maar dat was Marcins probleem niet. Hij hoorde de klik toen de deur van het slot ging en daarna waren ze erdoorheen.

Marcin pakte de wapenstok nog steviger vast. Met een beetje geluk zouden ze niemand tegenkomen, maar dat was niet zeker. Er zou geen tijd voor uitleg zijn, alleen voor geweld.

Hij keek snel op zijn horloge. Zes minuten voordat hij op zijn laatst buiten moest zijn. Hij hoopte dat zijn plan niet mislukte doordat de cipiers te laat waren geweest.

Andrzej zei niets en bleef star en robotachtig voor hem uit lopen.

Plotseling gebeurde het. Een deur verderop ging open. Marcin hief de wapenstok, klaar om te slaan.

Een vrouw kwam de gang in lopen. Ze droeg een huishoudschort en had een emmer bij zich. De vrouw keek met een uitdrukkingsloze blik in haar ogen naar hen en gebaarde dat ze erlangs wilde. Er werd geen woord gezegd.

Een schoonmaakster! Marcin liet de wapenstok zakken en liep langs haar zonder naar haar te kijken.

In de kamer waaruit ze was gekomen klonken stemmen. Cipiers. De deur stond half open en hij begreep dat ze zijn zwarte sneakers zouden zien als er iemand naar buiten keek.

Ze liepen naar het eind van de gang zonder dat ze tegengehouden werden. De deur was op slot, maar het was voldoende om op een knop te drukken. Daarna volgde meteen links een deur die Andrzej voorzichtig opende. Hij controleerde of er iemand was en liep daarna naar binnen. Ze waren in de kleedruimte van de cipiers.

'Verder ga ik niet.' Andrzej klonk bang, maar vastbesloten. Hij maakte zijn pasje los en gaf dat aan Marcin. 'Neem deze mee. Ik ga na de middernachtronde vaak een sigaret roken op de parkeerplaats. Dat is je beste kans. Geloof me.' Hij had een bijna smekende klank in zijn stem.

'Oké, en wat doe ik met jou? Je krijgt hier problemen mee, dat begrijp je toch?'

'Je moet me maar vastbinden of zo. Ik klets me er wel uit, maar jij helpt mijn zus, zoals we hebben afgesproken.'

Marcin glimlachte. Dat was Andrzejs onvoorwaardelijke eis geweest: help mijn zus.

'Ik beloof het,' zei hij, waarna hij keihard met de wapenstok op Andrzejs hoofd sloeg.

Zonder een geluid te maken zakte de cipier op de vloer en belandde met zijn hoofd tegen een kast.

Marcin bleef even naar hem kijken. Daarna bukte hij zich, haalde de zaklamp van Andrzejs riem en gaf een kus op zijn mond. 'Ik hoop dat we elkaar nooit meer zien,' mompelde hij, waarna hij vastbesloten naar de deur liep.

5

Dinsdag 20 juni 2006, 00.14 uur (een kwartier eerder)

Jimmy Phil reed in de zomernacht Härad uit. Hij reed voorzichtig en be-hoedzaam alsof hij een eierdop in plaats van een gaspedaal onder zijn voet had.

Hij had nog steeds kramp in zijn maag van het afschuwelijke telefoon-gesprek. Alles liep mis en er was heel weinig wat hij daaraan kon doen. Hij was ontzettend stom geweest en nu hadden ze hem bij zijn ballen. Je be-donderde de Clan niet ongestraft, dat wist hij beter dan ieder ander, maar zijn hebberigheid had de overhand gekregen.

De hele weg naar Mariefred wierp hij zenuwachtige blikken op het dashboardklokje. Af en toe keek hij in de achteruitkijkspiegel of hij blauwe zwaailichten zag. Gelukkig reed de auto bijna vanzelf.

Zijn Mitsubishi Lancer Evolution was de droom van elke rallyrijder. Hij voelde zich het gelukkigst wanneer hij met 180 kilometer per uur door de Sörmlandse bossen reed op wegen die voor maximaal de helft van die snelheid geschikt waren, maar dat was nu een kleine troost. Hij was op weg naar het onbekende en dat maakte hem banger dan hij wilde toegeven.

Hij vervloekte zijn stommiteit, maar besefte dat het onvermijdelijk was geweest. Hij had het geld nodig gehad. Hij vond het fantastisch om rally's te rijden en eindelijk begon dat zijn vruchten af te werpen. De afgelopen vijf jaar had hij *folkraces* gereden en dat ging heel goed. Hij hield ervan dat hij tijdens wedstrijden net als de anderen was, maar beter reed. Niemand daar leek te weten dat hij als inbreker bekendstond en als mensen het wel wisten, dan kon het hen niet schelen. Ze zagen alleen Jimmy Phil, de ral-lyrijder die zich afbeulde om aan alle wedstrijden mee te kunnen doen, die altijd aan zijn oude rammelkast sleutelde en anderen graag hielp als hij dat kon.

De andere Jimmy woonde in Härad en was in de ogen van velen de rotste appel van het dorp. Jimmy was degene die de perfecte kraak zag, de

43

kans die je maar één keer kreeg, in de vorm van lottowinnaars in de omgeving die stapels statussymbolen hadden gekocht. Hij had gedacht dat het veilig was en dat de Clan er niet achter zou komen. Natuurlijk wist hij dat het consequenties zou hebben als de mannen in Eskilstuna beseften dat hij de riante buit voor zichzelf had gehouden.

De dubbele koplampen verlichtten de weg voor hem. Het zou een ramp zijn als hij te laat kwam, maar te vroeg was ook niet goed.

Toen hij afsloeg naar Mariefred ging hij langzamer rijden, terwijl hij zorgvuldig om zich heen keek. Het was midden in de nacht, maar nog steeds schemerig, en het zou al snel weer licht worden. Hij deed de koplampen uit. In de stad waren de straten smal en de kleine huizen stonden dicht tegen elkaar aan. Hij had er geen behoefte aan om iemand wakker te maken. De weg langs Trekantens Café, de weilanden met koeien en de mooie boerderijen in de verte kalmeerden hem een beetje. Het was idyllisch, het was thuis. Wie kon geloven dat er hier akelige dingen konden gebeuren?

Bovendien had hij vrij zicht. Het zou moeilijk zijn om een politieauto onopgemerkt in de buurt van deze weg neer te zetten. Hij hield zichzelf voor dat het bij de gevangenis net zo zou zijn.

Budde Anderssons instructies waren glashelder geweest. Het was *pay back time*. Als hij niet deed wat hem was gezegd, was een derde verblijf in de bajes het beste waarop hij kon hopen. Een schot in zijn hoofd was waarschijnlijker. Hij wist met wie Budde samenwerkte en die mannen hadden geen enkele consideratie.

Meteen na Grafikens Hus zag hij het bord dat aangaf dat hij naar rechts af moest slaan voor gevangenis Bondhagen. De weg liep om het centrum van Mariefred heen. Hij was nog langzamer gaan rijden, maar ook met deze snelheid was de auto indrukwekkend. Vurig, krachtig en veilig. Alles wat hij niet was.

Er brandde zo nu en dan licht achter een raam, maar de straten waren uitgestorven. Hij had de hele rit niemand gezien.

De bebouwing werd minder dicht en de spanning en zenuwen grepen hem weer bij zijn keel. Het dashboardklokje stond op 00.32 uur. Hij had nog acht minuten.

Nu zette hij zijn koplampen weer aan. Als ze de weg bewaakten, zouden ze meteen reageren als ze een auto zonder licht zagen rijden. Het was volkomen krankzinnig. Hij reed een doodlopende weg in en hij hoefde Einstein niet te zijn om te beseffen hoe groot het risico was dat hij liep.

Stop met nadenken, vermaande hij zichzelf. Dat had helemaal geen zin. Zijn auto was sneller dan de wagens die de smerissen hadden. Dat moest voldoende zijn.

In de verte doemde de gevangenis op. Het was een robuust gebouw van grijswit beton, met een hoge stenen omheining, veel bewakingscamera's, volop verlichting en een groot terrein eromheen. Hij pakte de pruik met het lange, blonde haar van de passagiersstoel en zette hem op. Hij leek ermee op een of andere stomme rocker. Joey fucking Tempest of zo. 'The Final Countdown' paste trouwens ongewoon goed bij dit moment.

Terwijl hij de pruik pakte, kon hij het niet laten om ook even naar het pistool te kijken dat op de stoel lag. Het was het wapen van autohandelaar Arne, dat Jimmy zogenaamd had laten verdwijnen na die afschuwelijke gebeurtenis van vorig jaar, toen hij had ingebroken bij een dode vent. Nog een inbraak waarbij hij slim genoeg had moeten zijn om te weigeren.

Nu moest hij een zware crimineel ophalen. Een wanhopige kerel voor wie Budde zelf bang was. Jimmy had respect en ongerustheid in Buddes stem gehoord toen hij belde.

Jimmy pakte het pistool en stak het achter de band van zijn spijkerbroek. De nummerborden van zijn auto waren afgeplakt en de auto was overgespoten. Meer kon hij niet doen.

Hij grinnikte toen hij zichzelf in de achteruitkijkspiegel zag. Dat verminderde de spanning een beetje.

Even later passeerde hij de gevangenis en reed daarna het bos in, waar de duisternis bijna ondoordringbaar was. Voor alle zekerheid reed hij nog een paar honderd meter en een aantal bochten verder voordat hij stopte en langs de berm parkeerde. Het was inmiddels 00.35 uur. Nog vier ondraaglijk lange minuten voordat hij in actie moest komen. Vier minuten waarin hij alleen kon wachten en hopen dat er geen smerissen verschenen. Vier minuten in stilte. Daarna een minuut plankgas rijden, waarbij geen enkele ruimte voor fouten was.

Zijn mobiel ging. Hij liet hem een paar keer overgaan en nam pas op toen het gesprek bijna naar zijn voicemail werd doorgeschakeld.

'Ja?'

Hij luisterde nauwkeurig. De instructies waren veranderd, waar hij absoluut niet blij mee was, maar hij was niet in een positie om daarover in discussie te gaan.

'Oké, dan doe ik dat.'

Hij hing op. Het maakte de situatie niet eenvoudiger of beter, maar wat kon hij er verdomme aan doen?

Nu was hij echt bang, en toch was er eigenlijk niets veranderd. De opdracht was dezelfde, maar hij kon het gevoel niet kwijtraken dat de Clan terugkrabbelde. Budde had zijn best gedaan om net zo cool als anders te klinken, maar hij hield Jimmy niet voor de gek. De heler was verlamd van angst. Er moest iets gebeurd zijn.

Jimmy startte de motor en wachtte. Hij reed langzaam terug en toen hij na de laatste bocht het open terrein naderde, zette hij de koplampen weer uit en bleef bij de bosrand staan.

Het was showtime. Tijd voor een dragrace.

Marcin probeerde de neerslachtigheid van zich af te schudden. Hij was overgeleverd aan een vreemde en dat was geen prettig idee. Waarschijnlijk was het een lokaal talent dat er geen idee van had waar hij mee bezig was.

Hij liep met Nickes pet op zijn hoofd door de gevangenispoort naar het parkeerterrein en bleef de hele tijd zorgvuldig naar beneden kijken.

Hij was bijna in paniek geraakt toen hij de sleutel van de poort aan Andrzejs grote sleutelbos probeerde te vinden. Bij de derde poging was het gelukt.

Toen hij eenmaal buiten stond, ademde hij de nachtlucht gulzig in, waarna hij een sigaret opstak. Nu moest hij improviseren. Hij had er natuurlijk geen idee van waar Andrzej meestal stond te roken, maar waarschijnlijk vlak bij de deur, met het oog op de grote, volle asbak.

Hij keek op zijn horloge. 00.39 uur. Er was geen tijd te verliezen.

Hij dwong zichzelf om stil te staan en telde tot twintig, daarna slenterde hij langzaam en op het oog doelloos over het parkeerterrein. Hij liep naar de weg terwijl hij de sigaret nonchalant in zijn rechterhand hield en hem af en toe naar zijn mond bracht voor een trekje.

Bij de inrit stopte hij en keek langzaam in beide richtingen. Rechts zag hij veel licht. Dat was Mariefred. Links was het volledig donker. Op het parkeerterrein leken alle lichten van de gevangenis op hem gericht te zijn. Waarschijnlijk keken de mannen achter de beeldschermen verveeld naar hun rokende collega, maar dat zou niet lang meer duren.

Hij had maar één kans.

Marcin deed de zaklamp aan, stak zijn linkerarm omhoog en richtte de lichtbundel op de beschermende duisternis van het bos.

Het antwoord kwam onmiddellijk. Vier koplampen gingen aan, daarna hoorde hij een motor brullen. De koplampen werden steeds groter en het geluid krachtiger. Al snel begon het pijn aan zijn ogen te doen.

De auto stopte met piepende banden voor hem en het passagiersportier vloog open.

Zonder een woord te zeggen liet hij de zaklamp vallen en sprong naar binnen. Voordat het portier dicht was accelereerde de auto al weer, naar Mariefred en de vrijheid, samen met een glimlachende idioot met lang, verward blond haar en een krampachtige greep rond het stuur.

6

Dinsdag 20 juni 2006, 07.31 uur

Hoewel het nog vroeg was, was bijna iedereen aanwezig. Ragnarök, die behoorlijk opgewonden leek, had iedereen verzameld voor een extra redactievergadering.

Lukas Jansson was de enige die weigerde te komen. Hij luisterde naar de politieradio. Er was iets aan de hand waar heel geheimzinnig over werd gedaan. Hij was van plan om wat mensen te bellen om uit te zoeken waar het over ging.

Fredrik liep met tegenzin naar de vergaderkamer. Hij had helemaal geen zin om te moeten luisteren naar de hoofdredacteur, maar hij had geen keus. Ragnarök had hem speciaal gevraagd erbij te zijn.

De vergadering ging over het jazzfestival. Fredrik vroeg zich af waarom je daarover moest praten als je nog niet eens wakker was, maar Ragnarök had natuurlijk gelijk dat de zomer veel energie zou kosten. Strängnäs zette zichzelf op de kaart door middel van het jazzfestival. Het was de grootste muzikale gebeurtenis in Sörmland sinds lange tijd. De werknemers van de cultuurredactie in Eskilstuna waren blijkbaar dolenthousiast. Volgens Ragnarök liep muziekrecensent Sten 'Stene' Nyquist kwijlend door de gangen.

'Snappen jullie? Een paar van de beste jazzsaxofonisten ter wereld samen op één podium! Daarna Diana Krall en misschien Elvis Costello na Jojje Wadenius. Ik geloof dat ik erin blijf! Dit wordt heel, heel groot!'

Ragnarök deed een gewaardeerde imitatie van Stene voor Ulla Gense en Fredrik terwijl ze op laatkomers wachtten. Emilia was er ook. Ze zat zwijgend aan de tafel en keek met grote ogen naar de hoofdredacteur. Fredrik snapte hoe ze zich voelde. Ze kende nog bijna niemand van de redactie omdat de reportage over Mariefred ertussen was gekomen en het was de eerste keer dat ze Ragnarök zag. Hij liet zoals gewoonlijk niemand onbewogen.

Fredrik keek naar haar en kreeg meteen een glimlach terug. Hij vroeg zich af of zijn collega's achter zijn rug praatten. Het was beslist niemand ontgaan dat ze invloed op hem had.

Hij schudde zijn slechte geweten resoluut van zich af. Het waren onschuldige fantasieën en bovendien kon hij zich niet voorstellen dat ze hem aantrekkelijk vond. Als hij niet uit zijn mond stonk, dan hing er een zwakke, maar onmiskenbare geur van babyspuug om hem heen. Hij was al een paar maanden niet naar de kapper geweest en het begon lastig te worden om zijn haar in bedwang te houden. Vroeger was hij altijd naar kapsalon Klipp It gegaan, die tegenover de redactie aan de andere kant van de straat lag, dus was het pure luiheid en de geboorte van zijn baby die hem tegenhielden.

Hij dacht aan zijn gezin. De geboorte van Hampus was fantastisch geweest, maar het viel hem opnieuw op hoe verschrikkelijk onvoorbereid hij was geweest. Inmiddels begon hij over de meeste dingen onzeker te worden, zelfs over Ulrika. Ze trok zich steeds meer in zichzelf terug en richtte haar aandacht volledig op Hampus en zichzelf. Er was geen ruimte voor hem en nauwelijks voor Klara. Op een bepaalde manier waren ze meer een gezin dan vroeger, maar tegelijkertijd ook niet. Het was een grote stap van één kind naar twee kinderen, een enorme sprong in een wereld waarover hij geen controle had en waarop hij geen invloed kon uitoefenen. Hij wist dat het kinderachtig was, maar na negen maanden zwangerschap en alle doorwaakte nachten van de afgelopen weken snakte hij naar aandacht. Hij wilde weer begeerte voelen... Zich kunnen overgeven...

Hij was een pathetische vent.

Ragnarök had hem blijkbaar iets gevraagd, want Ulla en hij keken allebei aandachtig naar hem.

'Eh, sorry, wat was de vraag?'

'Ha ha, je bent niets veranderd. Altijd met je gedachten bij de volgende opdracht, nietwaar?'

Ragnarök grinnikte. Hij was ervan overtuigd dat hij altijd wist wat zijn werknemers dachten of vonden. Hij had het zelden bij het juiste eind, maar dat durfde niemand hem te vertellen.

'Ik vraag me af hoe ernstig jij de situatie in Mariefred inschat. Hebben we het over een paar verloren stemmen voor de Alliantie of is het ernstiger?'

Fredrik begon te vertellen over Jan-Börjes vurige toespraak en de enorme bijval die zijn ideeën hadden gekregen. Zowel Ulla als de hoofdredacteur keek sceptisch toen hij voorspelde dat Jan-Börje een zetel in de gemeenteraad zou krijgen.

'Maar Fredrik, overdrijf je niet een beetje? Partijen die vreemdelingenhaat promoten, maken altijd gebruik van de onvrede die er leeft en proberen de situatie uit te buiten, maar ik geloof niet dat de mensen in september op ze gaan stemmen.'

Ragnarök gaf een vaderlijk klopje op zijn schouder. 'Maar het klinkt heel interessant en het artikel dat je hebt geschreven is zoals gewoonlijk goed. Daar kun je meer uithalen!'

'Ik kan inderdaad zeggen dat we geen gebrek aan werk hebben. Gelukkig heb ik een goede hulp. Heb je Emilia al ontmoet?'

Fredrik gebaarde naar haar en Emilia sprong overeind en stak haar hand uit. 'Hallo. Emilia Gibbons, ik werk hier als zomerstagiaire. Fredrik heeft me geholpen om op gang te komen.'

Ragnarök grinnikte en bekeek haar waarderend van top tot teen. Het was op de grens van lomp. 'Ja, ja, dat is een mooie versterking. Je kunt een opwindende zomer tegemoetzien. Leuk! Welkom!'

Veel meer werd er niet gezegd. De vergaderkamer was inmiddels volgestroomd met de werknemers van de krant die allemaal wachtten tot Ragnarök zou beginnen. Emilia liep terug naar haar plek, gevolgd door de blikken van vooral de mannelijke collega's. Zelfs Fredrik kon het niet laten om haar na te kijken.

Ulla en Fredrik gingen aan de andere kant van de tafel zitten.

'Ik zou er goed over nadenken als ik jou was,' mompelde Ulla in zijn oor.

Fredrik schrok. Sinds vorig jaar was hun vriendschap gegroeid en Fredrik bewonderde zijn collega meer dan ooit. Ulla was altijd rechtdoorzee, maar toch was hij verbaasd. Hij probeerde het niet verkeerd op te vatten. Waar dacht ze dat hij mee bezig was? Zijn slechte geweten kwam terug. Hij wist dat Ulla zoiets niet zonder reden zou zeggen. Niemand kon de sfeer op de redactie zo goed inschatten als Ulla, en dat gold ook voor dingen die in de stad gebeurden. Ze had meer dan eens vooraf aangegeven welke beslissingen er genomen moesten worden, zowel bij de krant als in de gemeenteraad.

Het was alleen lastig om het onderwerp van haar analyse te zijn. Als ze over Emilia en hem begon, kon dat alleen maar betekenen dat het geroddel toenam en de geruchten zich misschien zelfs buiten het gebouw begonnen te verspreiden.

Ragnarök draaide zijn verhaal af en zoals gewoonlijk was het lastig om wakker te blijven. Fredrik merkte dat Lukas er nog steeds niet was.

Ulla wachtte natuurlijk op zijn antwoord, maar hij koos ervoor om haar te negeren. Het zou haar enorm irriteren, maar daar kon hij niets aan doen. Ulrika zou gezegd hebben dat hij pruilde als een klein jochie. En als Ulrika dat zei, dan dacht Ulla het. Die twee begrepen elkaar buitengewoon goed. Hij koos ervoor om Ulla vragend en met opgetrokken wenkbrauwen aan te kijken, waarna hij zijn schouders ophaalde en zich weer op de hoofdredacteur concentreerde.

Hij voelde zijn hoofd gloeien.

Ragnarök praatte over het jazzfestival en leek net zo enthousiast als de muziekrecensent.

'...een volksfeest zonder weerga met wereldberoemde artiesten. Binnenkort gebeurt het hier allemaal. Dat stelt natuurlijk eisen aan de bezetting, maar jullie hoeven je geen zorgen te maken, daar heb ik over nagedacht. Jullie hebben meer mankracht nodig en als hoofdredacteur is het mijn verantwoordelijkheid om ervoor te zorgen dat jullie die ook krijgen. Het is allemaal al geregeld. Het bestuur en ik hebben besloten om de hele cultuurredactie hiernaartoe over te plaatsen. Ik heb met Gege gesproken en volgende week komt de versterking. Is dat niet fantastisch?'

Als hij enthousiasme had verwacht, werd hij teleurgesteld. De stilte was drukkend. Zelfs Gege zei niets. Ze zag er opgelaten uit, zoals zo vaak als de hoofdredacteur over haar praatte. Fredrik vermoedde dat ze niet veel in te brengen had gehad, hoewel het een gigantische verandering was. De redactie zou twee keer zo groot worden. Waar moest iedereen zitten? En hoe zou het gaan als cultuurredacteur Henrik Fahlner hiernaartoe kwam? Hij was net zo'n zonderling als Ragnarök. Gege en hij meden elkaar als de pest. Weliswaar miste hij Ragnaröks bombastische gedrag, maar zijn eigendunk was moeilijk te overtreffen. Ulla noemde hem 'de vader van de zelfingenomenheid'. Om de situatie nog erger te maken, hoefde Fahlner geen rekening te houden met de personele en financiële middelen van de krant.

Nee, het was niet moeilijk te beseffen dat het tot conflicten zou leiden. Fahlner had zich al meerdere keren geringschattend uitgelaten over het jazzfestival en de organisatoren ervan. Hij was een uitgesproken tegenstander van de plannen die de gemeente met Visholmen had, net als de nieuwbouw in Tosterö en het regimentsgebied. Als je het Fahlner vroeg, was het enig cultureel interessante in de stad het Multeum, waarin de bibliotheek en het culturele centrum gevestigd waren, verder was in Eskilstuna alles beter.

Misschien dat de bibliotheek nu ook het risico liep om op Fahlners zwarte lijst te belanden. Vanwege het jazzfestival had Hans Kaspersson, de beheerder van het Multeum, pasgeleden besloten om een serie seminars af te zeggen die tijdens de zomer gehouden zouden worden. Het zou het tweede seizoen zijn geweest van 'Fahlners gesprekken', waarin de cultuur-redacteur zijn vrienden uit de Zweedse cultuurelite interviewde.

Zelfs Ragnarök vond het moeilijk om de lauwe respons te negeren. Fredrik verdacht hem ervan dat zijn besluit deels werd gemotiveerd doordat het een opluchting voor Ragnarök was als hij een paar weken van Fahlner verlost zou zijn. De hoofdredacteur glimlachte opgelaten en begon snel over de nieuwste oplagecijfers. Het bleek dat *Eskilstunaposten* zich aanzienlijk slechter ontwikkelde dan *Strengnäs Dagblad*. De redactie was een voorbeeld voor het concern, beweerde Ragnarök.

'De trend is sinds november vorig jaar duidelijk zichtbaar,' zei hij met een veelbetekenende blik op Fredrik. 'Het helpt dat we een held in het team hebben. Nu blijkt bovendien dat hij goed is in het onder druk zetten van onze trage gemeentepolitici. Daar houden de lezers van.'

Fredrik voelde dat hij rood werd. Ragnaröks onverbloemde bewondering was zoals altijd gênant. Fredrik beschouwde het werk van de redactie als een teamprestatie waarin zijn deel belangrijk was en gewaardeerd mocht worden, maar er waren grenzen. Dacht Ragnarök echt dat alles van hem afhing?

Ze keken allemaal naar zijn blozende gezicht. Heel even was de aanstaande bestorming van de redactie van Fahlner en zijn collega's vergeten, en misschien ook het geroddel over Emilia. Hij zag een fascinerende verscheidenheid aan gezichtsuitdrukkingen. Ulla glimlachte sarcastisch, Tore een beetje pesterig. Gege keek trots en Emilia leek blij. Aan de andere kant van de tafel werd chagrijnig gekeken.

Hij werd gered van de starende blikken door een harde bonk op de deur. Lukas liep ademloos en opgewonden naar binnen. 'Dit moeten jullie horen! Ik had gelijk, er is iets aan de hand. Er is een gevangene ontsnapt uit Bondhagen en het nationale interventieteam is opgeroepen. En politie-eenheden uit Södertälje en Strängnäs zijn op weg hiernaartoe. Jezus, Fredrik, dit is echt iets voor jou!'

Iedereen kwam overeind en begon door elkaar te praten.

Ulla pakte Fredriks arm en gaf er een zacht kneepje in. 'Wat denk je ervan, held? Zullen we er samen naartoe gaan?'

Hij keek snel naar Emilia, draaide zich naar Ulla en knikte.

Het was tijd voor een echte misdaadreportage.

7

Dinsdag 20 juni 2006, 08.38 uur

Maria Carlson parkeerde haar auto op het Rådhusplein in Mariefred, voor de plaatselijke redactie van *Strengnäs Dagblad*. Ze moest proberen iets te eten, hoewel de misselijkheid nog niet helemaal verdwenen was. Ze was net in de gevangenis geweest en wat ze daar had gezien, had haar eetlust effectief om zeep geholpen.

Ze had met haar collega's Per Strand en Kjell Jonsson afgesproken in lunchroom Fredman. Ze zaten beslist al op haar te wachten om alle details te horen en instructies te krijgen, maar ze had maar heel weinig te vertellen.

Ze wist nog steeds niet wat dit voor de zomerplanning betekende. Toen Sune Holmgren bij haar langs was gekomen, had ze meteen onraad geroken. Hij was niet het type dat zomaar vriendelijke bezoekjes aflegde bij een eenvoudige hoofdinspecteur van het plaatselijke politiekorps. Bovendien hadden de dramatische gebeurtenissen van het vorige jaar aangetoond dat hij niet immuun was voor pressie. Toch moest ze met tegenzin bekennen dat zijn vertrouwen in haar vleiend was. Hoewel de verantwoordelijkheid voor de veiligheid tijdens een groot evenement als het jazzfestival zowel spannend als veeleisend was, had ze toch ingestemd.

Nu bevond ze zich in een soort niemandsland. Ze was niet verantwoordelijk voor de ontsnapping en de jacht op de voortvluchtige was eigenlijk ook haar probleem niet, hoewel het dat gemakkelijk zou kunnen worden. Het probleem was dat dit de andere taken zou kunnen overschaduwen, omdat het nationale interventieteam volledige samenwerking eiste en zij en haar medewerkers bereid moesten zijn om uit te rukken, jazzfestival of niet. Ze kon niet begrijpen dat iets zo onschuldigs als een muziekfestival in zo veel mensen het slechtste naar boven kon halen. Haar collega's in Eskilstuna toonden hun jaloezie openlijk en waren zich blijkbaar niet bewust van de druk waaronder ze moest presteren. Op politiek niveau vond er een wedstrijd plaats wie het verst kon plassen. Het laatste wat ze had gehoord was dat de Konsthall in Eskilstuna twee keer zoveel financiële middelen had gekregen en dat de rockband Kent tijdens het festival voor eigen publiek zou spelen.

Het pasgeleden aangekondigde besluit dat *Eskilstunaposten* hun culturele redactie tijdelijk naar Strängnäs verplaatste, was een enorme klap voor de cultuurcommissie in Eskilstuna en iedereen wachtte nu op de volgende zet.

Maar zoals gezegd: een nietsontziende misdadiger op vrije voeten, waarschijnlijk een moordenaar, gaf een beetje perspectief aan haar bestaan.

Toen ze uit de auto stapte hoorde ze de helikopters. Het nationale interventieteam was sinds de vroege ochtenduren aan het zoeken. Ze stelde zich de voortvluchtige gevangene heel even voor: het bloed pulseerde door zijn lichaam en hij rende buiten adem over onbekend terrein, struikelend over gevallen takken en door modderige greppels. Een man zonder vrienden die wanhopig genoeg was om alles te doen om te ontsnappen.

Ze wist hoe kritiek de eerste uren waren. Als Marcin Szalas het komende etmaal niet gepakt zou zijn, kon het heel lang duren en dreigde het risico dat er mensen gewond zouden raken. Ze verdacht Szalas ervan dat hij niet het soort misdadiger was dat zich heel lang gedeisd zou houden. Wat ze die ochtend in de gevangenis had gezien, liet er geen twijfel over bestaan waartoe hij in staat was. Alleen al bij de gedachte kreeg ze braakneigingen.

Niklas Olsson was al opgehaald door de ambulance toen ze arriveerde, hoewel ze meteen van huis was vertrokken. Toen ze het telefoontje van de dienstdoende politieagent kreeg, moest ze terugdenken aan die ochtend vorig jaar november, toen Strängnäs zijn onschuld was kwijtgeraakt. De onzekerheid over wat haar te wachten stond en het stressniveau waren hetzelfde, maar deze keer sliep Strängnäs vredig toen ze over de Tosteröbrug reed. Er waren geen blauwe zwaailichten te zien en niets wees erop dat er iets verschrikkelijks was gebeurd.

Toen ze bij de Tullgatan kwam belde ze Per Strand met haar mobiel. Hij nam meteen op, wat ook een verschil was met vorig jaar. Hij vergat zijn telefoon tegenwoordig nooit meer. Ze vroeg hem de leiding van het bureau voorlopig op zich te nemen. Het was niet nodig om naar de gevangenis te komen, omdat de politie van Södertälje al ter plekke was.

In de gevangenis had ze een sterk gevoel van onwerkelijkheid gehad. Het was net een surrealistische film. De verontwaardiging over wat er was gebeurd, was duidelijk zichtbaar op de angstige, bezwete, in het licht van de tl-buizen glanzende gezichten van de cipiers. Het geschreeuw en gegrom van de gevangenen in hun cellen volgden haar op de achtergrond en de gevangenislucht die ze haatte was de hele tijd aanwezig. Het deed haar denken aan de Kronoberg-gevangenis, waar ze tijdens haar opleiding had gewerkt.

De gevangenisdirecteur had foto's laten zien van Niklas Olsson, en toen ze in de cel van Szalas was geweest, wilde ze dat ze die niet had gezien.

Door de hele cel lagen papieren, en het bureaublad, de vloer en het bed zaten onder het bloed. Szalas had een handdoek in de mond van de cipier geprop en dat was Olsson bijna fataal geworden. Toen hij bijkwam en probeerde overeind te komen, werd hij getroffen door een aanval van acute misselijkheid, wat waarschijnlijk werd veroorzaakt door de hersenschudding die hij had opgelopen. Hoewel hij niet vastgebonden was, was hij te versuft geweest om de knevel uit zijn mond te halen. De gevangenisdirecteur zei dat Olsson bijna in zijn eigen braaksel was gestikt.

De korte ontmoeting met Andrzej Bialy was haar het meest bijgebleven. Andrzej had blijkbaar eerst geweigerd om naar het ziekenhuis te gaan, maar was vlak na haar aankomst van mening veranderd. Hij had een lelijke wond in zijn nek die gehecht moest worden en was meegenomen in een ambulance. Ze kon het gevoel dat hij meer wist dan hij wilde vertellen niet van zich afzetten.

Szalas had bijna een jaar in Bondhagen gezeten. Volgens de gevangenisdirecteur was hij een zwijgzame, kalme gevangene met een melancholieke uitstraling die weinig contact met anderen had. Zijn hobby was miniatuurkerken boetseren. Het enige conflict waar men van wist was met Bialy geweest, en volgens de gevangenisdirecteur was dat meer uitgegaan van de cipier dan van de gevangene. Szalas had de reputatie opgebouwd dat hij meegaand was, en misschien was Niklas Olsson daarom minder alert geweest dan hij had moeten zijn, of misschien was zijn ego gewoon te groot om de waarschuwingssignalen op te pikken en had hij gedacht dat hij de situatie onder controle had. Een heel mannelijk trekje, dacht Maria verstrooid.

Szalas was beslist geen meegaande, vriendelijke man en als de cipiers zijn voorgeschiedenis hadden gelezen, hadden ze moeten beseffen dat hij toneelspeelde.

Maria bladerde in het dunne dossier dat ze van de gevangenisdirecteur had gekregen. Szalas was opgegroeid in de straten van Krakau en had al snel naam gemaakt in criminele kringen. Hij vocht, hij stal, hij sloot bondgenootschappen met het ergste uitschot, maar daarnaast ging hij zijn eigen weg. Hij hield zich bezig met maffiapraktijken en was berucht in de hele stad. Er werd gefluisterd dat hij betrokken was bij de moord op twee plaatselijke maffiakopstukken, maar dat was nooit bewezen.

Op een dag besloot hij naar Zweden te gaan; waarom wist niemand. Hij had geweigerd daar iets over te vertellen. Bij de douane werd hij opgepakt. In de kofferbak van zijn Mercedes werd vier kilo heroïne gevonden.

Hij werd naar de gevangenis in Helsingborg overgebracht, waar hij beweerde dat hij onschuldig was, maar toen de afdeling Narcotica zijn Poolse strafregister binnenkreeg leek de kwestie duidelijk. Hij was weliswaar nog nooit opgepakt voor narcoticamisdrijven, maar het patroon was bekend. De omstandigheden in Polen waren niet best en in Zweden was veel geld te verdienen. Bovendien was zo'n grote hoeveelheid heroïne, met een straatwaarde van vier miljoen kronen, niet iets waar je toevallig over struikelde. Nee, het was duidelijk dat hij schuldig was.

Maria bladerde verder. Haar vermoeden klopte. Mattias Thomson was de advocaat van Szalas geweest. Dat verklaarde waarom een pleger van zulke gewelddadige misdrijven in Bondhagen zat. Advocaat Thomson was gespecialiseerd in het verdedigen van buitenlandse cliënten die ervan werden beschuldigd banden met de georganiseerde misdaad te hebben. De laatste tijd had hij zelfs de verdediging gevoerd in een aantal hoog geprofileerde rechtszaken tegen de leiders van de bekendste criminele motorbende van het land. Het was algemeen bekend dat hij in zijn vrije tijd graag met zijn cliënten omging. Hij sprak vaak met hen af in zijn favoriete café in Söder.

Op zijn zakelijke bankrekening stond altijd ruim voldoende geld en er werd gefluisterd dat hij allerlei bankzaken voor zijn cliënten regelde. Hij was vier keer berispt door de orde van advocaten, maar was tot nu toe niet geschorst. Het kon toeval zijn dat Szalas hem als verdediger had gehad, maar dat was niet waarschijnlijk. Szalas had contacten, dat was niet moeilijk te constateren. Vluchtauto's doken niet vanuit het niets op.

Maria stopte het dossier in haar tas en stapte uit de auto. Toen ze het portier op slot deed, zag ze een bekende witte Toyota Corolla parkeren. Ze glimlachte. Dit was geen toeval.

Ze wachtte niet op Fredrik en Ulla, maar slenterde over het plein in de richting van lunchroom Fredman.

Zoals ze had vermoed hoorde ze even later snelle voetstappen achter zich. Ulla's tikkende hakken op de kinderkopjes en Fredriks beduidend zwaardere stappen.

'Maria!'

Ze stopte en keek achterom.

Fredrik zwaaide glimlachend naar haar. 'Ben jij ook op weg naar de lunchroom?'

Ze knikte en begon weer te lopen. Ulla en Fredrik kwamen rechts en links naast haar lopen. Samen liepen ze het laatste stuk door de Kyrkogatan langs Salong City en Water Lily.

Bij Fredman haastte Fredrik zich met een paar lange stappen naar de deur en hield hem beleefd voor haar open.

Binnen bleven ze voor de glazen vitrine staan en bestudeerden de broodjes en het gebak. Maria wist al wat ze zou nemen, maar genoot ervan om net te doen of ze het niet wist en nam er de tijd voor.

Vanuit haar ooghoeken zag ze dat Per en Kjell verdiept waren in een gesprek. Ze hadden blijkbaar niet in de gaten dat ze er was, of misschien juist wel. Als ze de journalisten hadden gezien, was het niet zo vreemd dat ze zich op de achtergrond hielden. Het was tenslotte niet de eerste keer dat Fredrik Kjell onder druk had gezet, ook al was dat uiteindelijk goed afgelopen.

Het was een nare gedachte dat er al zo snel weer een man die tot moord in staat was in de omgeving rondliep. Toch moest ze zichzelf voorhouden dat het dit keer haar verantwoordelijkheid niet was. Het nationale interventieteam zou jacht op hem maken met alle middelen die het ter beschikking had.

Ze ontspande een beetje en besloot om de persmuskieten een bot toe te werpen door hun over Szalas te vertellen. Het was in het algemeen belang dat bekend was dat hij vrij rondliep. De mishandeling van Niklas Olsson zou ze ook beschrijven. Dat moest veelzeggend genoeg zijn. En met alle informatie die ze gaf, zou ze vragen die haar niet aanstonden gemakkelijker kunnen ontwijken.

'Zullen we aan een tafeltje gaan zitten om wat te praten? Ik neem aan dat jullie vragen hebben.'

Ulla en Fredrik keken verrast, maar herstelden zich snel. Ze knikten tegelijkertijd en staarden hoopvol naar haar. Nonchalant bestelde ze de baguette met tonijn die ze altijd nam. Ze wachtte niet op hen, maar liep meteen het eetgedeelte in. Het oude, groene behang aan de muur glansde en de sfeer was net zo gezellig als altijd. Tijdens de ontbijtdrukte kon het moeilijk zijn om een van de weinige tafels te bemachtigen, maar Maria had een plan.

'Hallo, mannen! Ik heb gezelschap van de plaatselijke krant, dus stel ik voor dat jullie je ontbijt ergens anders mee naartoe nemen. Wat denken jullie daarvan?'

Meer hoefde ze niet te zeggen. Per en Kjell knikten en gingen meteen staan. Toen Ulla en Fredrik naar haar tafeltje toe kwamen, waren Per en Kjell al op weg naar buiten.

'Zo, we hebben een tafel. Laten we meteen beginnen. Ik moet zo terug naar het bureau.'

Ze glimlachte vriendelijk naar hen, maar vanbinnen borrelde het. Voor één keer had ze de situatie volkomen in de hand. Carin Göthblad had het haar niet kunnen verbeteren.

8

Dinsdag 20 juni 2006, 17.04 uur

Sanna Friborg liep de bank uit en ging op weg naar huis. Het was een korte wandeling door het centrum van Mariefred, maar vandaag zou ze van elke stap genieten. Binnenkort waren de wandelingen voorbij en was Mariefred niet meer dan een herinnering. Daarom liep ze langzaam langs elke winkel die ze passeerde, bekeek de etalages en probeerde elk detail in zich op te nemen: de ijzerwaren- en verfwinkel met zijn kleurige etalage, het kleine ijscafé Två Goda Ting met zijn heerlijke Italiaanse ijs, de boekhandel, de ICA-supermarkt, en het plein met het kanariegele stadhuis waarin het toeristenbureau gevestigd was. Daar werkte Anna-Lena, zo dichtbij en toch zo ver weg. Haar relatie met Anna-Lena was een onvoltooid hoofdstuk, waarvan ze nog niet wist hoe ze het moest oplossen. Waarom was ze zo laf?

Ze had het allang aan haar moeten opbiechten, maar haar gevoelens waren tegenstrijdig. Alles was nog steeds heel onzeker en ze wilde niet opnieuw alleen zijn.

Toen ze het plein overstak in de richting van Elviras en *Mariefreds Tidning* kon ze het niet laten om naar het bovenste balkon van het gebouw recht tegenover de ingang van lunchroom Fredman te kijken. De rode plastic stoel stond er nog steeds. Hoe vaak had ze daar niet op gezeten om de ene na de andere sigaret te roken?

Ze beet haar tanden op elkaar en trok een gezicht. Ze had spijt van de harde woorden en dat ze uit elkaar waren gegaan zonder dat ze het had kunnen uitleggen. Tenslotte was zij niet de enige die gekwetst en in de steek gelaten was. Het was echter te laat om daar nu nog iets aan te doen. De wereld was een miniem stukje gedraaid en hoewel alles er nog exact hetzelfde uitzag, was de basis veranderd. Was het niet vreemd dat het leven dat tot voor kort van haar was geweest – nog steeds eigenlijk – plotseling zo vreemd en ver weg leek?

Ze liep de Krukmakargatan in en was al snel bij de voordeur. Ongerust keek ze achter zich en daarna naar het gebouw aan de andere kant van de steeg. Achter een raam op de tweede verdieping bewoog een gordijn. Daar woonde een oud, chagrijnig wijf dat haar altijd bespioneerde.

Ze was het gewend dat de mensen naar haar staarden. De redenen waren gedurende de jaren veranderd, maar het gevoel bleef hetzelfde. De mensen keken begerig, nieuwsgierig en soms ook minachtend naar haar. De eerste keer dat het heel duidelijk was geweest, was na Johanna's ongeluk, maar toen had er ook een beetje medeleven in de blikken gelegen. Daarna hadden ze haar een slet, een hoer, een matras en nog heel veel andere dingen genoemd. De laatste tijd was dat veranderd in pot en enge lesbo. Maar wat ze ook zeiden, ze had veel meer moeite met de begerige blikken die smulden van tegenslagen en die de hele tijd meer wilden. Het was gemakkelijk om cynisch te worden, niemand meer te vertrouwen en te denken dat ze allemaal het ergste geloofden. Toch had ze besloten om haar leven letterlijk in de handen te leggen van een paar mannen die ze niet eens kende. Dat was voornamelijk omdat ze er genoeg van had. Het moest afgelopen zijn met alle twijfel en vruchteloze pogingen om erbij te horen en in de smaak te vallen. Ze had er geen zin meer in en geen geduld voor. De kans om alles te veranderen was binnen bereik. De man van wie ze al zo lang droomde, zou al snel hier zijn.

Er was een hele wereld die erop wachtte om ontdekt te worden. Landen, steden en vooral mensen. Ze huiverde, duwde de sleutel in het slot en draaide die om. Overal was ze omringd door vermoeide en bekrompen mensen, wier belangstelling voor haar voortkwam uit pure boosaardigheid.

Daarom had ze Stanislaw Crantz nodig.

De idioot die Marcin naar de schuilplaats reed, bleek niet zo onnozel als hij op het eerste gezicht had geleken. Buiten Mariefred zette hij zijn pruik af en werd zijn donkere stoppelkapsel zichtbaar. Marcin zag meteen dat hij een nieuwsgierige blik in zijn ogen had. Daarnaast was zijn omvang opvallend. De man had enorm brede schouders en spieren die onder zijn kleren zichtbaar waren. Toch was er één ding duidelijker dan al het andere. Er dampte angst uit al zijn poriën. Het koude zweet op zijn voorhoofd en de onrustige blikken die hij voortdurend op hem wierp waren overduidelijk. Ze zeiden niets, maar zaten in een gespannen stilte naast elkaar.

Jimmy reed snel en zeker en na een tijdje deed Marcin zijn ogen dicht en probeerde zich te concentreren. De moeheid lag als een waas over hem heen. Hij sliep al wekenlang slecht. Het vluchtplan dat Jacus hem had gegeven, was die naam nauwelijks waard. De enige keer dat ze via een krakende telefoonverbinding met elkaar hadden gesproken, had zijn broer telkens zenuwachtig herhaald dat hij 'professionele hulp' had geregeld. Wat dat inhield had hij moeten afwachten.

Toen ze op de plaats van bestemming arriveerden, was hij meteen naar de zolder gebracht. Hij wist niet waar hij was, maar het huis lag in een dorp en ze hadden de snelweg genomen om hier te komen, waarschijnlijk in de richting van Eskilstuna. Hij dacht dat hij ergens een afslag naar Strängnäs had gezien, maar dat was alles.

Hoeveel wist Jimmy? Die vraag stelde Marcin zichzelf de hele tijd.

Was dit een tussenstation of het eindstation? Hij wachtte met spanning op wat er hierna zou gebeuren. Jacus had het over Budde gehad, een vent die Marcin van naam kende. Volgens bepaalde bronnen in de gevangenis was Budde een vent die het waard was om te kennen. Hopelijk hadden ze gelijk. Marcin had een enorme behoefte aan een bondgenoot. Als de bendeleiders in Polen het nieuws over zijn vlucht hoorden, wat misschien al was gebeurd, zou de inzet verhoogd worden.

Jacus had hem geld beloofd, maar tot nu toe had hij niets gekregen. Waarschijnlijk moest Budde dat detail regelen. Het was allesbepalend, want zonder poen zou hij razendsnel weer in de bajes zitten. Hij had in de gevangenis verschillende mannen ontmoet die voor Budde hadden gewerkt. Gordo kon hij zich het best herinneren, een man die zat voor verkrachting, maar die prat ging op alle moorden die hij had gepleegd. In opdracht, had hij verteld. Waarschijnlijk was het een hoop geklets, maar dat kon je nooit precies weten. Onder het weke uiterlijk was iets geweest wat Marcin herkende. Hij had Gordo nooit zijn rug toegedraaid.

Nu keek hij door een smerig dakraam naar een blauwe hemel met een paar schapenwolken. Het moest al laat in de middag zijn. Hij lag op zijn rug met zijn kleren aan op een oud opklapbed dat zijn beste tijd had gehad. De ongemeubileerde zolder stond vol oude troep, maar ook nieuwe spullen die nog in de verpakking zaten. Hij zag onder meer vier magnetrons, drie televisies en een doos vol digitale camera's.

Het was duidelijk dat zijn gastheer zich bezighield met handelingen die de smerissen zouden interesseren. Zou hij een heler of een dief zijn? Dat was niet gemakkelijk vast te stellen, maar hij gokte erop dat de man het meeste zelf stal. Hij leek er het type voor te zijn.

Het had iets rustgevends om hier te liggen en naar de hemel te kijken. Hij had de hemel maandenlang alleen gezien als hij op de luchtplaats was en daar was hij niet in een positie geweest om rond te slenteren en naar boven te kijken. Voordat je het besefte had je een mes tussen je ribben.

Hij hoorde Jimmy beneden rondlopen, maar verder was het stil. Af en toe klonk het afgelegen gebrom van een vrachtwagen of misschien een tractor. Hij bevond zich in een boerengat, daar twijfelde hij niet aan.

Marcin deed zijn ogen dicht en viel bijna in slaap.

Het gekraak van de vloerplanken en de geur van de zolder deden hem terugdenken aan gebeurtenissen uit het verleden, plaatsen en mensen die hij met heel veel moeite had verdrongen. Polen tijdens zijn jeugd, zonovergoten dagen met Jacus, gelach en blijdschap, maar ook de enorme pijn toen alles veranderde. Het duurde jaren voordat hij te weten kwam wie hun vader was. Dat het ongeluk geen ongeluk was geweest en dat hun moeder hen niet in de steek had gelaten, in elk geval niet vrijwillig.

Hij kon zich minder goed aanpassen dan Jacus, die versmolt met zijn omgeving en pakte wat hem werd aangeboden. In plaats daarvan kwam hij in opstand tegen zijn pleegouders. Hij was nog maar zestien toen hij na een enorme ruzie wegliep om nooit meer terug te keren. In die tijd richtte hij zijn eerste bende op en begon met zijn activiteiten.

Hij glimlachte. Alles was nog heel onschuldig geweest, ondanks zijn gevoel van ontwrichting. Net als Gordo was hij bereid geweest om bijna alles te doen.

Naderhand had hij begrepen dat de personen die nog steeds graag wilden dat hij zo snel mogelijk naar Krakau terug zou keren zijn criminele carrière een zetje in de goede richting hadden gegeven. Het waren waarschijnlijk dezelfde personen met wie Jacus nu had onderhandeld.

Plotseling hoorde hij geronk. Een donkere schaduw verscheen achter het raam, verduisterde de hemel en was daarna weer weg. Een helikopter!

Hij liet zich op de smerige vloer rollen, tastte naar zijn schoenen onder het bed, trok ze naar zich toe en gleed achteruit op zijn knieën bij het raam vandaan. De adrenaline stroomde door zijn lichaam terwijl hij aan zijn schoenveters frunnikte. Plotseling had hij het gevoel dat hij als een rat in de val zat. En er was niets wat hij kon doen, alleen luisteren en wachten.

Fredrik zat op de redactie te schrijven en deed zijn uiterste best om op tijd klaar te zijn. Emilia had hem opgewacht toen hij terugkwam. Ze keek tegelijkertijd nieuwsgierig en teleurgesteld. Ze wilde er zo graag bij zijn en hij vond het moeilijk zich te verweren tegen haar enigszins opdringerige gedrag. Het werd er niet beter op toen bleek dat hij de tijd niet nam om haar bij te praten. Hij had echter een deadline en kon geen rekening met haar houden. In plaats daarvan gaf hij haar korte instructies. Hij wilde weten welke motorsportverenigingen er in Eskilstuna, Katrineholm, Södertälje en natuurlijk Strängnäs waren. 'Kijk of je aan ledenlijsten kunt komen. En startlijsten zouden fantastisch zijn. De meeste staan waarschijnlijk op internet.'

Verward, maar toch weer enigszins tevreden omdat ze kon helpen, verdween ze naar haar kantoor.

Fredrik vond het leuk om aan het artikel te werken. Hij was benieuwd wat Ulla zou schrijven nu ze samen voor dezelfde opdracht op stap waren geweest. Ze waren tenslotte heel verschillende journalisten en dat kon tot een interessant resultaat leiden. Het bevooroordeelde beeld was dat hij de snelle, jonge verslaggever uit Stockholm was en zij de doorgewinterde redactievos en plaatselijke chauvinist die met haar voeten stevig in de Sörmlandse modder stond, waardoor ze een totaal andere kijk op de wereld hadden. In werkelijkheid was de afstand niet zo heel groot. Hij zag zijn veertigste verjaardag met rasse schreden naderen, hij woonde sinds een paar jaar in Strängnäs en hij betrapte zich er steeds vaker op dat hij de kleinsteedse perspectieven verdedigde en te maken kreeg met nieuwe waardebepalingen. Een goed voorbeeld was de ruzie met Jan-Börje Larsson, waarbij zijn woede weliswaar was voortgekomen uit afkeer van racisme en vreemdelingenhaat, maar waarbij hij achteraf met tegenzin moest bekennen dat de scherpe kritiek op Strängnäs hem flink dwarszat. Hij zou Sune Holmgren nooit kunnen verdedigen en hij was de eerste om zich vrolijk te maken over de tekortkomingen van het gemeentebestuur, maar er waren grenzen...

Hij huiverde. Nee, de signalen waren duidelijk. Als hij niet oppaste, zou hij binnenkort oppervlakkige artikelen schrijven, net controversieel genoeg om de senioren bij hun ochtendkoffie de hik te bezorgen. Niets wat in de diepte ging, niets wat consequenties zou hebben of een verschil zou maken. Ulla zou hem een oplawaai geven als ze hoorde dat hij haar werk op die manier beschreef, maar het bleef een feit dat hij misschien

bezig was te veranderen in het soort journalist dat hij altijd had geminacht. Ulla had een ander soort flair, die hij nooit zou kunnen imiteren.
Op een of andere manier bereikte ze de lezers, ook al schreef ze over de
meest triviale dingen. Dat was het gevolg van het verrassende literaire
talent waarmee ze schreef en de bescheidenheid die in haar artikelen
doorschemerde.

Hij had plotseling een metaalachtige smaak in zijn mond en besefte dat
hij op zijn tong had gebeten. Misschien kwam dat door de angst om langzamerhand te reduceren tot een bazelende nietsnut. De pijn was onverwacht, maar niet onwelkom. Soms was pijn vreemd genoeg een geschenk.
Hij schreef razendsnel door.

Het duurde waarschijnlijk een paar minuten, maar voor zijn gevoel was
het veel langer. Daarna zag Marcin het zolderluik opengaan en werd de
stokoude, houten trap naar beneden getrokken. Hij sloop naar het gat, op
het ergste voorbereid.

Jimmy keek omhoog. 'Heb je lekker geslapen? Wat denk je van avond-
eten, of zullen we het een late lunch noemen?'

Marcin knikte zwijgend en volgde hem aarzelend de trap af. Zijn benen
trilden en zijn mond was kurkdroog.

'Heb je de helikopter gehoord?' Jimmy klonk geamuseerd, helemaal niet
ongerust of geschokt.

Marcin knikte opnieuw en deed zijn uiterste best om een neutrale gezichtsuitdrukking te houden.

'Ha ha, ze hebben een rondje over het oefenterrein hiernaast gevlogen.
Inmiddels weten ze natuurlijk dat je in een auto bent gevlucht, dus is het
voornamelijk een demonstratie voor het publiek. En misschien hopen ze
de vluchtauto te vinden, maar dat kon nog weleens lastig zijn!'

Jimmy lachte hard. Het geluid schalde in Marcins oren. Toch dwong hij
zichzelf om mee te lachen. Het begon als een licht gegrinnik, maar groeide
al snel uit tot een harde, heerlijke lach. Hij lachte van pure opluchting omdat hij niet als een rat in de val zat, omdat het nog niet voorbij was en omdat hij in deze ouderwetse keuken zat in plaats van in zijn cel.

Jimmy keek verbaasd, maar glimlachte. Het was moeilijk om bang te
zijn voor iemand die lachte.

Marcin vond de situatie absurd en eigenlijk heel grappig. De angst verminderde enigszins en hij voelde zich plotseling leeg, uitgeput en honge-

rig. 'Oké, wat heb je in de aanbieding? Iets wat opgebakken kan worden hoop ik?'

Jimmy knikte en glimlachte. Het was moeilijk om bang te zijn voor iemand die praatte over opgebakken eten. Waar had die Pool dat geleerd? Dat zeiden Jimmy's familieleden in Åtvidaberg altijd, dus vermoedde hij dat het een uitdrukking uit Östgötland was. Nu leek het alsof Marcin en hij elkaar begrepen en met elkaar communiceerden. Dat was een goed begin.

Hij vroeg Marcin om aan de keukentafel te gaan zitten, achter de bescherming van het gordijn, en ging bij het aanrecht staan, waar hij worst en bacon begon te snijden. De gekookte aardappelen van de vorige dag kwamen goed van pas, en hij bakte een paar eieren *sunny side up*. Hij voelde het koude staal van Arnes pistool de hele tijd in zijn rug, wat hem herinnerde aan wat hem te wachten stond. Jimmy Phil had een nieuwe opdracht gekregen waar hij bang voor was. Hij had die ochtend een telefoontje gehad en zodra ze hadden gegeten, moest hij Marcin vertellen hoe de situatie ervoor stond en wat de Clan in Eskilstuna eiste.

9

Dinsdag 20 juni 2006, 18.23 uur

Het rook heerlijk naar eten in de hal toen Fredrik binnenkwam. Het zou een vroege avondmaaltijd worden. Ulrika en Klara hadden de tafel in de eetkamer mooi gedekt met een linnen tafelkleed dat ze van zijn moeder hadden gekregen en de borden en het bestek die een huwelijkscadeau waren geweest. Ulrika had een van zijn favoriete cd's opgezet, Bo Kaspers *Amerika,* en zijn vrouw en dochter neurieden mee terwijl ze aan het werk waren.

'Papa! We hebben een verrassing voor je!'

Klara kwam lachend naar hem toe rennen met een schort voor. Hij sloeg zijn armen om haar heen en glimlachte terwijl hij tegelijkertijd zijn slechte geweten voelde opspelen. Met zijn hoofd vol nieuwe werkopdrachten en zijn aandacht bij de redactie (en Emilia) was hij bijna vergeten waar het eigenlijk allemaal om draaide.

Hij had een gezin dat hem nodig had. Natuurlijk was het fijn om een kleine onderbreking te hebben van de constante verzorging van Hampus en alle kleine dingen die voortdurend geregeld moesten worden, maar meer was het niet. Wie wilde niet ontsnappen aan alle discussies en ruzies over alledaagse, oninteressante dingen? Maar als dat de prijs was die betaald moest worden, dan was het dat waard. Hij wilde geen half mens zijn.

Ulrika kwam de keuken uit. Hij had het gevoel dat ze voor het eerst in weken met belangstelling naar hem keek. Ze had rode wangen van het koken en droogde haar handen aan haar schort. 'Hampus slaapt. Heb je een fijne dag gehad?'

Hij gaf een kus in haar hals en mompelde in haar oor: 'Jazeker, maar het is nog veel fijner om thuis te komen.'

Ze glimlachte naar hem, misschien niet zo innig als hij wilde, maar het was in elk geval iets.

De afgelopen weken met veel te weinig slaap, zijn irritaties over van alles en nog wat en de cocon waarin Ulrika zich had teruggetrokken, stonden nog steeds tussen hen in.

'Ik neem aan dat je over de uitbraak hebt geschreven? De gevangene die is gevlucht, lijkt een gigantische engerd te zijn. Ik heb daarstraks naar *Ekot* geluisterd.'

Hij tilde Klara op en ging met haar op de bank zitten. 'Kom bij me zitten, dan vertel ik alles. Er gebeurt op dit moment heel veel.'

Eén moment leek het of Ulrika zou weigeren en een of andere uitvlucht zou zoeken om niet te hoeven luisteren, maar daarna kwam ze naar hem toe. Fredrik vertelde over het interview met Maria, de twee artikelen die Ulla en hij hadden geschreven en die nu geredigeerd werden, en dat ze de deadline met maar heel weinig tijd hadden overschreden.

'Hoe gaat het met Ulla? Het is alweer een hele tijd geleden dat ze bij ons heeft gegeten.'

'Ulla is net zo sterk en betrouwbaar als altijd. Ze heeft vandaag fantastisch werk geleverd. Het is een goed idee om haar uit te nodigen voor een etentje. Ik kan het morgen voorstellen.'

'En hoe is het met Emilia, je nieuwe stagiaire?'

Er klonk een lichte, maar scherpe ondertoon in de vraag. Gelukkig had hij er geen moeite mee om antwoord te geven. De consternatie van vandaag en het samenwerken met Ulla had de betovering verbroken. Hij glimlachte. 'Dat gaat heel goed. Ze is voor me op zoek naar een rallyrijder. Dat kan interessant worden. Ze werkt heel zelfstandig, dus laat ik haar veel zelf doen.'

Ulrika keek hem onderzoekend aan. 'Dus de spanning om haar te moeten aansturen is verdwenen?'

Hij knikte langzaam. Zo was het waarschijnlijk. Hij voelde zich nu minder gestrest.

'Het lijkt erop dat het je goed afgaat, maar je weet dat je het ook met mij had kunnen bespreken.' Ze kroop dichter naar hem toe en legde haar hoofd op zijn schouder.

Hij streelde haar haar en verwenste zichzelf in stilte. Ulrika was teamleider bij een uitzendbureau. Ze had bijna elke dag met nieuwe werknemers te maken. Hoe vaak had hij niet op deze bank naar haar geluisterd als ze vertelde over de uitdaging om zo veel – vaak jonge – mensen te managen, terwijl ze probeerde tegemoet te komen aan hun verwachtingen en eisen? Hij snapte het als ze beledigd was. Het was belachelijk dat hij geen gebruik had gemaakt van haar ervaring en kennis.

'Papa! Papa! Mama! Is het nu tijd voor de verrassing? Kom mee!' Klara sprong op de bank, liet zich op Fredriks schoot vallen, rolde meteen van hem af en viel op de grond. Ze keek verbaasd naar hem op.

Het was bevrijdend. Fredrik kon niet stoppen met lachen en begon haar te kietelen zodat ze het uitschaterde. Hijgend gingen ze aan tafel zitten voor de in de oven gebakken worst met aardappelpuree. Klara nam drie porties.

Marcin lachte niet langer. Het eten lag nog steeds zwaar op zijn maag en zijn koffiekop stond leeggedronken op tafel, naast een glas wodka. Blijkbaar had zijn gastheer de sterke behoefte gevoeld om zichzelf moed in te drinken voordat hij het slechte nieuws vertelde. Hij staarde uitdagend naar Jimmy. 'Je beweert dus dat Budde een ultimatum stelt.'

Jimmy wilde hem niet aankijken, maar dwong zichzelf het toch te doen. Hij wist dat zijn angst zichtbaar was, maar had er geen enkele behoefte aan dat Marcin hem zou minachten. Hij hield zichzelf voortdurend voor dat ze in zijn huis waren, dat híj degene was die gewapend was en dat de Pool afhankelijk was van hem en niet andersom. Het hielp niet veel. Hij had nog nooit zo'n kille klootzak meegemaakt. Toch had hij Buddes eis overgebracht. 'Zo kun je het bekijken. Maar schiet de boodschapper niet dood. Ik zit net zo diep in de shit als jij.'

'Sorry, maar dat klopt niet. Jij hebt een lastige opdrachtgever, mij willen ze dood hebben.' Marcin zei het zonder verbittering. Het was de waarheid en dat wisten ze allebei.

Jimmy besefte dat een groot deel van zijn angst niets met Marcin te maken had, maar alles met het eerste rampzalige gesprek met Budde, toen hij de opdracht kreeg om de Pool op te halen. Het kleed was onder zijn voeten weggetrokken en daar was hij nog niet van hersteld. De mannen in Eskilstuna veranderden de spelregels voortdurend. Wat hem vooral dwarszat, was hoe anders Budde tijdens hun tweede gesprek had geklonken.

De eerste keer was hij hard en resoluut geweest, maar tijdens het gesprek in de auto was al zijn stoerheid verdwenen. Budde was bang, er werd duidelijk druk op hem uitgeoefend.

Daarna had hij het onverwachte telefoontje van de vrouw gekregen. Hij snapte er niets van dat zij degene was die het initiatief had genomen.

Marcin was blijkbaar belangrijk. Misschien had de Pool gelijk dat de

Clan in Eskilstuna niet zou rouwen om zijn voortijdige dood, maar blijkbaar hadden ze op dit moment nog voordeel van hem.

Jimmy had geen keus. Het zou hem niet lukken zich hieraan te onttrekken. Hij moest samenwerken met Marcin, al was het maar tijdelijk. 'Het klinkt alsof we wat mensen moeten bellen. We hebben nog iemand nodig als we succes willen hebben. De man van de Clan kan waarschijnlijk schieten, dus hebben we iemand nodig die met explosieven kan omgaan.'

Marcin keek hem taxerend aan. Jimmy dacht dat hij een greintje verbazing en misschien zelfs een beetje respect in de harde ogen zag.

'Als jij dat regelt, bel ik mijn contact. Ik moet weten wat er aan de hand is.'

'Tja, wie wil dat verdomme niet?'

10

Dinsdag 27 juni 2006, 15.35 uur

De dagen gingen voorbij en het leek alsof Marcin Szalas van de aardbodem verdwenen was. Er was inmiddels een week voorbij zonder dat ze een spoor van hem hadden gevonden. Dat was ongewoon. Gevangenen die uitbraken en niet in het bos verdwaalden, vielen op door iemand neer te slaan, een benzinestation te overvallen of een auto-ongeluk te veroorzaken. Steeds meer van Maria Carlsons collega's dachten dat het hem was gelukt het land uit te vluchten. De sceptici vonden dat er in dat geval geen grote schade was aangericht. Maria vond het heel onbevredigend, maar ze kon niets doen. Ze had Andrzej Bialy ondervraagd, maar dat had niets opgeleverd. Het gevangenisbestuur had hem op non-actief gezet zolang het onderzoek liep, maar Maria betwijfelde of ze iets uit hem zou krijgen. Afgaand op de beelden van de bewakingscamera's was Bialy nogal behulpzaam geweest, maar met het oog op de meedogenloosheid van Szalas vond Maria het moeilijk om de cipier te veroordelen. Ze was ervan overtuigd dat Bialy niet wist waar Szalas naartoe was gevlucht en daarom was hij oninteressant. Ze zuchtte. De ontsnapping had niet op een slechter moment kunnen komen. Het jazzfestival begon aanstaande zaterdag en de voorbereiding ervan nam bijna al haar tijd in beslag. Als ze heel eerlijk was, was ze op dit moment meer met Håkan dan met Szalas bezig.

Voor het eerst in een heel lange tijd had ze uitzicht op een relatie die het waard was om in te investeren. Håkan Andrén was ambulancechauffeur in Södertälje. Ze hadden elkaar ontmoet toen hij de mishandelde Anna-Lena naar de Spoedeisende Hulp had gebracht. Maria was vrij snel na de ambulance in het ziekenhuis gearriveerd en was meteen naar binnen gerend. Het personeel had haar gevraagd om plaats te nemen in de wachtkamer. Ze herinnerde zich hoe uitgeput ze zich had gevoeld. Ze was woedend geweest op de klootzak die haar vriendin, die al zo veel ellende had meegemaakt, had mishandeld, en intens verdrietig omdat het zo ver

71

was gekomen. Op dat moment was Håkan naast haar gaan staan. Hun blikken ontmoeten elkaar en ze besefte dat hij waarschijnlijk degene was die Anna-Lena naar het ziekenhuis had gebracht. Ze keek met interesse naar hem, wat hij verkeerd interpreteerde. Hij werd rood, en zij ook toen ze besefte wat hij dacht. Hij had een krachtig gezicht met een markante neus, grijsblond haar en verbazingwekkend groene ogen. Hij was niet lang, maar een paar centimeter langer dan zij. Ze had de gênante stilte verbroken door op te staan en hem te begroeten. Ze had verteld waarom ze hier was en had een paar vragen over Anna-Lena gesteld. Ernstig maar kalm had hij verteld over het afschuwelijke tafereel dat hij had aangetroffen toen hij met de ambulance bij de boerderij arriveerde. Anna-Lena had gekleed in een nachthemd bloedend op het grind gelegen, terwijl haar man weigerde naar buiten te komen.

Hoe meer hij vertelde, des te bozer werd ze, terwijl ze tegelijkertijd onder de indruk was van zijn ogen en zijn mond, die zo mooi was ondanks het afschuwelijke verhaal dat hij vertelde.

Al snel hadden ze afscheid genomen en dat had heel goed de laatste keer kunnen zijn dat ze elkaar zagen, maar daarna kwam de 15e november. Ze zat op haar hurken bij een neergeschoten man die rochelend zijn bekentenis aan haar deed en haar om hulp vroeg, omdat hij haar voor een vrouw hield die al veertig jaar dood was. Een nieuw erf, nog meer bloed en plotseling was Håkan er weer. Het was een van de ergste dagen van haar leven geweest, die toch nieuwe hoop en kansen met zich had meegebracht.

Een beetje aarzelend en onzeker begonnen ze afspraakjes met elkaar te maken. Ze besefte dat ze op meer hoopte, maar op dit moment wist ze niet wanneer ze tijd voor elkaar zouden hebben.

Haar kantoor zag eruit zoals altijd, of misschien waren haar papieren iets netter gesorteerd. Ze had een foto van Håkan, maar had die in een la gelegd. Ze was nog niet bereid om haar collega's deelgenoot te maken van dat stukje van haar privéleven.

Ze nam het dienstenrooster voor het festival door. Ze zou de komende periode nauwelijks tijd hebben om met hem af te spreken, hoe graag ze dat ook wilde. De herinnering aan het midzomerweekend tintelde nog steeds in haar. Hij had haar verrast met een uitstapje naar de scherenkust bij Stockholm, een romantisch diner op Svartsö en een overnachting in een zomerhuisje op een naburig eiland dat hij van iemand had geleend. Het bed was niet bepaald comfortabel geweest, maar wat kon haar dat schelen?

Ze had een ernstige behoefte aan seks gehad en hij was fantastisch geweest. Ze kon wel huilen als ze aan al het werk dacht dat op haar wachtte. Het was hopeloos. Terwijl de anderen enthousiast over het festival waren, had zij alleen oog voor al het werk en de chagrijnige en vermoeide gezichtsuitdrukkingen van haar collega's. Ze hadden versterking uit Eskilstuna gevraagd om het festival te overleven en nu probeerde ze teams samen te stellen zonder dat ze iets wist over de karakters en de zwakke en sterke punten van de politieagenten. Behalve vaste bewaking bij de grote jazzconcerten waren er surveillanceteams nodig. Ze had dagelijks contact met Anna-Lena. Het hoofd van het toeristenbureau leverde fantastisch werk, maar zij kon ook geen antwoord geven op alle vragen die opdoken. Dit jazzfestival was anders dan het festival van Hultsfred of dat van Skeppsholmen in Stockholm. Het was een muziekgebeuren met heel eigen voorwaarden en zij was degene die de eindverantwoordelijkheid voor de veiligheid had. Iets dergelijks was nog nooit in Strängnäs georganiseerd.

Er werd op de deur geklopt. Het was Kjell Jonsson. 'Maria, er is een stagiaire van de krant voor je. Ze wil een interview, neem ik aan.' Kjell trok zijn hoofd terug en verdween weer.

Maria zuchtte. De journalisten toonden de laatste tijd steeds meer interesse voor haar werk. Dat was zelden positief, maar ze waren natuurlijk afhankelijk van elkaar. Normaal gesproken vocht ze ervoor om het politiewerk zichtbaar te maken. Soms moest het publiek weten wat er aan de hand was en de krant had natuurlijk nieuws nodig. Ze vroeg zich af wat de stagiaire van haar wilde. Maria had een vage herinnering dat ze een meisje had ontmoet dat stage liep bij *Strengnäs Dagblad*, maar ze kon zich haar naam niet herinneren. Een mooie, brutale Stockholmse met een immigrantenachtergrond. Het gesprek zou in elk geval snel afgelopen zijn. Ze had niets interessants te melden.

Anna-Lena stond met het Joshua Redman-ensemble in de foyer van hotel Rogge om hen te helpen bij het inchecken. Langzamerhand begonnen de musici te arriveren. Alle hotels in de stad, maar ook in Eskilstuna, Mariefred en Södertälje, waren de komende twee weken volgeboekt.

Hotel Rogge had extra personeel ingehuurd. De receptie, die ook als bar fungeerde, en het terras zaten vol mensen. De jamsessie die de vorige dag in het hotel had plaatsgevonden, was bijzonder geslaagd geweest. De bijeenkomst was natuurlijk tot in het kleinste detail voorbereid, maar opgezet alsof het een spontaan initiatief van de musici was geweest. Viktoria Tolstoy was op de piano begeleid door Marcus Roberts. De plaatselijke musici die trompet en contrabas hadden gespeeld, waren een aangename verrassing geweest. 'Een perfect voorproefje van wat er zou komen', had er in de krant gestaan.

Toen het ensemble had ingecheckt, bedankte Anna-Lena de receptionist en nam snel afscheid van haar gasten. Ze had nog precies tien minuten voordat de trein uit Stockholm arriveerde. Ze had beloofd om Rigmor Gustafsson en Karl-Martin Almqvist af te halen, die de omgeving wilden verkennen voor hun optredens op zaterdagavond. Ze liep snel over het plein in de richting van de Järnvägsgatan, waar ze haar auto, een Toyota Celica, had geparkeerd. Het was haar eerste aankoop geweest nadat ze vorig jaar oktober uit het ziekenhuis was ontslagen. Ze beschouwde het als een symbool van haar zelfstandigheid, van haar besluit om zich nooit meer door iemand te laten verstikken. Ze had een tijdlang nagedacht over Sune en had overwogen of ze hem Jan-Börjes plaats zou laten innemen. Niet als haar minnaar of degene die haar mishandelde, maar als de sterke man die beslissingen voor haar nam en ervoor zorgde dat ze zich staande hield. In werkelijk was het heel anders gelopen. Sune kon niet zonder haar en het jazzfestival was meer van haar dan van iemand anders; dat wist hij en dat gaf hij ook toe.

Sune was niet bepaald bescheiden, maar net als veel andere luidruchtige mannen met een enorm ego was hij eigenlijk een klein jochie. Dat was iets waar je je vrolijk over kon maken, maar voor Anna-Lena was het geen grapje. Het had haar op veel manieren gered. Ze had nog steeds het telefoonnummer van het blijf-van-mijn-lijfhuis in haar portemonnee en acht maanden geleden was het ondenkbaar geweest dat ze deze baan zou aankunnen. Sune had haar een kans gegeven op het moment dat ze die het meest nodig had gehad. Sanna en Sune hadden haar elk op hun eigen manier gered.

Op dit moment voelde ze zich heel onzeker over haar relatie met Sanna. Alle ruzies van de laatste tijd waren een enorme belasting voor haar. Ze hadden allebei destructieve relaties met mannen achter de rug en waren allebei niet overtuigd lesbisch, maar Anna-Lena had vanaf het begin een goed gevoel over hun relatie gehad. Ze wist niet zeker of ze zich tot vrouwen in het algemeen aangetrokken voelde, maar ze hield van Sanna.

Dat was meteen ook het probleem. Ze begon te denken dat Sanna niet hetzelfde voor haar voelde. Dat het eerder een spelletje voor haar was.

Ze stak bij het Centrumhus de Järnvägsgatan over. Ze liep snel en gooide haar benen naar voren alsof ze de machteloosheid weg wilde schoppen.
Ze hield haar ogen op het trottoir gericht en zag Göran Jonstoft pas toen ze
bijna tegen elkaar botsten. Hij was de directeur van Cirkeln Fastigheter AB,
een van de grootste sponsors van het festival, en ze had pasgeleden samen
met Sune Holmgren een gesprek met hem gehad. Hij stak met een verontschuldigend gebaar zijn handen omhoog en lachte. 'Heb je haast? Ik neem
aan dat je het heel druk hebt.'

Ze knikte en glimlachte een beetje gereserveerd.

'Maar misschien heb je te midden van deze chaos toch tijd voor een
lunch of een etentje met mij?'

Ze keek hem aan terwijl ze moeite had haar verbazing te verbergen. De
playboy van de stad vroeg haar mee uit. Zag hij dat ze bloosde? Haar reactie overrompelde haar en de kleur van haar wangen werd nog intenser. Het
was heel onnozel. Ze was tenslotte niet geïnteresseerd, niet op die manier,
alleen gevleid. 'Wat had je in gedachten?' De vraag schoot uit haar mond
voordat ze hem kon tegenhouden.

'Tja, wanneer kun je?'

Er gleed een brede glimlach over zijn gezicht. Het was als een frisse bries,
een windvlaag die haar meenam, weg van al het voorbereiden, het gekonk-
el en de ernstige gesprekken. Weg van de zelfverwijten en het herkauwen
van wat er vorig jaar was gebeurd. Weg van de angst voor de lafaard die ze
ooit haar echtgenoot had genoemd. Ze glimlachte naar hem.

Het was tijd om verder te gaan. En misschien kon ze Sanna iets geven
om over na te denken.

DEEL 3 - DE OVERVAL

Load up your bullet, shoot me through the head
You ask from where you standing, you must think I'm dead
Load up your bullet, shoot me through the head
You ask from where you standing, you must think I'm dead

'Bullet' – INFINITE MASS

11

Donderdag 29 juni 2006, 09.47 uur

Arne Kyrkström was uitgelaten. Zo meteen zou Rudi Taubermann in de stad arriveren. Britta was net zo enthousiast. Zij was ook onder de indruk van de Duitse magnaat. Het was heel grappig, want ze had zelden belangstelling voor zijn zakenrelaties.

Soms begreep hij niet dat hij de traumatische gebeurtenissen van het afgelopen jaar had overleefd. Hij had op het punt gestaan om alles kwijt te raken, hij was miljoenen verloren en zijn reputatie had een flinke deuk opgelopen. Die was nog niet hersteld, maar hij voelde dat hij op de goede weg was. Hij was nog altijd de succesvolste autohandelaar in Strängnäs en hij was van plan dat te blijven. Hij had keihard gewerkt om het vertrouwen van zijn klanten en de bewoners van Strängnäs terug te winnen. Gelukkig hadden de meesten een heel vaag beeld van zijn rol in het schandaal, met inbegrip van zijn vrouw en dochter, en dat mocht wat hem betreft zo blijven.

De financiële klap betekende in elk geval dat hij zijn plannen niet zonder hulp kon uitvoeren. Hij had nog steeds de wrange smaak van mislukking in zijn mond, en zonder de bedrijfsreis naar Kiel in het voorjaar, die door de Kamer van Koophandel in Eskilstuna was georganiseerd, was hij nog steeds hulpeloos geweest. Zijn verwachtingen van de reis waren op zijn minst gezegd klein geweest. Omdat de partners mee mochten, hoopte hij dat Britta contacten zou leggen die voordelig waren voor zijn bedrijf. Het was een enorme buitenkans geweest dat ze tijdens het galadiner naast de Duitse directeur van een platenmaatschappij en onroerendgoedmiljardair had gezeten. Zoals veel Duitsers had hij een speciaal plekje in zijn hart voor Zweden en vooral voor Sörmland. Hij vertelde dat hij een onverbeterlijke romanticus was die nooit een aflevering miste van Inga Lindström, de ongekend populaire televisieserie die door miljoenen Duitsers werd bekeken. Hij stak zijn grote bewondering voor Zweedse vrouwen niet onder stoelen of banken. Blijkbaar gold dat ook voor goed geconserveerde vrouwen van boven de vijftig.

Britta raakte volkomen in zijn ban door zijn zelfverzekerde, maar voorkomende gedrag. Hij vertelde over zijn enorme muziekinteresse en hoe hij de 'vader' van meerdere grote Duitse jazzsterren was geworden.

Het gesprek kwam op Stanislaw Crantz, een van Britta's favorieten, en Arne greep zijn kans toen hij een paar maanden later tijdens een informatiebijeenkomst over het jazzfestival werd voorgesteld aan Anna-Lena Olofsson.

Hij hield nauwkeurig in de gaten wat er in het gemeentehuis gebeurde en net als veel andere ondernemers in de stad zag hij potentieel in een festival van dit kaliber.

Het was tijd om de showroom te openen en ervoor te zorgen dat alles tot in de puntjes geregeld was. Hij moest zich van zijn beste kant laten zien nu Taubermann kwam. Hij was dolblij dat hij net een aantal auto's had binnengekregen waarvan iedereen onder de indruk zou zijn. Hij zou ze nog een keer laten oppoetsen door de nieuwe jongen in de garage. In het felle zonlicht was elk stofje zichtbaar.

Het waren prachtige auto's en hij was persoonlijk van mening dat Jaguar zich uitstekend kon meten met de Duitse autofabrikanten, niet alleen wat betreft stijl maar ook kwaliteit.

Jammer genoeg reed hij nog steeds in dezelfde auto als vorig jaar. Hij had ernaar uitgezien om zijn x-type in te ruilen voor de mooiere xjr, ondanks de associaties die het model hem gaf, maar zijn financiële situatie liet dat niet toe. Nog niet, maar dat zou nu heel snel veranderen. Zijn behoefte aan revanche was nooit groter geweest.

Hij voelde zich vastberaden toen hij het industrieterrein Storängen op reed. Het plan was duidelijk en hij hoefde het alleen maar uit te voeren. Hij bepaalde alles zelf en psychopaten of verkeerde vrienden zouden hem deze keer niet dwarsbomen. Zijn glimlach veranderde echter al snel in een starre grimas.

Hij was niet als eerste bij de showroom. Een bewakersauto van Securitas stond bij het hek geparkeerd. De bewakers stonden naast de auto en krabden op hun hoofd.

Arne slikte hard en zijn maag verkrampte voor de eerste keer in weken. Het zou geen winstgevende dag in zijn showroom worden. Een of andere klootzak had een auto de etalage in gereden, waarschijnlijk de haveloze, gedeukte Volvo 240 die bij de ingang van de showroom stond. Overal lag glas en hij hoefde niet naar binnen te gaan om te weten welke auto er verdwenen was.

De weerzinwekkende klootzak was in een haveloze Volvo gearriveerd en was weggereden in een Jaguar xk cabriolet.

Donderdag 29 juni 2006, 11.36 uur

De hemel zag er dreigend uit. Waarschijnlijk konden de sluizen elk moment opengaan en zouden Sörmland en Stockholm opnieuw een wolkbreuk over zich heen krijgen. Het was jammer voor degenen die vakantie hadden, maar het was niet zo belangrijk als je rondreed voor je werk, dacht Janne. De zware geldtransportwagen had Södertälje net verlaten en reed nu de E20 op om aan de terugrit naar Eskilstuna te beginnen. Twee koffers met waardevolle inhoud stonden achter in de auto en zouden al snel gezelschap krijgen van nog twee koffers uit Mariefred.

Morgan deed een dutje op de passagiersstoel. Het was een heel geschikte kerel als hij ervoor in de stemming was, maar blijkbaar had hij een zware avond achter de rug en er was nauwelijks contact met hem te krijgen. Waarschijnlijk had hij een nieuwe vriendin en dat was nooit goed voor de nachtrust.

Janne besefte dat Morgans vermoeidheid een probleem was. Hun baas zou razend zijn als hij hem zo zag! De ex-militair had zijn geldtransportbedrijf met militaire precisie opgebouwd. Je kon lachen om de kleine *Führer*, maar het veroorzaakte een enorme spanning om voor hem te werken. Elke ochtend controleerde hij nauwkeurig of hun uniformen schoon waren en ze netjes geschoren waren. Elke middag verzamelden ze zich om verslag uit te brengen over hun werkzaamheden. Geen detail was onbelangrijk en van iedereen werd een bijdrage verwacht. Als Morgan zich niet opfriste, zou hij de volle laag krijgen. Janne was van plan zijn verantwoordelijkheid te nemen en ervoor te zorgen dat de kerel zijn gezicht waste en zijn haar kamde als ze bij de volgende bank arriveerden. In Eskilstuna was daar geen tijd voor omdat ze zich onmiddellijk moesten melden. Hun baas stond altijd klaar met een stopwatch als ze binnen kwamen rijden om de tijden met eerdere ritten te kunnen vergelijken.

De stress gaf Janne vleugels. Hij kon beter wat harder te rijden om Mor-

gan bij de volgende stop de tijd te geven die hij nodig had. De bankmede-
werkers in Mariefred waren vriendelijk en zouden niet moeilijk doen. De
baas zeurde altijd dat ze hun rittenschema moesten veranderen om criminelen niet in de kaart te spelen, maar Janne vond dat overdreven. Natuurlijk, geldtransporten kwamen steeds vaker voor en er kleefden risico's aan,
maar hij geloofde geen moment dat het risico van een beroving gekoppeld
kon worden aan een rittenschema. De bankdirecteur in Mariefred vond
het prima als ze het geld elke week op ongeveer hetzelfde tijdstip haalden.
De baas mocht mopperen, maar uiteindelijk was het de klant die besliste.
Bovendien zag zelfs hij het voordeel als ze het geld op de terugweg van
Södertälje ophaalden.

Ze naderden de afslag naar Järna en Nykvarn. De snelheidsmeter wees
130 kilometer per uur aan en aan de motor was te horen dat hij flink moest
werken. Het ging gelukkig allemaal goed, en als Morgan zich zo meteen
kon opfrissen...

Er klonk een knal tegen de carrosserie, en daarna nog een. Verbaasd
keek Janne om zich heen. Hij zag niets ongewoons, maar ging toch langzamer rijden.

Plotseling zakte de auto aan de linkerkant en hij begon de macht over
het stuur kwijt te raken. Hij schakelde en trapte op de rem.

Morgans hoofd schoot met een ruk omhoog. 'W-Wat... Wat doe je?'

Janne gaf geen antwoord. Hij moest zijn uiterste best doen om niet in
de greppel te belanden. Ze slingerden over de weg met een wolk brandend
rubber achter zich. Een paar auto's passeerden toeterend.

'Wat gebeurt er?'

Morgan klonk slaapdronken en verward. Het was in elk geval beter dan
dat hij sliep, dacht Janne.

Even later stonden ze schuin op de weg stil. Het claxonneren ging door.
Morgans vraag was gerechtvaardigd. Wat gebeurde er in vredesnaam? Was
het alleen een lekke band of iets anders?

Plotseling hoorden ze een heel spervuur van doffe knallen tegen de carrosserie, waardoor de auto schudde.

Er was geen twijfel mogelijk. Ze werden beschoten!

'Op de grond! Nu!' schreeuwde Janne tegen Morgan, die bliksemsnel
deed wat hem gezegd werd. Hij vertoonde geen spoor van vermoeidheid
meer. Een kogelregen tegen de auto had meer effect dan een koude douche.

Janne stak een trillende hand uit naar de mobilofoon. Het was belangrijk om snel alarm te slaan, anders hadden ze een ernstig probleem. Deze criminelen leken het serieus te menen.

Hij dacht dat hij normaal in de mobilofoon praatte en besefte pas dat hij schreeuwde toen de kogelregen ineens stopte. Janne keek in de zijspiegel. Er reden geen auto's meer langs. In plaats daarvan zag hij dat de snelweg werd geblokkeerd door meerdere op elkaar gebotste auto's en dat de file snel groeide. Daarna begon het schieten weer. Meerdere schoten raakten de zijspiegel, die losraakte van zijn bevestiging. Meteen daarna brak het raam aan Jannes kant. Hij kroop doodsbang onder het stuur en voelde zijn been nat en warm worden. Morgan huilde.

Het geschreeuw van de geldloper in de mobilofoon bracht een enorme activiteit bij de politiekorpsen van zowel Södertälje als Strängnäs op gang. Alle auto's werden onmiddellijk naar de plaats delict gestuurd, maar het duurde toch een hele tijd voordat de eerste politieauto arriveerde. De politie van Södertälje was het dichtstbij, maar de kettingbotsingen en verkeerschaos die het gevolg waren van de overval op het geldtransport maakten de weg lastig te berijden. Maria Carlson overlegde razendsnel met de hoofdcommissaris in Eskilstuna en ze spraken af dat Eskilstuna voorlopig geen auto's zou sturen, hoe ernstig de overval ook leek te zijn. Er was waarschijnlijk voldoende mankracht. Alle patrouillewagens kregen de instructie om de grootste voorzichtigheid in acht te nemen. Het was duidelijk dat de overvallers zwaarbewapend waren. Malexander lag nog steeds vers in het geheugen.

Terwijl de auto's met gillende sirenes vanuit de politiegarage de Eskilstunavägen op reden, probeerde Maria met de chauffeur van het geldtransport te praten. Vreemd genoeg leek de situatie enigszins gekalmeerd te zijn. Er werden nog maar sporadisch schoten gelost, verder gebeurde er niets. De spanning in de stem van de chauffeur was overduidelijk, ook al was hij gestopt met schreeuwen, maar Maria kon niet veel doen om zijn ongerustheid te verminderen. Ze begreep niet wat er aan de hand was. Waarom gingen ze niet verder met de overval? Ze zouden toch begrijpen dat de politie onderweg was?

Ze zei een paar bemoedigende woorden en liet het aan een mannelijke collega over om het contact te onderhouden. Ze moest uitzoeken waar haar politieagenten waren.

Maria ging er net als alle anderen van uit dat het een overval was. Waarom schoten ze anders op een geldtransportauto? Kon het zijn dat ze zich achter in de auto bevonden zonder dat de geldlopers dat hadden gemerkt? Dat was onmogelijk. Er was een hoekslijpmachine voor nodig om de deur open te krijgen en dat lukte niet zonder lawaai te maken. Aan de andere kant was de man aan de mobilofoon zo bang geweest dat hij het misschien niet had gemerkt.

Hoe dan ook, het had geen nut om te speculeren. Ze zouden het zo meteen weten. Ze besloot om Per en Kjell te bellen, die op weg waren naar Härad. Waarschijnlijk wilden ze praten met de kruimeldief die daar woonde. Per leek te denken dat de man meer wist over Marcins ontsnapping. Het idee kwam van Emilia Gibbons, de energieke stagiaire bij de krant, met wie Per eerder deze week had geluncht. Het was moeilijk te zeggen of ze zelfstandig onderzoek deed of voor Fredrik aan het werk was, maar volgens Per was ze heel overtuigend geweest. Het ophalen van de Poolse uitbreker was gedaan door een of meerdere beroeps in een pooierbak. Emilia dacht dat iemand binnen het racecircuit in Sörmland, die contacten onderhield met de georganiseerde misdaad in Eskilstuna, erbij betrokken kon zijn. Jimmy paste in die beschrijving, maar had eigenlijk geen reden om zoiets te doen. Hij was een kruimeldief, een mislukte maar vrij ongevaarlijke kerel volgens Kjell. Hoewel het met zijn connecties heel goed mogelijk was dat hij wist wie erachter zat. Als hij iets wist, was hij beslist doodsbang. In de Clan zaten zware criminelen, kerels die Jimmy bij wijze van ontbijt verorberden.

Ze had Per gevraagd om Emilia binnen redelijke grenzen te helpen, maar natuurlijk had Per niets gezegd over hun verdenkingen tegen Jimmy. Dat ging te ver en bovendien konden ze niet verwachten dat een stagiaire zou begrijpen dat ze een streep moest trekken tussen wat ze kon opschrijven en wat ze voor zichzelf moest houden.

Toch moest Maria bekennen dat ze onder de indruk was van de jonge verslaggeefster. Op het eerste gezicht leek het meisje zachtaardig en onschuldig, maar je hoefde alleen een beetje aan de oppervlakte te krabben om te merken dat ze keihard was. Maria herkende dat van haar tijd bij de politie in Kista. Daar had ze veel meisjes met een multiculturele achtergrond meegemaakt die op de harde manier hadden geleerd hoe je moest laveren tussen alle struikelblokken in de vorm van de eisen en verwachtingen van hun omgeving. Het waren meisjes die sneller dan een kameleon van kleur wisselden en die het zichzelf uitsluitend toestonden om te ontspannen als ze alleen waren.

Ze belde Per op zijn mobiel. Hij was inderdaad in Härad. Kjell klopte net op Jimmy's deur, maar er werd niet opengedaan. Het huis zag er verlaten uit, zei Per. Blijkbaar was hij op vakantie of anders was Jimmy ergens aan het inbreken. Ze hadden de melding van de overval niet gehoord.

Maria vertelde snel wat er was gebeurd en vroeg hun om zich te haasten. Nu kon ze alleen op haar nagels bijten en afwachten. Alle middelen waren ingezet en ze kon alleen maar hopen dat er niemand gewond raakte.

Fredrik was met Klara in de bibliotheek. De crèche was dicht – 'dat heet kleuterschool, papa' – omdat het personeel in verband met een cursus een vrije dag had. Hij kreeg steeds meer overuren en die kon hij net zo goed opnemen om Ulrika wat te ontlasten. Hampus sliep inmiddels beter, maar het was niet bevorderlijk als Klara de hele tijd rondrende. Bovendien was het rustig op de redactie. Het was ongetwijfeld de stilte voor de storm en als het festival eenmaal was begonnen, kon hij geen vrij meer nemen. Het was alsof de stad haar adem inhield en zich oplaadde voor wat er zou komen.

Thuis was hij net begonnen aan een voorleesboek en hij had Klara beloofd dat zij mocht kiezen welke boeken ze zouden lenen. Hij begroette Ann-Britt Svensson, zijn favoriete bibliothecaresse, en vroeg haar of zij hen kon helpen. Dat deed ze graag. Ze haalde twee boeken van Pelle Svanslös, *De kinderen van Bolderburen* en *Lasse-Maja's detectivebureau*. Klara had *De kinderen van Bolderburen* op de televisie gezien en vond dat saai, maar Pelle de kat werd goedgekeurd omdat hij zo schattig was. Lasse-Maja was een poging waard, vond Fredrik, ook al wist hij niet zeker of zijn driejarige dochter haar concentratie lang genoeg kon bewaren. Voor alle zekerheid leende hij ook *Julia en de elandenbroertjes* en daarna was het tijd om iets te gaan drinken.

Klara deed snel haar schoenen uit en stortte zich in een wild spel met twee andere kinderen in het speelhuis Grassagården, dat was vernoemd naar de gezelligste en populairste lunchroom met tuinterras van de stad. Intussen kocht Fredrik koffie, Smakis met perensmaak voor Klara, een vanillebroodje en een chocoladebroodje. Hij nam een tafeltje bij het raam en keek afwezig naar de Trädgårdsgatan. Hij kon het niet laten zich af te vragen wat Maria aan het doen was. Na de dramatische ontsnapping was ze heel openhartig tegenover Ulla en hem geweest en daarna had hij van Emilia gehoord dat ze tegenover haar ook bijzonder behulpzaam was geweest. Hij vatte dat op als een blijk van haar erkenning voor hun werk.

Hij wierp een blik op het speelhuis en zag Klara's hoofd opduiken. Hij kon haar roepen, maar hij had geen haast en hij wist hoe leuk ze het vond om hier te spelen.

Hij schrok toen hij politiesirenes hoorde. Wat was er aan de hand? Een verkeersongeval? Of misschien brand? In Finnige liep tenslotte een pyromaan rond. Tot nu toe was hij tevreden geweest met tuinhuisjes en schuren in brand steken, maar dat kon snel erger worden.

Fredrik besloot om het te laten rusten. Hij was vrij en er waren anderen die een verslag konden schrijven. Niemand was onmisbaar, zelfs hij niet.

Met die gedachte concentreerde hij zich weer op zijn vanillebroodje en hij negeerde het feit dat auto na auto de garage uit reed en over de Eskilstunavägen verdween.

12

Donderdag 29 juni 2006, 11.48 uur

Vier van de vijf politiewagens uit Strängnäs reden met zwaailicht en sirenes over de E20 in oostelijke richting, waarbij ze tussen vrachtwagens
en geschrokken automobilisten door laveerden. Drie auto's hadden in de
garage aan de Eskilstunavägen gestaan en de vierde in Storängen. Die had
een kleine voorsprong op de andere. De politieagenten hadden een heftige
discussie gevoerd met Arne Kyrkström, die had geweigerd te begrijpen dat
ze niet langer konden blijven. De reden dat ze naar de showroom van de
dealer waren gereden, was dat Arne beweerde dat hij bewijs had wie de
Jaguar die ochtend had gestolen, maar het leken voornamelijk speculaties
te zijn.

'Verspilling van waardevolle politietijd,' mompelde Roffe Löfgren tegen
zijn collega toen ze eindelijk vertrokken. Nu moesten ze plankgas rijden
en er was geen ruimte voor aarzelingen. Er wachtte een overval door zwaar
bewapende criminelen op een geldtransportauto midden op de snelweg,
een chaos van op elkaar gebotste auto's en grote onzekerheid over wat er
eigenlijk aan de hand was. Ze passeerden de afrit naar Läggesta en Mariefred, en Roffe schoof op zijn stoel heen en weer. Nog tien minuten voordat
ze er waren en wie wist wat er voor die tijd kon gebeuren.

Hij keek op toen ze het eerste viaduct over de snelweg naderden en zag
twee silhouetten die zich aftekenden op de brug, maar vergat ze net zo snel
weer.

Olle Fridman, teamleider van Södertälje, keek bezorgd naar de chaos. Hij
had de laatste kilometers in de berm moeten rijden om vooruit te komen.
De file werd voortdurend langer en vooraan blokkeerde een groot aantal
verongelukte auto's de rijbaan in westelijke richting. Het zag er beduidend
beter uit op de rijbaan die in oostelijke richting naar Södertälje liep, maar
vreemd genoeg leek het verkeer daar ook gestopt te zijn, meteen nadat

de eerste collega's uit Strängnäs arriveerden. In gebukte houding, om het risico om door verdwaalde kogels geraakt te worden te verminderen, was het hun gelukt om een paar op elkaar gebotste auto's te verplaatsen, maar inmiddels lag de weg er verlaten bij.

Ze hadden vastgesteld dat de schoten vanuit een groep bomen in de buurt van de Turinge-kerk waren afgevuurd. Fridman had een deel van het nationale interventieteam naar de bewuste plek gestuurd en nu naderden ze de groep bomen van achteren. Het was verontrustend dat er al een tijd niet meer werd geschoten. Ze hadden van alle kanten een goed zicht op de groep bomen en hadden niemand zien vertrekken, dus waren de overvallers daar nog. Ze waren waarschijnlijk voorbereid op een bestorming of waren zelf een aanval aan het plannen. Met een hero-ische actie van een van zijn collega's uit Södertälje waren de geldlopers in veiligheid gebracht. Ze waren geschokt, maar ongedeerd. Door hun beschrijving van de gebeurtenissen vermoedden ze dat het om meerdere zwaarbewapende overvallers ging. De geldwagen was total loss en het was moeilijk te begrijpen wat er mis was gegaan bij de overvallers. Met zo veel vuurkracht hadden ze de auto allang leeg kunnen halen en vluchten. Dat zou op veel manieren beter zijn geweest, omdat ze dan hadden kun-nen ontsnappen aan deze gevaarlijke toestand, die nog het meest op een oorlogssituatie leek.

De mobilofoon kraakte en hij kreeg het bericht dat het team klaarstond om de groep bomen te bestormen. Hij gaf groen licht, maar maande tot grote voorzichtigheid.

Er volgde een lange stilte. Olle probeerde iets door zijn verrekijker te zien, maar zonder succes. Eén keer dacht hij een hoofd aan de rand van de groep bomen te zien, maar dat was waarschijnlijk iemand van het in-terventieteam. Daarna kwam de explosie. Na de dreun volgde een lichtflits die zo scherp was dat hij verblind werd. Toen hij opnieuw in de verrekij-ker keek, zag hij dat een aantal bomen ontworteld was. Er was inmiddels overal beweging, maar er werden geen schoten gelost. Hij riep in de mobi-lofoon naar de groepsleider, maar kreeg geen antwoord.

Ongerust bleef hij naar de verwoesting kijken. Zwarte rookwolken ste-gen op tussen de bomen en hij hoorde het geknetter van vuur. De grond was droog en er was een grote kans dat het vuur zich naar de omringende velden zou verspreiden. Misschien was het een geluk dat de brandweer al ter plaatse was, maar ze stuurden geen reddingspersoneel een oorlogsgebied in. Hij vroeg zich af hoelang hij moest wachten voordat hij de volgende groep ernaartoe moest sturen.

Plotseling zag hij dat meerdere leden van het interventieteam gingen staan en naar hem gebaarden. Daarna ging zijn mobiel. Het was de groepsleider. De mobilofoon was uitgevallen door de explosie en drie van de mannen hadden lichte verwondingen opgelopen toen de bom explodeerde. Het ging om een boobytrap van het soort die ze in het leger gebruikten. Een vislijn op enkelhoogte had de springlading tot ontsteking gebracht.

'En de overvallers?' vroeg Olle bezorgd.

'Die zijn hier niet. Ik denk dat die klootzakken ons besodemieterd hebben.'

13

Marcin genoot van de adrenalinekick. Eindelijk had hij het commando overgenomen. Zijn woede over de manier waarop hij was behandeld en over Jacus' onvermogen om iets te ondernemen zat nog steeds in zijn achterhoofd, maar hij had inmiddels besloten hoe hij de kwestie zou aanpakken. Hij bezat het talent om zijn woede en frustraties in daden om te zetten. Effectieve en meedogenloze daden die het resultaat gaven dat hij nastreefde en de indruk achterlieten die hij wilde. De leiders in Polen hadden dat een winstpunt gevonden, maar nu moesten ze het als een probleem beschouwen.

Het eerste deel van het plan was boven verwachting verlopen. Het was een prachtige aanblik door de verrekijker geweest. Je kon niets anders zeggen dan dat Fassidy, de zwarte man die de Clan had gestuurd, een verdomd goede schutter was. Blijkbaar had hij dienstgedaan in Kosovo. Dat beweerde Jimmy in elk geval. Marcin had niet veel op met ex-militairen, maar hij had een zwak voor iedereen die zijn werk goed deed.

Fassidy had het geldtransport doeltreffend tegengehouden, zodat dat bijna de hele rijbaan blokkeerde. Het achterste deel van de bestelwagen had eruitgezien als een rasp, vol kogelgaten met omgekrulde randen. Vijftig meter verderop, in de richting van Södertälje, begon de echte chaos, met vooraan een barricade van verongelukte auto's en daarachter zo ver het oog reikte een file van twee, soms drie voertuigen naast elkaar. Er was veel blikschade, die vooral was veroorzaakt doordat chauffeurs in blinde paniek achteruit waren gaan rijden toen ze de geweersalvo's hoorden.

Het beste van alles was echter hoe ze de smerissen hadden misleid. Hij kon natuurlijk zelf een springlading aanbrengen, maar het was prettig dat Jimmy een expert had geregeld. Marcin had hem meteen duidelijk gemaakt wat er op het spel stond. De jongen, die Berra werd genoemd, was bleek en zenuwachtig en gegarandeerd zwaar onder invloed van drugs, waarschijnlijk amfetamine. Marcin had tegen Jimmy gezegd dat hij persoonlijk allebei hun nekken zou breken als die verdomde junk het verpestte.

Soms was dreiging het beste middel en inderdaad hadden de mannen hun waarde vanaf het begin bewezen. Terwijl Marcin en Fassidy het statief in elkaar schroefden, het machinegeweer opstelden en met de automatische ontspanner bezig waren, rende Berra zenuwachtig rond, spande draden en bracht de boobytrap aan.

Marcin veegde het zweet van zijn net geschoren schedel. Het was tijd voor stap twee en het was belangrijk dat alles goed bleef gaan. Hij was tevreden over het plan, maar er kon nog heel veel verkeerd gaan. Als het mislukte, dan zou er bloed vloeien en dat was iets wat hij liever voorkwam. Hij had ook een hart, al was het vaak beter om dat niet te laten merken.

De adrenaline veroorzaakte een fantastische roes. Veel beter dan drugs, die hij haatte en die hem vanaf het begin in de problemen hadden gebracht.

Hij wreef in zijn handen. Een aantal mensen zou een hoge prijs moeten betalen voor hun daden. Het was lastiger met Jacus. Dat vereiste meer nadenken. Hij hield van zijn broer, maar er waren vragen die een antwoord vereisten. Wie in het schuitje zit moet meevaren, maar dat was nooit Jacus' sterke kant geweest.

Jimmy volgde Berra's zenuwachtige bewegingen door de verrekijker. Het was duidelijk dat hij de kist die hij droeg zwaar vond. Fassidy, die met net zo'n kist naast hem liep, had er geen problemen mee. Marcin wachtte ongeduldig in de cabriolet. Jimmy vond het moeilijk om stil te zitten. Het plan mocht dan van Marcin zijn, maar Jimmy had het grootste deel van de benodigdheden en de auto's geregeld. Zelf zat hij achter het stuur van de zwarte Porsche Cayenne Turbo die Berra en hij in de buurt van Södertälje hadden geregeld, niet lang na de geslaagde autoruil in Storängen.

Nu moest alles lukken. Het was misschien een grote vergissing dat hij Berra erbij had betrokken. Het had eerst een goed idee geleken, maar nu vroeg hij zich ernstig af of zijn kameraad de druk aan zou kunnen. Het was echter een kleine geruststelling dat Berra goed werk had geleverd in Nykvarn.

De ene gebeurtenis volgde op de andere, zo was het nu eenmaal. Jimmy had er niet om gevraagd Marcin uit de gevangenis te redden, net zo min als Marcin erom had gevraagd alles te moeten riskeren voor de Clan. Dat

Berra ergens anders wilde zijn was duidelijk, maar Jimmy was heel overtuigend geweest.

Berra en hij hadden eerder samengewerkt en deze kraak was te goed om te missen. Vele malen beter dan pillen verkopen in de buurt van het gezondheidscentrum, vond Jimmy. Terwijl je de halve voorraad zelf slikt, voegde hij er in gedachten aan toe. Berra's drugsmisbruik was een tragisch hoofdstuk in zijn leven, net als het dealen wat hij deed. Maar Jimmy was niet iemand die de splinter in andermans oog zag, maar de balk in zijn eigen oog over het hoofd zag. Iedereen was op jacht naar meer geld.

Nu moest Berra ook een bijdrage leveren. Het was een zwijgende overeenkomst tussen de andere drie en hij schikte zich er gewillig in. Het was niet meer dan juist dat hij in ruil voor zijn aandeel zijn mannetje stond. Hij liep bovendien een minimaal risico om in de vuurlinie terecht te komen.

Fassidy ging met zijn kist boven de rijbanen in oostelijke richting staan en gebaarde dat Berra boven de rijbanen in westelijke richting moest gaan staan.

'Een... twee... drie!'

De twee mannen draaiden de kisten tegelijkertijd om, hielden de handvatten stevig vast en keken naar de regen van metaal die op de snelweg viel. Honderden kraaienpoten verspreidden zich over het asfalt, rolden tegen elkaar aan en sprongen weg met hun scherpe punten.

In minder dan dertig seconden hadden ze de weg in beide richtingen onbegaanbaar gemaakt, maar er was geen tijd te verliezen. De politie zou de situatie al snel doorhebben en beseffen dat er meer aan de hand was.

Fassidy en Berra renden naar de auto's. Toen ze halverwege waren, hoorden ze de knallen van de lucht die uit de eerste banden schoot, gevolgd door piepende remmen en het geknars van blik dat op elkaar botste.

Zodra Fassidy en Berra in de auto's zaten, reden Marcin en Jimmy plankgas weg. De volgende bestemming was Mariefred.

14

Donderdag 29 juni 2006, 12.01 uur

De zwarte Porsche reed langzaam door de smalle straat in het centrum van Mariefred. Er reed bijna nooit verkeer door de Munkhagsgatan. De Jaguar reed dicht achter de Porsche. Bij de bank sloegen ze af naar links en parkeerden. Jimmy en Berra bleven in de Porsche zitten terwijl Fassidy en Marcin, nu met bivakmutsen op, elk aan een kant naar buiten renden met een wapen in hun handen. Er liepen veel mensen over de voetgangerspromenade, maar de overvallers negeerden hen en renden de andere kant op. De Mälardalsbank huisde al decennialang in een mooi bakstenen gebouw met dikke muren. Marcin wierp een snelle blik op de gevel op zoek naar camera's. Die waren er niet.

Fassidy was vlak achter hem. Ze hielpen elkaar met de deur openen en renden de bank binnen. Marcin vuurde een salvo af met zijn kalasjnikov, dat het plafond raakte. Stucwerk en metselspecie dwarrelden naar beneden.

'Allemaal liggen!'

Fassidy nam het commando, zwaaide dreigend met het afgezaagde jachtgeweer en dwong op die manier de paar klanten om te doen wat hij zei. Met drie snelle stappen was hij bij de dichtstbijzijnde baliemedewerkster en duwde de dubbele loop in haar gezicht.

'Blijf met je poten van de alarmknop af!'

Hij staarde boos naar de andere baliemedewerkster en de employé die een stuk verderop zat en zijn hand onder zijn bureau had. Geschrokken stak de bankemployé zijn handen in de lucht, maar de blonde baliemedewerkster bleef haar hand aarzelend uitsteken. Met één sprong was hij bij haar en sloeg de geweerkolf in haar gezicht. Ze viel op de vloer. Fassidy draaide zich naar de andere twee.

'Jullie gaan ook naar achteren,' bromde hij. Ze gehoorzaamden onmiddellijk. Fassidy vond dat de baliemedewerkster die nog steeds rechtop stond op een muis leek, vooral nu haar smalle ogen achter de uilenbril gejaagd naar het geweer voor haar staarden. Het was duidelijk dat ze tegelijkertijd gefascineerd en bang was. Dat gaf hem een kick.

Achter hem gaf Marcin een liggende man die nieuwsgierig opkeek een harde klap. Hij jankte als een puppy, maar ging meteen weer liggen. Met één sprong was Marcin daarna bij de balie. Hij liep naar de bankemployé toe, duwde hem tegen de muur en stootte de loop van de automatische karabijn in zijn maag. Niet hard, maar voldoende om hem naar adem te laten snakken en hem zijn ogen open te laten sperren. Fassidy herkende de geur van zweet en bedompte warmte van mensen die bang waren. Het was precies zoals het moest zijn.

'Breng me naar de kluisruimte. Jij hebt de sleutels en ik heb mijn kalasjnikov, dus laten we gaan.'

De bankemployé slikte en knikte. Hij draaide zich om en liep voor Marcin uit naar een zware stalen deur. Met trillende handen zocht hij koortsachtig naar de juiste sleutel.

'Verdomme, schiet op! We hebben niet de hele dag de tijd!' Marcin stootte de geweerloop hard in zijn rug.

'De juiste sleutel, de juiste sleutel, waar is de juiste sleutel in vredesnaam?' jammerde de bankemployé.

Het was doodstil. Iedereen concentreerde zich op de twee mannen die bij de stalen deur stonden en wachtte angstig op wat er ging komen.

De bankemployé pakte eindelijk een lange sleutel tussen duim en wijsvinger en bukte zich naar het slot. Het geluid van metaal op metaal vulde de ruimte. Daarna klonk de bevrijdende klik toen de deur van het slot ging. Opgelucht stapte hij opzij, vol verlangen om weg te komen.

Marcin deed een stap naar voren, greep het massieve handvat en begon te trekken, maar plotseling verstarde hij midden in zijn beweging door het geluid van een andere deur die openging. Het was een eiken deur met een raam van melkglas met het woord DIRECTIE erop, een deur waaraan geen van de overvallers tot nu toe aandacht had geschonken.

'Hé, wat is er aan de hand? Wat is dat voor kabaal?'

Het hoofd van een man van in de veertig verscheen om de halfopen deur. Hij deed de deur nog een stukje verder open en keek verbaasd naar het tafereel voor zich. Hij was rijzig en had een knap, klassiek gezicht dat nog werd geaccentueerd door het grijzende haar. Hij aarzelde een fractie van een seconde terwijl het kwartje viel. Toen hij begreep wat er aan de hand was, probeerde hij wanhopig de deur dicht te trekken en de trap op te vluchten.

'Niet doen, PO! Pas op!' riep de knappe vrouw op de vloer.

Het was te laat. Marcin gaf zijn gijzelaar een enorme duw in zijn rug, waardoor de arme ziel met een doffe dreun tegen de stalen deur viel. Hij draaide zich om en liet zijn karabijn het woord weer doen. De kogelregen trok de deur bijna uit het kozijn. Het raam versplinterde en het glas vloog alle kanten op. Hij had opzettelijk hoog gericht omdat hij niet van plan was de bankdirecteur dood te schieten, alleen flink bang te maken. Hij trok de kapotte deur open en rende achter hem aan. De smalle trap was leeg, maar hij hoorde hijgen en snelle voetstappen boven zich. Vastbesloten rende hij achter de man aan.

Een deur sloeg dicht en werd op slot gedraaid. Daarna klonk het alarm.

Verdomme! Natuurlijk hadden ze daar rekening mee gehouden, maar hij had op iets meer tijd gehoopt.

Hij draaide zich om en zag de volgende deur een paar traptreden boven zich. Hij dacht er serieus over na om die ook kapot te schieten, maar was bang dat de bankdirecteur dan in de vuurlinie terecht zou komen. In plaats daarvan trapte hij hem met twee krachtige schoppen in.

PO Ahlgren, de bankdirecteur die net voor de derde keer vader was geworden, zat achter zijn bureau met een wilde blik in zijn ogen en de telefoonhoorn in een krampachtige greep in zijn rechterhand.

'Neerleggen.'

Marcin verhief zijn stem niet. Dat was niet nodig. Deze zachtaardige man met zijn kleine bank zou niet de held gaan spelen, dat was ondenkbaar. Het was echter wel het juiste moment voor een toneelstukje. Hij moest ervoor zorgen dat de bankdirecteur geen problemen zou veroorzaken.

PO liet de hoorn los en stak zijn handen in de lucht.

'Ga staan!'

'Wat ben je van plan?'

Marcin gaf geen antwoord. Hij gebaarde met het automatische wapen dat de bankdirecteur naar buiten moest lopen en liep vlak achter hem de trap af. Ze kregen zo langzamerhand haast.

Het glas kraakte onder hun voeten toen ze de bank in kwamen. Het was alsof iemand de pauzeknop had ingedrukt. Alles zag er nog precies zo uit als toen Marcin de trappen op gerend was. Iedereen stond nog op precies dezelfde plek. Het enige verschil was het jankende alarm.

Het was tijd om de klus af te maken.

'Jezus, je kunt nu toch niet gaan pissen!'

'Nood breekt wet, dat weet je. Stop de auto.'

'Maria vermoordt ons. Nadat ze ons levend geroosterd heeft.'

'Ik ben zo terug.' Kjell deed het portier open, stapte uit en rende naar de dichtstbijzijnde struiken.

Per schudde zijn hoofd. Het was absoluut ongelofelijk. Ze waren zo ver weg van Nykvarn als je in het politiedistrict van Strängnäs kon zijn en hadden de oproep waarschijnlijk als laatsten gehoord omdat Kjell hem had overgehaald een onofficieel bezoek aan Jimmy te brengen, en nu namen ze een plaspauze in plaats van uit te rukken. De klootzak, was het enige wat Per kon bedenken en dat zei hij zo zachtjes dat zijn collega het niet hoorde.

De blaas van Kjell was blijkbaar flink gevuld, want ondanks zijn bewering moest Per wachten. Zijn enige troost was dat niemand tijd zou hebben om erover na te denken waarom ze zo laat waren. En Maria wist dat ze als een van de laatsten zouden arriveren.

Hij kende haar goed genoeg om te weten dat ze inmiddels enorm gefrustreerd moest zijn. Ze haatte het om toeschouwer te zijn. Als je het rationeel bekeek, zou ze dankbaar moeten zijn dat anderen de zaak regelden. Het was altijd druk, maar deze zomer was bijzonder. Ze hadden geen ontsnappingen of overvallen nodig om het politiewerk veeleisend te maken. Er heerste koorts in de stad, dat was de beste manier om het te beschrijven. Niemand bleef onbewogen onder het jazzfestival, ongeacht hoe ze erover dachten. Tijdens het voorjaar was het speciale gevoel binnen komen sluipen, vergezeld van intense blikken en gonzende gesprekken in de cafés en restaurants en in de rijen voor de kassa's van ICA Bengtsson. Het was heel duidelijk dat het een buitengewone gebeurtenis was, hoewel veel bewoners net deden of het hun niet kon schelen. Dat was Strängnäs in een notendop: reactionairen en traditionalisten botsten met visionairs en aannemers, waardoor conflicten maar ook dynamiek ontstonden.

De krachtige politieke dimensies waren nieuw voor Per. Dat de bewoners van de stad geïnteresseerd waren in de plaatselijke politiek was op zich niet nieuw. Met Fredrik als frisse wind bij *Strengnäs Dagblad* en het schandaal van vorig jaar was het niet vreemd dat de mensen zich betrokken voelden bij het gemeentebestuur. Hij had er nog nooit over nagedacht dat de politieke tegenstellingen en initiatieven speciale politie-inzetten zouden vereisen. Een maand geleden was het verband hem echter duidelijk geworden toen Maria hem naar haar kantoor had laten komen, de deur dicht had gedaan en had gevraagd of hij de teamleider tijdens het festival wilde worden. Hij volgde een opleiding in Stockholm voor wat betreft het omgaan met politieke demonstraties, voetbalvandalisme en rellen, en hij had verbaasd maar gevleid toegestemd. Achteraf was het veelzeggend dat ze hem naar de cursus in Stockholm hadden gestuurd in plaats van de eendaagse variant in Eskilstuna, die zich richtte op toegangscontroles bij de plaatselijke nachtclubs en concerten of een derby met vijftienhonderd toeschouwers in stadion Tunavallen.

Hij had nog niets over de benoeming tegen Kjell gezegd. Hij had zelfs niet verteld wat voor cursus hij volgde. Misschien was het een beetje laf, maar hij had liever dat Maria het aan zijn collega's vertelde, iets wat ze al had moeten doen. Het festival begon tenslotte overmorgen al. Het was geen beste lange-termijnplanning van haar, ook al begreep hij waarom dat was.

Eindelijk schudde Kjell de laatste druppels af en kwam terug.

'Jezus, je zeikt als een nijlpaard!'

Kjell lachte verlegen en deed zijn gordel om. 'Vera doet een kuur en wil dat ik meedoe. Je moet overdag liters water drinken waaraan je een of andere troebele smurrie toevoegt. Dat schijnt het lichaam te reinigen.'

Per glimlachte. Het was een klein wonder dat Kjell Vera had ontmoet, een chique kleuterleidster van in de vijftig. Hij was immers zo vrouwen-schuw dat het bijna belachelijk was. Maar het bewees dat niets onmogelijk was. Hij reed de E20 op en trapte het gaspedaal tot de bodem in. Hij zette het zwaailicht aan, maar wachtte met de sirene. Het was misschien beter om te wachten tot hij Strängnäs was gepasseerd. Het laatste wat hij op dit moment wilde was de aandacht op zichzelf vestigen.

Donderdag 29 juni 2006, 12.07 uur

Het alarm maakte Jimmy bang. Berra was verstijfd van angst, zijn rech-terbeen trilde en hij keek onrustig om zich heen. Het was niet prettig om naast hem in de auto te zitten en Jimmy had er spijt van dat hij de anderen had overgehaald om de drugsdealer mee te nemen.

Het lawaai van het alarm had hem overvallen. Was er iets misgegaan?

Drie minuten geleden waren Marcin en Fassidy naar binnen gerend. Vanaf de voetgangerspromenade moest te zien zijn wat er aan de hand was, maar tot nu toe reageerde er niemand. Het leek heel onwerkelijk, maar er zaten mensen in de zon op het terras van Två Goda Ting, het meest trendy café van Mariefred, een ijsje te eten.

Marcins instructies waren glashelder geweest. *Wat er ook gebeurt, blijf in de auto. Laat de motor aanstaan. Als jullie belaagd worden, draai het raam dan naar beneden en schiet in de lucht, maar verlaat de auto niet. Wat jullie ook doen, stap niet uit de auto.* Er lag een kalasjnikov op de achterbank. Hij had nog nooit een automatisch wapen gebruikt. Het was doodeenvoudig om te worden afgekeurd voor het leger, dus was hij nooit in dienst geweest. Berra trouwens wel, maar als Jimmy iemand niet met een wapen in zijn handen vertrouwde, dan was hij het.

'Jimmy, wat moeten we doen? Ik word gek van dat kabaal! We kunnen elk moment de smerissen op ons dak krijgen!'

Jimmy keek bezorgd naar zijn kameraad. Was hij gewoon langzaam van begrip of was hij high? Snapte hij niet waar ze de afgelopen uren mee bezig waren geweest? De politie was op dit moment hun kleinste probleem.

Maar wat gebeurde in de bank? Hij was in handen van twee krankzinnige geweldsmisdadigers en hij had de opdracht gekregen om op zijn aan drugs verslaafde kameraad te letten zodat die geen domme dingen deed en alles verpestte. 'Rustig, maat. Ze komen zo terug. We hebben de smerissen tenslotte voor de gek gehouden, weet je nog?'

Berra leek niet te luisteren en keek door het achterraam naar buiten. 'Ze komen eraan! Verdomme, Jimmy, we zijn erbij!'

Hij stak zijn hand tussen de stoelen, pakt het automatische geweer, deed het portier open en stapte uit. Jimmy wierp een wanhopige blik uit het raam. Was de politie er al? Dat kon toch niet?

Hij zag echter geen uniformen, alleen nieuwsgierige toeristen. De meesten gebaarden en praatten met anderen die in hun buurt stonden, maar drie dappere mannen liepen in hun richting. Het was duidelijk voldoende om Berra doodsbang te maken.

Zijn kameraad, die zonder masker uit de auto was gerend met zijn wapen in de aanslag, zou doorslaan zodra de politie hem te pakken had.

Verdomme, verdomme, verdomme. Hij had geen keus, hij moest Berra zo snel mogelijk weer in de auto zien te krijgen. Hij trok de bivakmuts over zijn hoofd en deed het portier open.

Berra was om de auto heen gelopen en richtte zijn wapen op de drie mannen. Ze waren blijven staan, maar een van hen was met zijn mobiel bezig. Die klootzakken filmen ons! dacht Jimmy.

Berra zwaaide met het wapen en schreeuwde iets onverstaanbaars. Jimmy rende naar hem toe en duwde de loop naar beneden op het moment dat het eerste schot klonk.

Berra vocht om een betere grip op de kalasjnikov te krijgen. De vrienden draaiden om elkaar heen. Berra's gezicht was bedekt met koud zweet en zijn ogen waren wijd opengesperd. Jimmy deed zijn uiterste best om het wapen uit Berra's handen te wringen. Misschien zag hij de trap daarom niet aankomen.

De pijn in zijn kruis schoot door zijn lichaam. Zijn adem stokte en hij liet Berra's arm los. Hij vouwde dubbel en viel in foetushouding op de grond. Hij was helemaal geconcentreerd op de gloeiende pijn in zijn kruis toen een salvo uit het automatische geweer de wereld in stukken reet.

15

Marcin stond met de bankdirecteur in de kluisruimte voor een brandkast met een codeslot. Hier binnen was het geluid van het alarm minder oorverdovend. PO keek met een koppige blik in zijn ogen naar de overvaller. 'Ik kan hem niet openmaken.'

'Toets de code in.'

'Je begrijpt het niet. Dat is niet voldoende. Er is nog een code nodig, en die heb ik niet.' Hij lachte zenuwachtig. 'Het is een dubbele code, snap je? De deur gaat open met twee codes en ik heb er maar een.'

'En wie heeft de andere?'

'Simon, mijn collega.'

'En waar is hij?'

'Bij een vergadering in Stockholm. De hele dag.'

Zonder waarschuwing sloeg Marcin de kolf van zijn kalasjnikov hard tegen het dijbeen van PO, net boven de knie. Zijn been vouwde dubbel en hij viel met een kreet van pijn op de vloer.

'Lieg niet tegen me!'

'Ik lieg niet, dat zweer ik!'

'En hoe komen de geldlopers dan bij het geld?'

De bankdirecteur slikte. Hij was trots op de veiligheid van de bank. Hij wist dat zijn collega's en de anderen vonden dat hij overdreef, maar dat zou hij na vandaag niet meer horen.

Zijn been deed verschrikkelijk veel pijn en hij vroeg zich af of het gebroken was.

Dit was een superieure tegenstander. Hij kon zijn gezicht niet zien, maar er lag een keiharde blik in zijn ogen en zijn stem was volkomen gevoelloos. De man deed hem denken aan de Russische maffia, die hij een paar jaar geleden tijdens een angstaanjagende belevenis had meegemaakt. De kalasjnikov en het kelige accent waren veel te vertrouwd. Het automatische wapen was nu weer op hem gericht. Er was geen twijfel mogelijk. Deze man zou niet opgeven voordat hij had gekregen wat hij wilde hebben.

'Zij hebben de code.'

Hij zei het heel zachtjes. Hij wist dat het geldtransport elk moment kon arriveren en door het te vertellen betrok hij de geldlopers bij de situatie. Het was een bijzondere oplossing, iets wat hij nog nooit had gedaan. Een ingeving om een acuut probleem op te lossen. Het was beter om de geldloper de code te geven en deze na het overhandigen van het geld te veranderen dan nog meer bankpersoneel bij de situatie te betrekken, maar er was nog hoop. Het alarm was afgegaan en de politie zou inmiddels onderweg zijn.

'Het geldtransport komt niet.'

PO staarde naar Marcin terwijl hij probeerde het te begrijpen. Hij wist niet of het goed of slecht nieuws was, maar het maakte de situatie nog angstaanjagender en verwarrender. Ineengedoken op de vloer hield hij zijn gewonde knie vast. De meedogenloze overvaller torende boven hem uit, een donkere gestalte zonder duidelijke kenmerken, in zwarte kleding en met een gemaskerd gezicht. Er klonk gepiep en Marcin haalde een mobiel uit zijn zak. Hij had blijkbaar een sms gekregen.

'De moderne techniek is fantastisch. We hebben het opgelost. En wees nu zo vriendelijk om je code in te toetsen.'

PO begreep er niets van, maar strompelde naar de brandkast en deed wat hem gezegd werd. Zodra hij klaar was boog de overvaller zich naar voren, toetste eveneens een code in en opende de brandkast.

Die lag vol zakken geld, gevuld met de weekopbrengst van winkels en bedrijven in de buurt. Het bedrag was twee keer zo hoog als anders, meer dan twee miljoen kronen.

Marcin stopte alles in twee tassen en trok PO uit de kluisruimte. Onderweg pakte hij de contanten die op een plank vlak bij de deur lagen en die bedoeld waren voor geldopnamen.

'Laten we gaan!'

De aansporing was onnodig. Fassidy was al halverwege de deur.

'En jullie blijven doodstil liggen, dan raakt er niemand gewond!'

Op het moment dat Fassidy de deur met zijn schouder openduwde, hoorden ze buiten schoten.

Er was iets helemaal mis.

16

Donderdag 29 juni 2006, 12.08 uur

Per reed plankgas terwijl hij het stuur stevig vasthield. Kjell had een verbeten trek op zijn gezicht. Blijkbaar vond hij het niets om ruim 200 kilometer per uur te rijden. Op het moment dat de afrit naar Läggesta opdook, ging Pers mobiel. Het was Maria, die heel geagiteerd klonk.

'Jullie moeten naar Mariefred terug! Er is haast bij! We hebben een overvalalarm van de Mälardalsbank en er zijn geen auto's in de buurt. Haast jullie!'

Voor de eerste keer sinds de rallycursus die Per jaren geleden had gevolgd, kreeg hij de kans om een handremslip uit te voeren. In een rookwolk die afkomstig was van de banden draaide hij de auto en reed tegen de rijrichting terug naar de oprit. Twee tegemoetkomende auto's waarvan de chauffeurs eruitzagen alsof ze op het punt stonden een hartaanval te krijgen, weken op het laatste moment uit.

Op de oprit keek Kjell hem vragend aan. 'Wat doe je verdomme? Wat zei Maria?'

'Een overval! Op de Mälardalsbank!'

'Jezus, kunnen ze niet wat duidelijker zijn, dat was toch in Nykvarn?'

Per zuchtte en keek Kjell vermoeid aan. 'Wees erop voorbereid dat je vandaag misschien je pistool moet gebruiken.'

Kjell mompelde iets, maar controleerde daarna met tegenzin zijn dienstwapen.

De golfbaan schoot als een groene waas voorbij en al snel zagen ze Grafikens Hus. Per remde zo hard dat Kjell bijna door de voorruit schoot, gooide zijn stuur om en nam met piepende banden de scherpe bocht naar het centrum.

Pas toen hij bijna bij de bank was, besefte hij dat hij vergeten was de sirene aan te zetten.

Het eerste schot raakte de straatstenen. Micke Björk en zijn dienstkameraden hadden zich behoorlijk dichtbij gewaagd en Micke filmde de overvallers met zijn mobiel. Toen het schot viel bleef Micke meteen staan. De kogel was afgeketst en had hem in zijn been geraakt. Zijn vrienden bleven ook meteen staan. Hij kreunde en hield zijn hand tegen zijn dijbeen op de plek waar hij was geraakt. De bloedvlek op zijn jeans werd steeds groter.

Niet iedereen achter hen had begrepen wat er was gebeurd. Sommige mensen lieten zich vallen terwijl anderen bleven praten en bellen, eerder opgewonden dan bang.

Jennifer Ahlgren duwde haar kinderwagen door de Storgatan. Ze had in de kleine winkeltjes rond het plein gesnuffeld. Nu was ze van plan om haar man bij de bank een bezoek te brengen.

Toen het schot viel stond ze voor de boekhandel. Ze overwoog om naar binnen te gaan en een aanwijsboek voor Emil te kopen. In Stockholm had ze pasgeleden een schattig stoffen boekje in vrolijke kleuren gezien. Hoewel het nog even zou duren voordat hij de plaatjes herkende, kon hij het in zijn handje houden en erop zuigen. Alles wat hij te pakken kreeg belandde meteen in zijn mond.

Ze kromp ineen door de scherpe knal, maar was niet bang. Het waren waarschijnlijk een paar kwajongens die rotjes afstaken. Daarna zag ze een groep mensen vlakbij op straat en vergat het boekje. Ze werd nieuwsgierig. Waarom stonden ze daar? Ze besloot om iets sneller te lopen. Het kon iets interessants zijn wat ze aan PO kon vertellen. Ze wilde hem verrassen met koffie en broodjes die ze bij lunchroom Fredman had gekocht.

Na een paar meter bleef ze geschrokken staan. Ze zag een man met een automatisch wapen en er lagen mensen op de grond.

Jennifer trok de kinderwagen instinctief naar zich toe. Ze zag de gemaskerde man vallen en de waanzin in Berra's ogen.

Op het moment dat het salvo klonk was Marcin net de bank uit. Fassidy rende zwaar ademhalend voor hem uit. Hij zag Berra schieten en zag de rode vlekken op de borst van de vrouw en hoe ze op de kinderwagen viel. Haar lichaam drukte het handvat naar beneden en de wagen veranderde in een katapult. De baby vloog door de lucht voordat hij in een regen van dekens, knuffels en fopspenen op de straatstenen viel.

Hij voelde hoe vochtig en warm de lucht was terwijl hij zijn wapen tegen zijn oksel duwde en richtte. Daarna volgde één harde knal die tussen de gevels echode. Berra sloeg naar achteren door de kogelregen die zijn lichaam raakte en viel met zijn gezicht naar beneden op straat. Fassidy liet de dubbele loop van het jachtgeweer kalm zakken en Marcin liep langs hem heen, nog steeds met het automatische geweer in de aanslag. Overal op straat lagen mensen te jammeren. Jimmy kwam langzaam overeind. Achter hem sleepte de bloedende vrouw zich naar haar kind. Marcin zag dat de baby niet bewoog.

'Verdomme, in de auto's!'

Zijn stem droeg niet ver, maar de aansporing was overbodig. Het plotselinge gejank van een politiesirene dreef hen voort. Fassidy wierp een snelle blik op de politieauto die in volle vaart kwam aanrijden en sprong daarna aan de passagierskant in de Jaguar. Marcin schoot op de auto van Per en Kjell, waardoor de voorruit versplinterde en een band doorboord werd. Hij gebaarde naar Jimmy om in de Porsche te springen en ging zelf naast Fassidy achter het stuur zitten.

Jimmy was in shock, maar deed wat hem gezegd werd. Hij krabbelde overeind en na een laatste blik op Berra en de chaos om hen heen strompelde hij dubbelgevouwen naar de auto. Marcin knipperde als een bezetene met zijn grote licht en spoorde hem aan om voorop te rijden. Tegelijkertijd zag hij de agenten met hun pistolen in de aanslag gebukt uit de auto komen.

Jimmy sloeg het portier dicht. Hij draaide aan het stuur en reed vol gas achteruit langs de Jaguar, de voetgangerspromenade op. Hij beet op zijn tanden toen de achterwielen over Berra's lichaam reden, draaide het stuur zo ver mogelijk naar links en schakelde in de eerste versnelling. Zijn handen trilden en de motor sloeg bijna af. Er klonk een knal tegen zijn auto. Een van de politieagenten had waarschijnlijk een schot gelost. De auto sprong op toen hij opnieuw over Berra heen reed, waarna hij de Munkhagsgatan in scheurde. Na twintig meter draaide hij scherp naar rechts en reed over het parkeerterrein en langs de worstkraam, waarna hij de straat weer op reed. Marcin reed vlak achter hem. De adrenaline die door zijn lichaam stroomde, schakelde zijn hersenen uit. Hij was geconcentreerd op het autorijden en had geen tijd om te bedenken wat er allemaal was gebeurd. Op dit moment was het alleen belangrijk om weg te komen. Ze hadden alle smerissen in Strängnäs en Södertälje misleid, met uitzondering van Laurel en Hardy. Hij had zijn politievrienden herkend. Ze stonden bij hun kapotgeschoten auto, omringd door jammerende, bloedende mensen.

Het was een chaos. Nee, hij mocht niet aan de vrouw met haar baby denken. Of aan Berra.

Zodra de auto's van de overvallers wegreden, rende Kjell naar de vrouw toe. Hij herkende Jennifer meteen. Hij bukte zich en legde zijn vingers in haar hals. Hij voelde geen hartslag en haar starre blik vertelde hem hetzelfde. Ze hield haar baby stevig vast en hij zag het bloedspoor naar de kinderwagen, die een paar meter verderop stond. De baby bewoog niet en hij vreesde het ergste. Met wilde blikken naar alle kanten probeerde hij te beseffen wat er precies was gebeurd. Hij zag een man die tegen een muur geleund zat en zijn bloedende been vasthield. Zijn kameraden stonden om hem heen. Hij staarde naar het roerloze lichaam dat vlakbij lag. Langzaam kwam hij overeind, beet zijn tanden op elkaar en wreef machteloos in zijn handen. Ze waren te laat gekomen.

Hij liep snel naar de overvaller en schoptе het automatische wapen met een enorme trap weg. Het geluid echode hard tussen de gevels. Daarna duwde hij zijn voet onder het lichaam en tilde het op, zodat de man op zijn rug rolde. Het lichamelijke letsel was aanzienlijk. Hij kreeg braakneigingen en moest zich concentreren om niet te kotsen. De eerste oprisping kwam in zijn mond en brandde op zijn tong. Hoewel het halve gezicht verdwenen was, herkende hij de dode. Hoeveel keer had hij die vent niet zenuwachtig aan de belachelijke gouden ring in zijn oor zien trekken?

Kjell was er vrij zeker van dat een van de andere overvallers zijn handlanger had doodgeschoten voordat ze over het lijk reden. Dat zei veel over het soort mensen met wie ze te maken hadden. Hij stopte het pistool in zijn holster, pakte zijn mobiel en belde 112.

Per concentreerde zich op de gevluchte overvallers. Het lukte hem nog een schot te lossen voordat de Jaguar om de hoek verdween. Hij raakte het linker achterlicht. Per rende naar de politieauto terug, maar besefte meteen in welke situatie ze zich bevonden.

Het geratel van het automatische wapen dat over de straat klonk liet hem inkrimpen. Hij zag dat Kjell het lichaam omdraaide en begreep uit de gezichtsuitdrukking van zijn collega dat het geen prettige aanblik was, maar hij dacht er niet langer over na toen het geluid van de brullende motoren plotseling weer aanzwol. Hij draaide zich om en besefte dat de vluchtauto's rond het centrum waren gereden en nu naar de Storgatan terugkwamen. Hij ging met één knie op straat zitten en richtte zorgvuldig voordat hij het magazijn leegschoot. Twee schoten waren raak. De achterruit brak en tot zijn grote vreugde raakte hij een van de banden van de Jaguar. De auto begon te slingeren, maar stopte niet. Hij zag hen in de richting van Grafikens Hus rijden en daarna links afslaan in de richting van de snelweg.

'Kjell! Kom hier! We moeten een auto vinden. Ik heb er een vleugellam gemaakt en we kunnen ze niet laten ontsnappen.'

Kjell wilde net ophangen. Twee ambulances waren onderweg vanaf het Mälarziekenhuis. Het was alles wat ze konden missen. Eén ambulance stond met lekke banden op de E20 en een andere was in Nykvarn. Iedereen keek naar hem en hij bedacht wat hij moest zeggen om hen te kalmeren. Pers onverwachte uitroep kwam als een bevrijding, hoewel hij met de doodgeschoten lichamen om hem heen absoluut geen behoefte had om jacht te maken op de overvallers.

Tegelijkertijd wist hij dat Per gelijk had. Door een speling van het lot waren ze ineens het beste jongetje van de klas door op het juiste moment ter plaatse te zijn, en als er een kans bestond om de moordenaars te pakken te krijgen, moesten ze die grijpen.

'Oké, ik bel Maria, zoek jij een auto.'

Per stak zijn duim op en rende naar het Statoil-benzinestation iets verderop. Kjell liep achter hem aan met zijn mobiel aan zijn oor. Hij riep over zijn schouder tegen de angstige, verwarde mensen dat er snel meer politieagenten zouden komen. Hij hoopte dat het waar was. Toen hij een laatste keer omkeek naar de mensenmassa, de roerloze lichamen op de grond en al het bloed, zag hij iets. Een klein beentje schopte een dekentje weg.

17

Donderdag 29 juni, 12.10 uur

Het lukte Per om bij het benzinestation een auto te bemachtigen. Een man in kostuum met een BMW had getankt en wilde net de winkel in lopen om te betalen. Hij keek geschrokken op toen hij Per hoorde hijgen. 'Ik vorder deze auto! We achtervolgen bankovervallers!'

De man sperde zijn ogen verbaasd open, maar herstelde zich snel. Hij trok zijn roze stropdas met schuine strepen met zijn linkerhand recht en schraapte zijn keel. 'Wat? Nee, dat gaat niet.'

'Snap je niet wat ik zeg? Heb je de schoten niet gehoord? We hebben de auto nodig!'

De man haalde zijn schouders op, draaide zich om en liep vastbesloten naar de ingang van het tankstation.

Per was zo perplex dat hij even van zijn à propos was. Hij was voorbereid geweest op tegenstand, maar hij had nog nooit meegemaakt dat hij gewoon werd genegeerd. Hij werd boos en rende achter de man aan. De automatische deuren gingen open en de man liep net naar binnen toen Per hem had ingehaald. Hij stormde naar hem toe en trok de sleutels uit de hand van de verbaasde autobezitter, maar zag de stellage met chocolade over het hoofd. De Daims, Snickers en Japps vlogen alle kanten op. Per kon zich niet inhouden en gaf de man nog een extra duw, waardoor hij tegen een rek met luisterboeken viel. Niet zo subtiel, maar het werkte wel. Het was fijn geweest om de kerel ook nog uit te schelden, maar daar had hij geen tijd voor. Er waren al een paar minuten voorbij sinds de Jaguar langs Grafikens Hus was geslipt en naar de E20 was verdwenen. Als ze nu niet vertrokken, konden ze het net zo goed laten. Hij keek om zich heen naar Kjell en zag hem verderop op het parkeerterrein staan. Hij sprak opnieuw in zijn mobiel. Per sprong in de BMW en stak de sleutel in het contactslot.

De man bonkte verontwaardigd op de motorkap. 'Stop! Dit kun je niet maken!' Hij was duidelijk niet van plan zich gewonnen te geven. Zijn gezicht was rood aangelopen.

Per grijnsde en trapte het gaspedaal in. De v6-motor ronkte. Hij had enorm veel geluk als je bedacht dat hij net zo goed in een Fiat Punto had kunnen zitten. Er zou beslist een aanklacht volgen en misschien een reprimande, maar je kon niet de hele tijd proberen je eigen huid te redden. Er lagen twee vermoorde mensen op straat en het was niet bekend hoeveel schade de overvallers in de bank hadden aangericht. Hij was absoluut niet van plan om de achtervolging aan iemand anders over te laten. Hij remde bij Kjell en duwde het passagiersportier open. 'Spring erin!'

Kjells blik was enigszins afwezig, alsof hij ergens anders was met zijn gedachten. Hij klapte zijn telefoon dicht en ging in de auto zitten. 'Waar heb je die auto vandaan?'

Per wees naar de boze man in kostuum die aan de kant van de weg tegen hen stond te schreeuwen. Beslist een Stockholmer die hier weekend kwam vieren. Dat gebeurde steeds vaker in Mariefred.

De motor van de bmw was geruisloos. Die Duitsers kunnen auto's bouwen, dacht Per terwijl hij het rechte stuk weg langs de golfbaan op reed en naar de vierde versnelling schakelde. De snelheidsmeter was de 120 kilometer per uur al gepasseerd. Kjell trommelde met zijn handen op zijn dijbenen en hield zijn ogen op de weg gericht. Zijn gedachten cirkelden rond het gesprek dat hij net met Maria had gehad. Haar angstige stem klonk voortdurend in zijn oren. Ze had heel opgelucht geklonken over zijn telefoontje en was tegelijkertijd opgewonden geweest omdat ze de achtervolging inzetten. Hij kon de helft van haar vragen niet eens beantwoorden. Het enige waarover ze niets had gezegd was hun veiligheid. Ze repte met geen woord over de risico's om drie overvallers die tot moord in staat waren en die bewapend waren met automatische wapens en god weet wat te achtervolgen. Ze gaf zelfs geen commentaar of het verstandig was om de achtervolging in te zetten in een particuliere auto zonder mobilofoon en slechts gewapend met twee dienstpistolen.

Misschien vertrouwde ze erop dat ze voorzichtig zouden zijn. Misschien geloofde ze de mythe van hem als politieheld. Misschien geloofde ze dat Per geen fouten kon maken. Ze zou beter moeten weten.

Kjell dacht aan Vera en hoopte dat hij haar terug zou zien. Hij beloofde zichzelf dat hij haar de volgende keer dat ze elkaar zagen flink zou verwennen. Hij was trots en doodsbang tegelijkertijd. Per maakte altijd grapjes over zijn zogenaamde angst voor vrouwen, maar eigenlijk was hij gewoon heel verlegen. Dat ging blijkbaar nooit over. Maar hij kon niet verlegen zijn tegenover Vera. In plaats van verstard te zijn, was hij ontspannen bij haar. In plaats van bang te zijn om de verkeerde dingen te zeggen, wilde hij haar deelgenoot maken van wat er in zijn hoofd omging. Dat was vreemd, maar ook vanzelfsprekend. Hij zou haar vertellen hoe vreemd het was. Áls ze elkaar weer zagen.

Per leek niet gebukt te gaan onder zulke sombere gedachten. Hij was helemaal geconcentreerd op zijn taak en het was duidelijk dat hij ervan genoot om de auto te besturen. Kjell wierp een blik door het zijraam, zag de golfbaan overgaan in een veld en in de verte een landhuis dat eruitzag als een klein kasteel, compleet met kantelen en torens. Daarachter zag hij dikke, zwarte rook naar de hemel opstijgen. Per minderde vaart en al snel roken ze een scherpe brandlucht. Bij Trekantens Café, net voor de afslag naar Strängnäs, moesten ze stoppen. De weg werd geblokkeerd door de Jaguar, die bezig was in een gloeiend metalen skelet te veranderen.

Kjell dacht al vrolijk dat dit het eind van de achtervolging moest betekenen en dat hij binnen de kortste keren bij Vera zou zijn, maar Per gaf een ruk aan het stuur en reed de auto de weg af.

De achterwielen spinden en de auto slipte over de onverharde grond voordat ze het parkeerterrein van het café op stuiterden. De wind blies de rook in hun richting en maakte het moeilijk om iets te zien, maar het lukte Per de auto weer op de weg naar de E20 te sturen.

'Hoe weet je dat ze deze kant op gegaan zijn?'

'Noem het mijn zesde zintuig.'

Per duwde zijn wijsvinger tegen de voorruit en Kjell zag honderden meters voor hen een zwarte stip die op het punt stond om achter een bocht te verdwijnen. Het was de Porsche.

'Fredrik, je moet naar kantoor komen!'

'Waarom dan?'

'De Mälardalsbank is overvallen en het is een chaos op de E20. We hebben je nodig!'

Het kon niet op een slechter moment gebeuren. Klara en hij waren net thuisgekomen en Ulrika was boodschappen gaan doen met Hampus. Ze waren naar Solberga gereden en zouden op zijn vroegst over een uur terug zijn. Straks zouden ze samen een nieuw recept uitproberen en een lekker glas wijn drinken. Bovendien voelde hij zich uitgeput en dat zou er niet beter op worden nu het jazzfestival de volgende dag begon.

'Kun je niet met Emilia gaan? Neem Tore mee zodat we foto's hebben. Het spijt me, maar ik kan niet weg.'

Hij hoorde zelf hoe het klonk en begreep dat ze verbaasd was. Normaal gesproken was hij niet zo, maar Ulrika moest ook een keer op de eerste plaats komen, al zou dat betekenen dat hij een reportage van een overval zou missen. Trouwens, hoe interessant kon het zijn? In Stockholm was het niets bijzonders geweest, maar hier was het natuurlijk een sensatie.

Hij hoorde Ulla denken. De ontevreden stilte sijpelde als siroop door de hoorn.

'Weet je het zeker?' vroeg ze. 'We hebben ooggetuigen die bellen om te vertellen dat er doodgeschoten mensen voor de bank liggen.'

Ze had hem overgehaald.

'Ik kom eraan.'

De pijn in zijn onderlichaam begon te verminderen. Jimmy was iets langzamer gaan rijden omdat ze niet gevolgd werden. Marcin was een slimme duivel. De laatste honderd meter had de Jaguar in een regen van vonken op de velg gereden. Heel even had Jimmy met de gedachte gespeeld om gewoon door te rijden en de anderen aan hun lot over te laten, om zijn kans te grijpen en te vluchten voor deze moordenaars, maar dat was niet meer dan een fantasie. Marcin en Fassidy hadden het geld en de contacten. Als hij ervandoor ging, kon het maar op één manier eindigen. Net als met Berra en de vrouw bij de bank.

Het misselijkmakende geluid toen de achterwielen over zijn vriend heen reden, echode nog in zijn hoofd.

Marcin zat naast hem en las de kaart. Jimmy wist de weg, maar Marcin nam geen enkel risico. Achter hem bekeek Fassidy het wapenarsenaal. Hij had een zwachtel rond zijn rechterarm. Pers schot had hem niet geraakt, maar een stuk glas van het kapotgeschoten raam was in zijn schouder en bovenarm gedrongen. Er liep bloed op de stoel, maar hij deed of het hem niet kon schelen. De zwarte man irriteerde Jimmy. Hij was waarschijnlijk geadopteerd, maar was in elk geval opgegroeid in Zweden, aangezien hij perfect Zweeds sprak. Het was te merken dat hij een echte beroeps was. Jimmy kon het niet laten om zich af te vragen waarom de Clan juist hem voor deze opdracht had gekozen. Jimmy was niet te dom om het spelletje dat er werd gespeeld te doorzien. Hij was een onbelangrijke pion die op elk moment afgedankt kon worden, als je buiten beschouwing liet dat er geen betere chauffeur was en hij de enige was die de weg hier wist. Misschien leefde hij daarom nog steeds.

Marcin besefte het gevaar dat er van Fassidy uitging natuurlijk ook. Toch las hij heel geconcentreerd de kaart zonder aandacht te schenken aan de man achter hem. Niemand had nog commentaar gegeven op wat er bij de bank was gebeurd.

Bij station Lännersta en de oprit naar de E20 kregen ze een oude Opel Kadett voor zich, die met 40 kilometer per uur over de weg kroop. Jimmy wilde zo snel mogelijk inhalen, maar er kwam een lange rij auto's van de andere kant. Dat was blijkbaar een gevolg van de afgesloten snelweg. Hij voelde de bivakmuts schuren, maar wilde hem nog niet afdoen. Natuurlijk, de vrouw in de Kadett zou de situatie misschien begrijpen als ze in haar achteruitkijkspiegel keek, maar dat had hij liever dan dat hij werd geïdentificeerd.

Fassidy had het masker weggegooid zodra hij in de auto ging zitten, maar had in plaats daarvan een pilotenbril opgezet. Hij kon het niet zien, maar de pijn moest in zijn ogen te lezen zijn, dacht Jimmy.

'Haal in! We kunnen hier niet achter blijven hangen! Zal ik dat wijf van de weg schieten?'

Marcin klonk gestrester dan hij eruitzag. Jimmy beet zijn tanden op elkaar en stuurde de Porsche met de kleinst mogelijke marge langs de Kadett. Een vrachtwagen toeterde geïrriteerd.

Marcin had zichzelf weer onder controle en keek hem geamuseerd aan. 'Ha ha, begin je te zweten? Vind je dat we vandaag genoeg geschoten hebben?'

18

Donderdag 29 juni 2006, 12.25 uur

Ze liepen in op de Porsche! Het was ongelooflijk maar waar. Kjells laatste hoop dat de achtervolging zou stoppen, werd de bodem in geslagen toen de auto van de overvallers krachtig achter de oude Opel remde. Hij pakte zijn dienstpistool en controleerde het magazijn.

Per zag zijn bezorgde gezicht blijkbaar. 'Luister, Kjell, maak je geen zorgen. Ik ben niet helemaal gek. We gaan niet in discussie met hun automatische wapens. Ik blijf op gepaste afstand en probeer alleen uit te zoeken waar ze naartoe gaan. Als ze ons zien, dan blijven we kalm en spelen op zeker. Ze zijn al een auto kwijt. Als we ze een beetje kunnen ophouden, kan dat voldoende zijn.'

Lekker is dat, dacht Kjell. Plotseling ben ik een agent in een burgerauto met een verkenningsopdracht. Hij vroeg zich af hoelang dat goed zou gaan. Als ze zo hard bleven rijden, zou het de overvallers niet ontgaan dat ze werden achtervolgd door een blauwe bmw. En dan zouden hun wapens 'in discussie gaan', of Per dat wilde of niet. Maar het was zoals het was en het had geen nut om bang te zijn. Feit was dat hij zich al een stuk beter voelde. Hij dacht aan het gesprek met Maria en het vertrouwen dat ze in hem had. Ze konden het beter zo snel mogelijk achter de rug hebben. Vanavond had hij met Vera afgesproken.

'Let op! Heb je die inhaalmanoeuvre gezien?'

'Jezus, ja. Het lijkt erop dat ze in de richting van Åker rijden.'

Ze reden al snel vlak achter de Opel. Het was inmiddels geen probleem meer om in te halen. Van pure schrik reed de oude vrouw met een snelheid van 30 kilometer per uur en met twee wielen in het gras.

Kjell zag de Porsche in de verte achter de volgende bocht verdwijnen. 'Ik bel Maria opnieuw om versterking. Met een beetje geluk hebben ze het nu minder druk.'

Per knikte en trapte het gaspedaal weer in.

Emilia parkeerde haar autootje voor Fredriks huis. Het was een nieuw model Mini Cooper, een cadeau van haar vader. Hij had geen gevoel voor proporties, maar dit keer had ze niet geprotesteerd. Het was een gave auto om in te rijden en nu ze meer vrijheid kreeg op de redactie kwam hij goed van pas. Ze begon de weg in Strängnäs te kennen, maar in deze wijk was ze nog nooit geweest. Ze was langs sportterrein Vasavallen gereden en had daarna een enorme omweg rond Lehman & Linde gemaakt voordat ze het adres had gevonden. Het was typisch dat zoiets gebeurde als je gestrest was. Ze was nog steeds verbaasd dat Ulla haar had gevraagd om de opdracht samen met Fredrik te doen in plaats van er zelf naartoe te gaan.

Er was iets tussen Ulla en Fredrik waar ze niet goed wijs uit kon worden. Een soort haat-liefdeverhouding die invloed had op iedereen en niet in het minst op haarzelf. Ulla was de journalist met wie ze naast Fredrik het meest samenwerkte op de redactie. Dat was interessant, want Ulla had een heel andere stijl dan Fredrik en leek iedereen te kennen. Op veel manieren was het gemakkelijker om met Ulla dan met Fredrik samen te werken, omdat hij zijn onafhankelijkheid in bijna alle situaties verdedigde. Het probleem was dat er geen chemie was tussen Ulla en Emilia, en Emilia snapte niet waarom dat was. Soms had ze het gevoel dat Ulla het heerlijk vond om haar op haar nummer te zetten.

Het had waarschijnlijk ook niet geholpen dat ze de computer die ze had gekregen 'een waardeloos ding dat alleen geschikt was voor de vuilnisbelt' had genoemd. Ze was er later pas achter gekomen dat het Ulla's oude computer was en dat die op een of andere manier heilig was. Maar Fredrik was lief en nu stond hij met een ongelukkige uitdrukking op zijn gezicht boven aan de trap met zijn dochter aan zijn hand. Ze parkeerde en liep naar het hek.

'Hallo! Dit is Klara. Ik heb geregeld dat we haar onderweg af kunnen zetten.'

'Hallo. Ik ben Emilia. Hoe oud ben je?'

Klara verstopte zich achter haar vaders been.

Fredrik glimlachte en streelde over haar hoofd. 'Ze is drie jaar. We gaan een stukje rijden, Klara. Emilia brengt ons naar Pia, en dan mag je daar vanmiddag spelen. Je zult zien dat het hartstikke leuk wordt. Ga je mee?'

Emilia draaide zich om en liep terug naar de auto. Fredrik tilde Klara op en liep achter haar aan.

Toen ze in de auto zouden gaan zitten, keek Emilia onzeker naar Fredrik. 'Ik heb geen kinderstoeltje, heb jij…?'

Fredrik zuchtte en schudde zijn hoofd. 'Ik haal snel een kussen zodat ze wat hoger zit. We hoeven tenslotte niet zo ver te rijden.'

Hij wilde Klara aan Emilia geven, die niet precies wist wat ze moest doen. Klara begon te schoppen en barstte in huilen uit.

'Pak haar gewoon! Ze stopt wel. Klara, papa rent terug om iets te halen. Kun je hier met tante Emilia wachten?'

Emilia tilde haar op, maar het kleine meisje begon meteen te gillen, wurmde zich uit haar armen en klampte zich aan haar vaders been vast. Na een paar wanhopige pogingen om haar over te halen gaf Fredrik het op en droeg haar het huis in.

Het leek lastig om kinderen te hebben en het was niet vreemd dat Fredrik er altijd zo moe uitzag, dacht Emilia. Zelf had ze er totaal geen behoefte aan. Ze wilde het naar haar zin hebben en in zichzelf investeren. Haar vriendinnen van de journalistenschool leken er net zo over te denken, maar thuis in Husby was dat natuurlijk anders. Daar waren meerdere van haar vriendinnen al voor de tweede keer zwanger.

Waar bleven Fredrik en zijn dochtertje toch? Emilia werd steeds ongeruster dat ze te laat in Mariefred zouden arriveren.

Maria nam niet op. Dat was ongewoon, maar met het oog op de situatie misschien niet zo vreemd. Kjell liet een kort bericht achter om te melden waar ze zich bevonden en vroeg haar terug te bellen. De spanning van de achtervolging was waarschijnlijk op hem overgeslagen, want zijn angst was verdwenen en de nieuwsgierigheid had het overgenomen. Hij vroeg zich af waar de overvallers naartoe gingen. Hoelang zou het duren voordat ze ontdekten dat ze gevolgd werden?

Ze waren bijna in Åkers Styckebruk en daar groeide het risico dat er opnieuw iemand gewond zou raken. Als ze een van hun eigen mensen doodschoten, zouden ze ook niet aarzelen om iemand aan te rijden die hun in de weg liep. Maar zolang ze dachten dat ze ontsnapt waren, zouden ze waarschijnlijk proberen om geen aandacht te trekken.

'Rij een beetje langzamer, Per. Het is niet handig als ze ons voor het dorp ontdekken, denk je niet?'

Per trok zijn wenkbrauwen op, maar ging langzamer rijden. Kjell had een punt.

De akkers vochten om ruimte met het bos. Het heuvelachtige akkerlandschap werd af en toe onderbroken door bossen. Tussen de eiken graasden paarden. Per vond het zenuwslopend en bijna ondraaglijk om zo ver achter te blijven. De Porsche was inmiddels een zwarte stip in de verte. Een vliegenpoepje dat af en toe achter een bocht verdween. Als die kerels besloten om gas te geven, zou hij hen nooit meer inhalen.

'Probeer Maria nog een keer. We hebben ondersteuning nodig, anders loopt het alsnog mis.'

Åkers Styckebruk, het kleine Sörmlandse industrieplaatsje, sliep vredig. Voor het Folkets Hus hingen een paar duidelijk verveelde tieners. De bouwvak was net begonnen en waarschijnlijk moesten ze al snel naar huis om hun vader en moeder te helpen met het inpakken van de caravan, dacht Jimmy bevooroordeeld. Hij had zijn bivakmuts afgedaan en de blonde hardrockerpruik opgezet. Er was minder risico dat iemand hem zo herkende, maar hij voelde zich toch ontzettend bekeken. Er waren hier heel veel mensen die hem konden herkennen en zo'n auto als deze zagen ze niet elke dag. De Forsavägen was een van de twee hoofdstraten en er was heel weinig verkeer. Hij probeerde zichzelf nog een keer in te praten dat de situatie ondanks alles stabiel was en dat het plan nog steeds werkte. Hij kon de doodgeschoten vrouw en het kind echter niet vergeten. Diep vanbinnen wist hij dat alles voorbij was. Ze zouden opgejaagd worden als honden.

Misschien vermoedde Marcin wat hij dacht. 'We moeten gewoon rustig blijven. We kunnen geen fuck-ups meer gebruiken. We rijden kalm door het dorp, rijden het bos in, wisselen van auto en dan is het bijna achter de rug. Nog tien minuten, dan kunnen we ons schuilhouden, ons geld tellen en die stomme smerissen uitlachen.'

Jimmy en Fassidy gaven allebei geen antwoord, maar Jimmy ontspande een beetje. Marcin had gelijk. Hij moest zich er gewoon op focussen zijn taak af te maken. Meer kon hij niet doen. Tien minuten moest lukken, vooral nu de politie hen was kwijtgeraakt. Natuurlijk kon een boer elk moment 112 bellen, maar dat zou geen verschil maken.

Zelfs Fassidy wist niet waar ze naartoe gingen. Aan het begin van de dag, wat inmiddels een eeuwigheid geleden leek, had hij gevraagd waar ze na de klus naartoe gingen. Het had Jimmy een halve seconde gekost om te snappen dat hij de overval bedoelde. Verdomde commandosoldaat.

Jimmy en Marcin wilden het allebei niet vertellen, toen niet en nu niet. Het was een stilzwijgende overeenkomst tussen hen. Marcin wist echter niet dat Jimmy zijn eigen voorbereidingen had getroffen. Hij beschouwde het als een goedkope levensverzekering, maar hij wist niet zeker of hij lang genoeg zou blijven leven om er voordeel van te hebben.

Bij de kruising met de Bruksvägen, midden in het dorp, sprong het verkeerslicht op rood. Jimmy stopte. Het was een heel vreemd gevoel om zich weer aan de verkeersregels te houden, maar Marcin had gezegd dat ze onopvallend moesten rijden. Een vrouw met een kinderwagen stak het zebrapad over. Hij staarde naar haar en snakte naar adem, maar het lukte hem om dat te verbergen door te hoesten. Eén moment verbeeldde hij zich dat het de neergeschoten vrouw voor de bank was. Ze leken op elkaar en waren van dezelfde leeftijd, maar toen herkende hij haar. Het was Jonna. Ze was nog net zo bloedmooi en zelfbewust als ze op school was geweest. Hij had verkering aan haar gevraagd toen hij achttien was, maar ze had hem uitgelachen.

Jezus. Hij boog zijn hoofd en deed of hij het dashboard bestudeerde en keek daarna snel in de achteruitkijkspiegel om te zien of Fassidy iets gemerkt had. Hij zat ineengedoken en had zijn ogen dicht. De lichte autobekleding achter zijn schouder begon donkerrood te worden.

Door de achterruit zag hij dat er een paar auto's achter hem stonden. Eerst een rode, oude Volvo van hetzelfde type die Berra en hij de showroom van Kyrkström binnen hadden gereden, en daarachter een blauwe BMW. In de Volvo zat een man van zijn leeftijd met lang, piekerig haar die op het stuur trommelde. Hij luisterde duidelijk naar een nummer op de radio.

Het verkeerslicht sprong op groen en ze reden in de richting van de fabriek. Om een of andere reden keek Jimmy in zijn zijspiegel. Misschien om een laatste blik op Jonna's mooie kont te werpen. Hij zag de BMW en het raam dat aan de chauffeurskant naar beneden was gedraaid. De arm van de chauffeur stak naar buiten en de mouw van zijn overhemd was zichtbaar. Het was onmiskenbaar een blauw uniformhemd.

19

Klara was iets vrolijker toen ze bij de familie Sjödin arriveerden. Pia en Klara zaten op dezelfde kleuterschool en de twee meisjes hadden het bijna altijd leuk samen. Ze werd helemaal blij toen Pia's moeder beloofde om met hen te gaan zwemmen in Visholmsbadet. Fredrik zuchtte van opluchting. Het was erg genoeg dat hij halsoverkop verdween en Ulrika teleurstelde. Hij had nog steeds het gevoel dat hij had moeten weigeren, maar Ulla kende hem beter dan hij zichzelf kende. Het antwoord was een pure impulsdaad geweest. Een misdaadverslaggever aarzelde niet als hij verslag kon doen van een moord. Hij wist alleen niet of hij nog langer tevreden was over zichzelf in die rol. Emilia daarentegen was zo vol verwachting dat hij dacht dat ze zou exploderen.

'Denk je dat dit met de ontsnapte gevangene te maken heeft?'

Fredrik haalde zijn schouders op. Het was onmogelijk om dat te weten, maar het was waar dat een ongeluk zelden alleen kwam.

'Ik heb een paar dingen ontdekt waarover we moeten praten. Met betrekking tot de ontsnapping, bedoel ik. Maar dat kunnen we later doen, omdat dit natuurlijk belangrijker is.'

Hij wist niet of ze verwachtte dat hij vragen zou stellen, maar hij was niet in de stemming om over andere dingen te praten. Zijn hoofd zat nu al vol. Hij knikte alleen.

'We zijn aan de late kant, maar het is niet onmogelijk dat we als eerste krant aanwezig zijn. Een van de winkeliers heeft gebeld. Iedereen is heel erg aangeslagen. De overvallers zijn verdwenen, een man en een vrouw liggen doodgeschoten op straat en een in puin gereden politieauto blokkeert de Storgatan voor de bank. Toen hij belde was er nog steeds geen politie aanwezig.'

'En de agenten die in de politieauto reden?'

'Ik weet het niet.'

Ze reden in stilte verder. Fredrik vroeg zich af hoe Ulrika zou reageren als ze thuiskwam en hij er niet was. Hij had zonder succes geprobeerd haar te bellen, maar het was niet de eerste keer dat ze haar mobiel in de auto liet liggen als ze boodschappen deed.

Emilia probeerde het tafereel voor zich te zien. Het lijk, het zenuwachtige bankpersoneel en alle nieuwsgierige en verslagen mensen die zich hadden verzameld. Misschien inmiddels ook politieauto's met gillende sirenes. Het zou een superreportage worden, maar ze vond het ook een beetje eng. Ze had nog nooit iemand gezien die doodgeschoten was. Het ergste wat ze had meegemaakt, was toen skinheads op een afschuwelijke avond in Kungsträdgården haar vriend Ramón in elkaar hadden getrapt. Hij was echter niet dood geweest.

Ze gluurde naar Fredrik. Jezus, wat was hij saai. Hij was nog steeds verdiept in zijn gedachten. Ze had aandacht van hem nodig.

Donderdag 29 juni 2006, 12.36 uur

'Smerissen!'

Jimmy trapte het gaspedaal tot de bodem in. Fassidy en Marcin keken allebei achterom. De auto slipte toen Jimmy een scherpe bocht nam en de Skottvångsvägen op reed, een slingerende weg door de bossen die via Åkers Bergslag naar Gnesta liep. Het was de droom van elke rallyrijder.

'Ze zitten in die BMW.'

'Draai het raam aan mijn kant open.'

Fassidy's stem klonk gespannen en vreemd. Een beetje onvast door het bloedverlies, dacht Jimmy. Hij was echter helder genoeg om de kalasjnikov te ontgrendelen en zich klaar te maken om te schieten.

'Kunnen we ons niet beter gedeisd houden? Het is volgens mij maar één auto.'

Marcin lachte droog. 'Dat is goed, als jij tenminste bij ze weg kunt rijden. En dan hebben we verderop een verrassing voor ze.'

Jimmy beet op zijn tanden. Hij was de barricade vergeten. Die zou zeker van pas komen als het hem lukte om de smerissen af te schudden. Het was dat, of Fassidy die uit het raam hing en hen met kogels doorzeefde. Laurel en Hardy waren op een of andere duivelse manier herrezen. Hij moest vleugels krijgen, want hij wilde hun dood niet ook nog op zijn geweten hebben.

In de BMW had Kjell eindelijk contact met Maria. Het was nog steeds een chaos. Meerdere auto's waren op weg naar Mariefred, maar moesten in Nykvarn stoppen om orde te scheppen en op te ruimen. De politie van Stockholm was onderweg om assistentie te verlenen bij de verkeerssituatie, die steeds zorgelijker werd. De file liep inmiddels helemaal tot Södertälje. Blijkbaar was het bijna net zo erg op de E20 in de buurt van Mariefred. Er had een groot verkeersongeluk plaatsgevonden en de auto's van meerdere collega's waren total loss, maar niemand was ernstig gewond. Zelf was ze eindelijk op weg naar haar eigen auto. Ze beloofde om in Mariefred op hen te wachten. Het beste nieuws was dat het nationale interventieteam onderweg was.

Per gaf Kjell een por. 'Ze gaan ervandoor! Verdomme, ze hebben ons vast gezien!'

De Porsche schoot als een pijl uit een boog weg. De Skottvångsvägen was smal en bochtig en de afstand werd snel groter. Per was zo geconcentreerd op het rijden dat hij eerst niet merkte dat Kjell in zijn mobiel bleef praten.

'Motorpolitie? Waar?' Kjell keek verbaasd, maar niet ontevreden. 'Oké, dat is fantastisch. Laxnevägen, ja, ik snap het. We volgen zo goed mogelijk. Per rijdt, dus dan weet je het wel.' Hij lachte even en hing daarna op.

De Porsche reed minstens 220 kilometer per uur, dacht Per, die steeds meer moeite kreeg om de bochten te nemen. Hij reed zo snel als hij kon, maar de Porsche reed gewoon bij hem weg. Al snel verdween hij na elke bocht om alleen op de rechte stukken op te duiken. De enige troost was dat de overvallers snelheid moesten minderen als ze ergens zouden afslaan, en de mogelijkheden daarvoor waren beperkt. Hij wierp een snelle, onderzoekende blik op Kjell. 'Wat zei Maria?'

'We krijgen onverwachte hulp. Ken je Ingvar en zijn team? Ze houden blijkbaar een oefening in deze omgeving. Mooie bochten voor een motor, neem ik aan. Ze hebben tien motoren in de buurt van Laxne. Maria heeft net aan Ingvar gevraagd of zij ons kunnen helpen. Ze belt zo terug.'

'Dat klinkt goed. Dat kunnen we gebruiken.'

'Prijs de dag niet voor het avond is. Het zou me niet verbazen als we ze kwijtraken.'

Per schudde zijn hoofd. Een vos verliest wel zijn haren, maar niet zijn streken, dacht hij. Dit was de Kjell die hij kende, de collega die beter dan ieder ander wist hoe hij iemand met beide voeten op de grond moest zetten. Het ergste was dat hij tevreden was als hij dat soort dingen zei. Alsof het hem voldoening schonk om het humeur van een ander te verpesten of een slechte sfeer te veroorzaken. Per kon het niet laten om zich af te vragen of hij dat bij Vera ook deed. In dat geval zou het waarschijnlijk niet lang duren voordat hij terug was in zijn single bestaan. Aan de andere kant was Vera misschien een ongeneeslijke optimist die nergens gedeprimeerd door raakte. De keren dat Per haar had gesproken, had ze in elk geval heel hartelijk geleken. Joviaal, dat was het juiste woord voor haar.

Helaas had kniesoor Kjell meer gelijk dan hij had kunnen vermoeden. Op een lang, recht stuk met aan een kant een dennenbos en aan de andere kant een helling met kaalslag die naar het meer liep, werd de auto door elkaar geschud door een explosie. Een paar honderd meter verderop steeg rook op uit het bos en met een enorm gekraak vielen twee grote dennenbomen dwars over de weg. Per trapte op de rem en wist de auto nog maar net op tijd te stoppen.

De motor sloeg af. Blijkbaar stond de radio aan, want op de achtergrond zong Kent 'Kärleken väntar'. Ze zeiden niets tegen elkaar en keken zwijgend naar de wirwar van takken en naalden. Uiteindelijk opende Per berustend het portier en stapte uit. Hij rekte zich uit. Zijn lichaam trilde en hij had kramp in zijn handen omdat hij het stuur zo stevig had vastgehouden. Het geluid van een auto die wegreed overstemde het gekwetter van de vogels.

20

Donderdag 29 juni 2006, 12.43 uur

Toen Emilia en Fredrik langs het stationsgebouw in de Storgatan reden, viel de onnatuurlijke stilte hun op. De meeuwen vlogen zoals gewoonlijk krijsend rond, maar het geroezemoes van stemmen was weg. Fredrik zag dat de oude stoomlocomotief binnen stond, maar dat de perrons bijna verlaten waren. Er waren bijna geen kinderen en het parkeerterrein bij het station was niet eens halfvol, hoewel er op dit tijdstip anders geen plek te krijgen was. Bij de pizzeria had iemand een afvalbak omgegooid en de rommel was op de stoep terechtgekomen. De kraaien hadden zich verzameld voor een feestmaaltijd, maar niemand joeg ze weg. De meeste mensen leken zich in hun woningen teruggetrokken te hebben. Mariefred hield de adem in. Voor de bank stonden drie politieauto's, één wrak en twee auto's met zwaailichten. Er stonden ook twee ambulances en een daarvan stond op het punt om weg te rijden.

Een politieagent die Fredrik niet kende, praatte met PO Ahlgren. De bankdirecteur schudde voortdurend zijn hoofd. Af en toe bracht hij zijn handen naar zijn gezicht, om ze meteen daarna weer te laten zakken. Het bankgebouw was ontruimd en afgezet, waarschijnlijk omdat de technische recherche onderzoek deed. Het bankpersoneel en de klanten stonden op straat en zagen er geschokt uit.

'Laten we maar beginnen.' Fredrik glimlachte en wees naar de mensenmassa. 'Daar staan alle ooggetuigen die je je kunt wensen. Probeer zo veel mogelijk namen en contactgegevens te krijgen. Dit verhaal kan heel goed een vervolgreportage krijgen.'

Zonder verdere instructies beende hij naar een blondine in bankuniform, een lange, donkerblauwe rok en een eenvoudige witte blouse. Op haar naambordje stond SANNA. Ze had gehuild. Haar mascara was uitgelopen, haar wangen waren rood en ze had een lelijke blauwe plek onder haar oog die er heel vers uitzag. Het viel hem op dat hij eigenlijk geen flauw idee had wat er was gebeurd. Het enige wat hij had, was een fragmentarisch beeld met een dramatisch karakter, maar geen verbanden. Hij hoopte dat Sanna daar verandering in kon brengen.

'Hallo, mag ik je een paar vragen stellen? Ik ben van de plaatselijke krant.'

Ze knipperde met haar blauwgroene ogen. Haar mond was vertrokken tot een streep, maar hij zag dat haar bovenlip licht trilde. 'Natuurlijk. Wat wil je weten?'

'Je werkt bij de bank, nietwaar?'

Ze knikte langzaam, maar zei niets.

'Je was tijdens de overval dus in het gebouw, klopt dat?'

Ze knikte opnieuw, iets sneller dit keer.

'Stond je achter de balie toen de overvallers binnenkwamen?'

'Ja, ik werk samen met nog een vrouw.'

Hij kon niet zeggen dat ze erg spraakzaam was. Hoewel ze hem aankeek, leek het alsof ze hem niet echt zag. Het was alsof een onzichtbaar vlies hun werelden scheidde.

'Heb je gezien wat er buiten gebeurde? Het schieten en zo?'

Ze keek naar beneden, waarna ze haar hoofd schudde. 'Nee. Het is echt verschrikkelijk. Ik...' Ze stopte en keek hem weer aan. 'Ik bedoel... Niemand kon waarschijnlijk geloven dat zoiets als dit in Mariefred kan gebeuren.'

'Hoeveel overvallers kwamen er binnen?'

'Twee, geloof ik. Ik heb er twee gezien.'

'Hebben ze veel geld buitgemaakt?'

'Dat moet je PO vragen, maar ik geloof het wel. Ze hebben twee grote tassen gevuld. PO heeft de brandkast geopend.'

'Eh... Bedoel je de kluisruimte?'

'Nee, de brandkast. We hebben een brandkast in de kluisruimte die alleen PO kan openen. Simon misschien ook, maar die is hier niet.'

'De overvallers hebben hem dus gedwongen de brandkast te openen?'

'Dat klopt, hoewel dat vreemd is. Dat kan namelijk helemaal niet. Vraag het PO maar.'

'Vreemd, hoezo?'

'Dat moet je PO vragen, als hij in staat is om met je te praten. Ik neem aan dat hij naar het ziekenhuis gaat.'

Haar stem klonk ijl en hij hoorde dat ze op het punt stond om weer te gaan huilen.

'Waarom, is hij gewond?'

'Nee, dat denk ik niet. Maar zijn vrouw... Zij is degene die doodgeschoten is. En de baby.'

Hemel, dacht Fredrik. Jennifer en het kind? Dat kon niet waar zijn. Hij moest Ulrika meteen bellen.

Emilia had niet veel zin om met de toeschouwers te praten. Ze had iets anders in gedachten. Omdat Fredrik een andere kant op liep, liep ze brutaal naar de bankdirecteur toe. Hij praatte nog steeds met de politie en ze wachtte beleefd tot het gesprek afgelopen was. Ze drong zich niet op, maar het ontging haar niet wat ze zeiden.

'Het spijt me dat we je moeten lastigvallen.'

'Dat hindert niet. Ik wil graag helpen, maar ik moet nu naar mijn zoon.'

'Dat begrijp ik. Maar vergeet niet het personeel naar huis te sturen. Hebben jullie een maatschappelijk werker met wie ze kunnen praten?'

'Nee.'

'Dan moeten wij dat regelen. We hebben slachtofferhulp in Södertälje, en dat zal in Strängnäs beslist ook bestaan.'

'Dat is goed. Laten jullie het weten zodra jullie iets horen?'

'Natuurlijk, we moeten later meer praten. Nu is de pers er.'

De politieman gebaarde met zijn arm in Emilia's richting. PO keek naar haar met een gezichtsuitdrukking die niet bepaald uitnodigend was. Hij werd onrustig zodra de politieagent het woord 'pers' had gezegd. Voordat ze iets kon zeggen, keek hij demonstratief weg en tuurde naar de Storgatan. Daar heerste nog steeds chaos. Ze zag dat een van de ambulancemedewerkers een kind in zijn armen had. De deken rond het kind zat vol bloedvlekken. Toen hij terugkeek trok hij een gezicht en wreef over zijn dijbeen. Ze zag dat hij tranen in zijn ogen had.

'Meneer Ahlgren?'

'Ja?'

'Ik ben Emilia Gibbons van *Strengnäs Dagblad*. Kunt u vertellen wat er gebeurd is?'

'Ze hebben mijn vrouw vermoord en mijn zoon verwond.'

Emilia staarde hem aan. 'Wat? Is dat waar? Maar...'

'Ik kan nu niet praten.'

'Nee, dat snap ik.'

Hij draaide zich om en begon langzaam naar de ambulance en de baby te lopen. Na een paar stappen bleef hij staan en draaide zich naar haar om. Hij keek haar een hele tijd aan en schudde zijn hoofd voordat hij zijn mond weer opendeed. 'De bankoverval is een *inside job* geweest.'

21

Donderdag 29 juni 2006, 12.53 uur

Ingvar Lundmark reed aan kop van de groep politiemotoren, sloeg af naar de Laxnevägen en reed via de steile, kronkelende weg naar de meren. Maria's tweede telefoontje was onverwacht geweest, maar niet onwelkom. Dit was vertrouwd terrein. Op deze wegen hadden ze heel wat uren getraind.

Ze waren verkeersagenten. Die hadden geen status en vaak kregen ze van alles over zich heen, maar de motor verkondigde iets anders. Ingvar had nog nooit een motoragent ontmoet die er niet van hield om op zijn brik te rijden, maar er waren er maar weinig die enthousiast waren over het verkeerstoezicht. Dat dualisme moesten ze leren hanteren en er het beste van maken, maar als ze ander werk aangeboden kregen, klaagden ze niet. Ze hadden eerder auto's achtervolgd, maar nooit op deze manier. Normaal gesproken waren het dronken idioten die probeerden te vluchten, vaak van de plek van een ongeval.

Dit was een ernstige situatie en de verantwoordelijkheid rustte zwaar op zijn schouders. De ernst in Maria's stem door de krakende mobilofoon was niet te missen. 'Vermijd tot elke prijs een confrontatie. Ze zijn zwaar bewapend. Als jullie ze tegenkomen, stel je dan terughoudend op en neem contact met ons op. Als we ze in de gaten kunnen houden, is het halve werk gedaan. De helikopters zijn onderweg.'

Ingvar mocht Maria graag. Ze praatte geen onzin, maar gaf altijd rechtlijnige en duidelijke informatie. Ze kon nogal nors overkomen, maar als je liet merken dat je geen problemen had met een vrouw als meerdere verdween die norsheid al snel. Hij had vooral waardering voor haar vermogen om alle vragen serieus te nemen en ze niet op de lange baan te schuiven. Ze deed haar werk niet op de automatische piloot en haar stressbestendigheid moest enorm zijn, of misschien stopte ze haar angsten en gedachten op een geheime plek. Dat wordt een hartaanval voordat ze vijftig is, dacht Ingvar een beetje cynisch. Hij had het eerder meegemaakt. Hoewel hij niet kon ontkennen dat haar manier van leidinggeven prikkelde tot loyaliteit en persoonlijke inzet. Dat was tegenwoordig buitengewoon zeldzaam. Daarom had hij niet geaarzeld om zijn motor te keren en de anderen te vragen hetzelfde te doen.

Volgens Maria waren de overvallers op weg naar Skottvångs groeve. Ze hadden blijkbaar een andere auto of zelfs een schuilplaats ergens in het bos.

De situatie was niet ingewikkeld. De overvallers stonden op het punt om te ontsnappen en daar moest iets aan gedaan worden. Ze zouden zo snel mogelijk naar de groeve gaan en daarna zouden ze verder kijken. Dat was het hele plan.

'Jezus, wat een knal!' riep Jimmy uitgelaten.

Marcin lachte en zelfs Fassidy glimlachte even.

'Dat noem ik nog eens bomen vellen!'

Marcin klopte vriendschappelijk op Jimmy's schouder en liet de afstandsbediening bij zijn voeten vallen.

Er hing een sfeer van saamhorigheid in de auto die er nog niet was geweest. Het was een uiting van gemeenschappelijke opluchting omdat ze zo ver waren gekomen. Oppervlakkig gezien kon dit als verbondenheid beschouwd worden.

Jimmy bedacht dat hij deze twee klootzakken misschien toch aankon. Hij begon Marcin bijna te mogen, maar dan op een zieke manier. Hij was heel daadkrachtig, ook al was het plan waaraan hij werkte nog steeds in nevelen gehuld. En Fassidy deed gewoon wat hem werd gezegd. Op dit moment hadden ze hem nodig, dus was het zinloos om zich zorgen te maken.

Misschien was het zelfbedrog, maar in dat geval was het het waard. Hij moest een beetje ontspannen. De geestelijke spanning was hem bijna te veel geworden en nu verdween die stukje bij beetje.

Hij liet het gaspedaal een beetje vieren. Hij was blij voor Laurel en Hardy. Hij had niet gewild dat de politieagenten gewond raakten, ook al waren het twee nieuwsgierige klootzakken.

Eindelijk zag hij het oude gebouw tussen de bomen. Hij was hier al veel vaker geweest. Zwoele zomeravonden met vrienden, een sixpack bier, een paar bandjes die alles speelden, van punkrock tot dansorkestmuziek, en natuurlijk meiden...

Nu was de plek verlaten, precies zoals hij had verwacht. Jimmy sloeg af en parkeerde de auto. 'Ik haal de andere auto.'

Marcin knikte en hielp Fassidy uit de auto. Het bloed sijpelde door de zwachtel langs zijn arm en zijn wapens vielen op de grond toen hij kreunend van de achterbank overeind kwam. 'We hebben wapens nodig,' hijgde hij.

'Maak je geen zorgen, maat. We laten niets achter, vooral deze niet.'

Fassidy leunde zwaar op Marcins schouder terwijl ze naar de kofferbak liepen. Marcin opende hem en haalde een van de tassen eruit. 'Ga zitten en rust uit. Het duurt niet lang meer. Ga hier maar zitten en voel aan het geld.'

Jimmy rende om een van de gebouwen die op het bos uitkeken heen. Daar had hij de tweede auto neergezet. Hij stond onder een camouflagegroen dekzeil dat was verzwaard met grote keien. Het was een roestige, witte Volvo 240 en zo mogelijk nog lelijker dan het wrak dat Berra en hij de etalage van Kyrkström in hadden gereden, maar er was een wezenlijk verschil. Deze auto was niet gestolen, maar gekocht. Hij stond zelfs op zijn naam. Of dat slim was moest nog blijken. Voor vandaag was het afgelopen met racen. Geen brute kracht meer, maar tijd voor een beetje sluwheid.

Eerst dacht hij dat het geronk afkomstig was van een paar hardnekkige vliegen, maar al snel kon hij er niet meer omheen. Het geluid dat steeds dichterbij kwam was afkomstig van meerdere motoren.

Hij was bezig het dekzeil los te maken, maar stopte midden in de beweging. Wat was dat verdomme? Wie kwamen er deze kant op?

Heel even verbeeldde hij zich dat het motorclub Banditerna uit Eskilstuna was, die mee wilde doen en in de winst wilde delen. De Clan en de motorclub lagen altijd met elkaar in de clinch. Budde beweerde dat hij een aantal pogingen had gedaan om vrede te sluiten, maar het enige wat er tot nu te merken was, waren de confrontaties. Normaal gesproken hadden ze vaste projecten, zoals restaurants laten betalen voor hun 'bescherming', maar alles wat met geld te maken had en een mes in de rug van de Clan was, was natuurlijk interessant. Jimmy besefte echter al snel dat hij geen choppers hoorde. Dit waren felle Japanse motoren en ze naderden snel.

Hij rende naar de anderen terug. Fassidy lag over de tassen met geld en zag eruit alsof hij halfdood was. Marcin had een van de automatische karabijnen opgepakt en keek gespannen naar de weg.

'Wat doen we?'

Jimmy hoorde hoe angstig hij klonk en haatte zichzelf erom, maar dit keer leek Marcin ook onzeker. De Pool keek bezorgd naar de in elkaar gezakte Fassidy en de tassen. Daarna haalde hij zijn schouders op en wees naar de wapens. 'Pak er een. We blijven hier staan en geven ze een warme ontvangst.'

Op dat moment besefte Jimmy wie het waren. Hij had hen een paar jaar geleden onder heel andere omstandigheden op deze plek gezien. Een lint van blauw-witte schaduwen met reflectoren die langsreden. Met het besef kreeg hij ook een krankzinnig plan. Marcin had gelijk gehad. Ze moesten rekening houden met bloedvergieten. Nog een schot kon er een te veel zijn.

Hij keek Marcin aan. 'Ik heb een beter idee, maar we moeten snel zijn.'

22

Ingvar reed het erf op en remde. De anderen deden hetzelfde en verspreidden zich in de vorm van een waaier. Door het remmen dwarrelde het stof van de weg op en hing als een nevel om hen heen, waardoor het lastig was om goed te zien.

Skottvångs groeve leek verlaten. Ingvar klapte het stoffige vizier van zijn helm omhoog en keek bezorgd om zich heen. Hij gebaarde naar de anderen om hun motoren uit te zetten. Het werd doodstil. Zouden ze eerder dan de overvallers zijn? Er was ook een kans dat ze eerder van de weg waren afgeslagen en dit hun bestemming helemaal niet was. Hij vloekte in zichzelf. De anderen vertrouwden hem blindelings en het laatste wat hij wilde was hen in een val laten lopen. Ze konden ook niet veel langer doelloos rond blijven rijden. De leiding in Nykvarn had hen dringend verzocht om zo snel mogelijk terug te komen.

Een stuk verderop glansde iets metaalachtigs op het grind. Toen hij besefte wat het was verstijfde hij. Dat moest betekenen dat ze toch op de juiste plek waren.

Hij hoorde het geklik van steunen die uitgeklapt werden. Dat irriteerde hem. Hij had geen teken gegeven dat ze konden afstappen. Ze zouden verdomme toch voldoende discipline moeten hebben om te begrijpen dat ze moesten wachten? Hij keek achter zich om te controleren wie die stommeling was, maar was nog maar halverwege de beweging toen hij het gebrul van een automotor hoorde.

Hij keek weer voor zich en zag een grote zwarte auto recht op zich af komen. Een man met lang blond haar zat achter het stuur en gebaarde. Hij moest achter het gebouw plankgas zijn weggereden.

'Weg! Opgepast!'

Het was een geluk voor Ingvar dat hij zijn eigen instructie niet had opgevolgd. Hij had zijn motor nog steeds aan en gaf vertwijfeld gas. De motor antwoordde meteen door een grote sprong naar voren te maken. Dat redde hem ervan overreden te worden. Een muur kwam razendsnel dichterbij, waardoor hij gedwongen was om de motor op het grind te leggen. De getrainde reflex redde zijn been. Als hij het stuur een fractie van een seconde eerder had losgelaten, had hij de motor boven op zich gekregen. Nu gleed hij ernaast in zijn motorpak. De motor sloeg met een dreun tegen de muur en Ingvar dook in elkaar om de klap op te vangen. Hij stuiterde overeind en nam het tafereel snel in zich op. Overal lagen omgevallen motoren, maar het leek erop dat geen van zijn agenten ernstig gewond was geraakt. Bovendien waren ze niet allemaal te verrast geweest om te reageren. Twee politieagenten hadden de achtervolging van de wegvluchtende Porsche ingezet. Het waren Fritte en Boel, zag hij. Dat verbaasde hem niet. Ze hadden het verst achteraan gestaan en hadden klaargestaan om te keren. Fritte en hij hadden jarenlang samen gereden en kenden elkaars lichaamstaal zo goed dat het leek alsof ze elkaars gedachten konden lezen. Boel was een groentje, maar de beste die hij in lange tijd had gehad. Dat moest ze natuurlijk wel als ze met deze groep seksisten wilde werken, dacht hij, niet zonder een zekere vorm van zelfkritiek. Er was een antivrouwelijke sfeer in de groep, waaraan hij zeker had bijgedragen. Boel Sjöquist was bovendien Aziatisch, ondanks haar Zweeds klinkende naam en Östgötlandse dialect, wat het er niet gemakkelijker op maakte om geaccepteerd te worden. Ze kreeg hun respect met tegenzin. Ingvar had zelden zo'n natuurtalent op een motor meegemaakt. De motor zat vastgekleefd tussen haar benen ongeacht de moeilijkheidsgraad van de manoeuvres waarop ze trainden, een seksuele metafoor die de mannen graag gebruikten in hun lompe grappen.

'Opschieten, mannen! Op jullie motoren! We mogen ze niet in de steek laten. Zijn alle motoren nog heel?' Hij wierp een blik op zijn eigen motor. 'Behalve de mijne dus?'

Het gelach van de mannen was bevrijdend en gaf nieuwe moed. Over hun mislukking mochten ze thuis piekeren. Nu was het belangrijk om op te schieten. Hij sprong achterop bij Olle en gebaarde dat ze konden vertrekken. Al snel was het erf verlaten. Alleen het afgezaagde jachtgeweer dat Fassidy had gebruikt lag nog op het grind.

23

Jan-Börje kende het bos op zijn duimpje. Hij had hier als kind al rondgerend. Er was geen betere manier om te ontspannen dan met een jachtgeweer tussen de bomen te lopen, het mos onder je voeten te voelen en naar wild te speuren. Het gaf hem een gevoel van controle en was een vertrouwd patroon. In het bos was niets ingewikkeld, en het was veel minder veeleisend en frustrerend dan het leven buiten was.

Hij stond stil en deed zijn rugzak af. Daarna zette hij het geweer tegen een dennenboom en maakte het vouwkrukje van de bepakking los. Het was tijd voor koffie. Hij ging zitten en luisterde naar de geluiden van het bos.

Er was geen reden om zich te haasten. Het kleine wild ging nergens naartoe en hij had vandaag geen afspraken.

Het intensieve campagnevoeren zoog alle energie uit hem. Hij was trots op Svensk Samling en een plek als raadslid in Strängnäs was binnen bereik. Niemand kon ontkennen dat dat aan zijn inzet te danken was. De mensen in Åker zouden hem dankbaar zijn. Het was een mooie revanche na de moeilijke herfst waarin Anna-Lena alles had verpest.

De grootste belediging die ze hem had aangedaan, was toen hij erachter was gekomen dat ze een pot was geworden. Hij geloofde geen moment dat het echt was, alleen een uitgekookt spelletje om hem gek te maken. Ze wist heel goed hoe hij over zwarten en flikkers dacht.

Dat ze zich vermaakte met de hoer van de bankdirecteur toonde alleen hoe uitgekookt zijn vrouw was. Zo bleef hij haar noemen, ook al was de scheiding bijna een maand na die afschuwelijke avond uitgesproken. Ze hadden tenslotte geen kinderen, dus was het alleen een formaliteit voor de rechtbank geweest. Hij geloofde echter in de beloften die ze elkaar hadden gedaan. In voor- en tegenspoed. Hij had haar trouw beloofd. Je hoorde niet met een ander dan je echtgenoot in bed te belanden. In sommige landen werd je daarvoor gestenigd, dat wist hij. Hij kreeg meteen een duidelijk beeld voor ogen; de stenen vlogen door de lucht en pletten haar hoofd als een overrijpe vrucht.

Haar partnerkeuze moest betekenen dat ze wist wat hij had gedaan. Het was typisch voor haar om zulk berekenend en manipulatief gedrag te vertonen.

Het was precies een jaar geleden gebeurd, op een dag als deze. Hij was in het bos geweest om te jagen toen hij plotseling geritsel in de struiken hoorde. Hij sloop in de richting van het geluid, klaar om een ree neer te schieten, maar toen was het gekreun begonnen.

Sanna stond tegen een boom geleund met haar korte zomerrok omhoog en haar broekje rond haar enkels. De witte billen van de bankdirecteur stootten hevig. Waarschijnlijk probeerden ze stil te zijn, maar aan het eind had de directeur alle remmingen laten varen en gebruld als een wild beest.

Hij had besloten om hen niet te storen en had zijn hand in zijn broek gestopt. De vlek in zijn kruis had hij gemaskeerd door zijn broek op weg naar huis in het meer nat te maken. Tegen Anna-Lena zei hij dat hij was gevallen, waarna hij zijn kleren haastig in de wasmachine had gestopt. Dat was waarschijnlijk zijn fout geweest. Normaal gesproken liet hij haar dat soort vrouwendingen doen, dus misschien was ze wantrouwend geworden.

Er gingen een paar weken voorbij voordat hij besefte wat een fantastische mogelijkheid hij in handen had. De partij had geld nodig en hij had beweerd dat hij een lening kon regelen. Dat was voornamelijk om indruk op de anderen te maken en ervoor te zorgen dat ze hun portemonnee trokken, maar naderhand was het idee gerijpt. Zou hij geen gunstige voorwaarden kunnen krijgen als hij vertelde wat hij wist?

De bankdirecteur was inderdaad heel begripvol geweest. De boerderij werd als onderpand voor de lening gebruikt, dus eigenlijk was het niet vreemd, maar iets zei hem dat het had geholpen dat hij wist dat Ahlgren vreemdging.

Er klonk een zwak gebrom tussen de bomen. Het klonk als een stationair draaiende motor van een ouder model auto. Hij moest dichter bij de weg zijn dan hij had gedacht. Waarschijnlijk waren het een paar lamzakken die in hun oude bakken rondreden. Die vonden het leuk om bij de oude groeve te stoppen. Het konden natuurlijk ook een paar tortelduifjes zijn. De herinnering aan vorig jaar wond hem op en hij besloot om op onderzoek uit te gaan.

Het was lastig om vooruit te komen. Er lagen omgewaaide bomen die de bodem hadden opengescheurd en het struikgewas was dicht. Al snel hoorde hij stemmen. Degene die het meest en hardst praatte had een kelig accent. Jan-Börje pakte zijn buks steviger vast. Die Oost-Europeanen waren tegenwoordig overal.

Toen hij dichtbij genoeg was, zag hij dat er inderdaad een oude Volvo stond die de lucht verpestte. Een dekkleed was op de grond gegooid en de kofferbak stond open. Jan-Börje vond het eerst moeilijk om te zien met wie dat zigeunertype praatte, omdat hij met zijn rug naar het bos stond en de ander leek te zitten. Het was in elk geval een Zweed, dat hoorde hij.

'Jezus, dat heeft Jimmy goed gedaan. Geen klotesmeris te bekennen.'

'Mm, inderdaad.'

'Ga in de auto zitten, dan vertrekken we.'

'Hebben we alles?'

'Ik denk het, maar ik loop nog even terug om te controleren. Ga jij vast zitten, ik ben zo terug.'

Dat was het moment waarop Jan-Börje struikelde. Misschien had de automatische karabijn in de hand van de Oost-Europeaan hem overrompeld waardoor hij zijn evenwicht verloor, of misschien was het de aanblik van de bebloede zwarte. Als die verdomde takken niet op de grond hadden gelegen, was het waarschijnlijk niet gebeurd, maar nu veroorzaakte hij een enorm kabaal.

Het antwoord kwam onmiddellijk in de vorm van een salvo dat rondom hem door het struikgewas gierde. Hij liet zich op de grond vallen terwijl hij tegelijkertijd zonder te richten een schot afvuurde.

Jan-Börje kneep zijn ogen dicht en wachtte op de kogelregen die zijn lichaam zou raken. In plaats daarvan hoorde hij autoportieren dichtslaan en grind dat onder de banden vandaan spoot.

Hij durfde niet te geloven dat ze weg waren en bleef een hele tijd liggen, net zo lang tot de vochtigheid van de grond in zijn kleding was doorgedrongen en hij het koud begon te krijgen. Hij had veel gedachten, maar één daarvan kwam de hele tijd terug. Als hij dit overleefde, beloofde hij zichzelf om er alles aan te doen zich met Anna-Lena te verzoenen. Hij zou doen wat daarvoor nodig was.

Jimmy's idee was krankzinnig en hij wist nog steeds niet of de truc had gewerkt. Toch voelde hij zich bijna gelukkig. Nu de rallyrijder in hem het had overgenomen, was hij degene die de beslissingen nam en de situatie controleerde. Hij hoefde de twee moordenaars niet meer rond te rijden en hij hoefde niet de hele tijd te denken aan wat er met Berra, de vrouw en het kind was gebeurd.

Toen hij de twee motoragenten in de achteruitkijkspiegel zag, kon hij zichzelf echter niet langer voor de gek houden. Zijn plan was gedoemd te mislukken. Hij vloekte hardop terwijl hij besefte hoe moeilijk het zou zijn om bij hen weg te rijden. Hij concentreerde zich op de weg en zag verder niets meer. Hij sloot alles buiten, behalve de afstand tot de volgende bocht, de lijn die hij moest kiezen en de optimale snelheid. Gelukkig had hij een troef achter de hand; dat hoopte hij in elk geval. Nu de hoofdweg was geblokkeerd door de gevelde bomen was er maar één weg het bos uit. De smalle grindweg zou vlak na een bocht aan de linkerkant opduiken. De agenten wisten waarschijnlijk niet waar die lag. Het verrassingsmoment was zijn ontsnappingsmogelijkheid.

Hij zag de bocht al snel naderen, maar minderde geen vaart. Hij kon de auto nauwelijks op de weg houden door de enorme snelheid, maar met heel hard remmen en een scherpe draai aan het stuur slipte de Porsche de bosweg in. Vol leedvermaak zag hij in zijn achteruitkijkspiegel dat een van de motoragenten het bos in reed. Helaas was de ander beter. Hij had blijkbaar afgeremd voor de bocht. Jimmy had toch een kleine voorsprong, maar had niet veel mogelijkheden meer. Bovendien was het een kwestie van tijd voordat de helikopters verschenen en dan was het gedaan met hem. Marcin of Fassidy zou natuurlijk niet geaarzeld hebben. Eén salvo van de automatische karabijn en het probleem was opgelost. Jimmy wilde echter nooit meer een vuurwapen vasthouden en al helemaal niemand vermoorden.

Hij deed waar hij het best in was en reed op de top van zijn kunnen. Het werd een indrukwekkende bosrally. Kilometerslang haalde hij het uiterste uit zichzelf en de auto. Hij liet de auto slippen en glijden om zo veel mogelijk stof te laten opwaaien. Lange tijd zag hij de motor niet, maar hoorde hij alleen het geluid. Het was net een koppige bij die hij niet kon afschudden, hoe hard hij de Porsche ook afbeulde. Uiteindelijk was hij wanhopig. Hoe had hij in vredesnaam zo stom kunnen zijn om te denken dat dit hem in zijn eentje zou lukken?

Toen hij tussen de motoren door was gereden, had hij gedacht dat hij hen kon verrassen en bij hen weg kon rijden. Het was ook bijna gelukt, er was nog maar één smeris over. Plotseling wist hij het. Eén enkele smeris. Waar was hij eigenlijk bang voor?

De weg werd iets breder, de bomen schaarser en in de verte zag hij open terrein. Daar zouden de helikopters hem zien. Het moest nu gebeuren.

Bij de bosrand draaide hij het stuur zo ver mogelijk en trok de handrem aan. De auto gleed zijwaarts weg en draaide langzaam honderdtachtig graden. De achterwielen gleden weg op de ondergrond, maar Jimmy aarzelde niet. Zodra hij weer volledig contact met de weg had, trapte hij het gaspedaal diep in en reed plankgas het bos in. Een fractie van een seconde later kwam de motor recht op hem af.

24

Donderdag 29 juni 2006, 14.25 uur

Simon Theorin zat met een vuurrood gezicht in de trein die zojuist met zes minuten vertraging was vertrokken van het Centraal Station in Stockholm. Hij stak een vinger in zijn dasknoop en probeerde hem iets losser te maken. Zijn overhemd kleefde aan zijn rug en het was een kwestie van tijd voordat de vochtigheid in zijn colbertje van Boss zou doordringen.

Verdomde telefoon! Het was absoluut ondenkbaar. Hij wist zeker dat hij de juiste pincode had ingetoetst, maar het stomme ding werkte niet. Het was de slechtst mogelijke timing.

Het was moeilijk te geloven dat de dag zo goed begonnen was. Hij had lang uitgekeken naar een hele dag buiten kantoor. De sfeer bij de bank was niet goed meer. De onaangenaamheden waren vorige herfst begonnen toen hij erachter was gekomen dat de bankdirecteur een verhouding had met Sanna, een van de baliemedewerksters. Natuurlijk had hij moeten ingrijpen. Mariefred was te klein om zo'n onbehoorlijke situatie lang geheim te kunnen houden, en dat had hij ook tegen PO gezegd. De beslissing van de directeur was waarschijnlijk heel eenvoudig geweest. Hij had tenslotte een gezin.

Voor hem was de situatie uiteindelijk positief geweest. PO kon er niet langer omheen dat Simon een enorme hulp was. Hij had heel precies uitgelegd aan wiens kant hij stond. PO kon hem vertrouwen. PO begreep beter dan ieder ander dat het welzijn van de bank vóór persoonlijke kwesties moest gaan. Simon had het niet rechtstreeks gezegd, maar hij was ervan overtuigd dat PO had begrepen dat de keuze van zijn minnares een deel van het probleem was. De hele stad wist tenslotte dat Sanna haar benen voor iedereen spreidde.

De dag dat PO hun relatie verbrak was fantastisch geweest. Hij had zoals gewoonlijk achter zijn bureau gezeten toen die hoer uit het kantoor van de directeur kwam stormen, de deur dichtsloeg en zonder een woord tegen iemand te zeggen huilend de bank uit rende. Daarna was ze ruim een week afwezig geweest. PO had hem in vertrouwen verteld hoe moeilijk ze het ermee had gehad. Dank je de koekoek. Wie was er niet verdrietig als de geldstroom opdroogde? Niemand kon toch serieus geloven dat het om liefde ging? Blijkbaar had die arme PO haar te veel beloofd, maar Simon had hem getroost en hem verzekerd dat hij had gedaan wat juist was. Heel erg juist. Een scheiding had een enorme nachtmerrie kunnen worden. PO had er blijkbaar geen spijt van. Hij leek weer tevreden met zijn gezinsleven en had een nieuwe baby, die vlak na de breuk met Sanna was verwekt.

Jammer genoeg lukte het PO niet om schoon schip te maken. Het was nog steeds pijnlijk duidelijk hoe moeilijk hij het vond om met Sanna om te gaan. Dat hield in dat hij die teef nog steeds moest dulden, hoewel Simon ervan overtuigd was dat het een kwestie van tijd was voordat ze opnieuw een blunder zou begaan en dan zou zelfs *golden boy* PO haar niet langer kunnen verdedigen.

Het vervelende was alleen dat de sfeer steeds slechter werd. Sanna had een bloedhekel aan hem en dat was wederzijds. De enige aannemelijke verklaring was dat ze over hem had geroddeld. Hij had tenslotte nooit problemen met het personeel gehad.

Deze dag bij de bankgirocentrale was broodnodig geweest en hij had heerlijk geluncht, daarover had hij niets te klagen. Totdat zijn mobiel het begaf. Hij had hem uitgezet toen de vergadering begon om niet gestoord te worden, maar voordat hij ging lunchen bedacht hij dat hij PO moest bellen om te informeren of alles goed ging.

Hij had twee keer een foute pincode ingetoetst en was daarna verbaasd gestopt. Het was verschrikkelijk irritant, maar er was geen man overboord, dacht hij. Thuis kon hij de juiste pincode opzoeken en dan was het probleem uit de wereld. Hij had zijn mobiel weer neergelegd en in plaats daarvan een vaste telefoon geleend van een knappe blondine van de afdeling. Ze deed hem een beetje aan Sanna denken en hij betrapte zich erop dat hij zich afvroeg voor wie dit lekkere ding haar benen spreidde. Het was een goede reden om ervoor te zorgen dat hij manager werd, dacht hij. Met zijn gebruikelijke pech nam Sanna de telefoon op in plaats van PO. Eigenlijk snapte hij niet waarom ze zo veel moeite met hem had. PO was verantwoordelijk voor zijn eigen daden en Simon had alleen de waarheid verteld. Het zou toch niet komen door dat geintje tijdens het bedrijfsfeest? Met dat decolleté moest ze toch weten dat elke man in de verleiding kwam om even aan haar borsten te voelen? Misschien was hij een beetje te ver gegaan toen hij haar voorstelde om hem te pijpen, net zoals ze bij PO had gedaan, maar ze had toch wel begrepen dat hij haar een beetje dolde?

Toen hij belde, vroeg ze of hij een mededeling voor PO wilde achterlaten, maar daar bedankte hij voor. Hij weigerde haar als boodschapper te gebruiken. Wie wist wat ze zou doorgeven? Hoewel hij daar achteraf spijt van had, omdat hij de hele dag geen contact met PO had gehad in deze crisissituatie.

Hij vroeg zich af wat PO nu dacht. Was hij boos of alleen verbaasd over Simons stilte?

Simon was enorm geschokt door de overval. Hoe vaak had PO niet gezeurd over het risico van een overval zonder dat hij had geluisterd? Het was in elk geval een kleine troost dat hij de code van de kluis veilig in bewaring had.

Hij was door een opgewonden man, duidelijk een IT-mannetje dat niets beters te doen had dan over het web surfen en nieuwssites lezen, uit de zeer belangrijke middagvergadering gehaald.

Het ergste was dat hij in alle consternatie het probleem met zijn rotmobiel helemaal was vergeten en de bankgirocentrale uit gerend was. In de metro had hij de pincode opnieuw geprobeerd en nu was zijn mobiel geblokkeerd.

Maar hij moest ondanks alles waarschijnlijk blij zijn dat hij in Stockholm was geweest in plaats van in Mariefred. Op het nieuws hadden ze gezegd dat het een meedogenloze overval was geweest. Zijn collega's waren beslist heel geschokt en misschien zelfs gewond. Het was een vreselijke situatie.

Het zweet sijpelde in zijn onderbroek en liep langs de achterkant van zijn dijbenen. Was er geen airco in deze trein? SJ's nieuwe Franse rijtuigen waren een enorme flop. De deuren vergrendelden om de haverklap en er waren niet voldoende zitplaatsen (ook al was het hem gelukt om er een te bemachtigen, vlak voor de neus van een mokkel uit Arboga).

Ineens moest hij aan de bowlingwedstrijd van vanavond denken. Zou die doorgaan?

PO en hij zouden tegen die verwaande apen van Östgöta Enskilda in Strängnäs spelen. Ze hadden het altijd over hun mooie, grote kantoor met uitzicht over Västerviken. Toch vond iedereen hen zó aardig. En hij kon er niet eens iets van zeggen, omdat ze dan zouden denken dat hij jaloers was. Het stuitte hem in elk geval heel erg tegen de borst om een kans voorbij te laten gaan.

25

Donderdag 29 juni 2006, 15.05 uur

Hij stond op de heuvel en bewonderde het uitzicht. Vlak voor hem lag de jachthaven met de slanke zeilboten, waarvan veel de Duitse vlag hadden. Hij zag rijen toeristen wachten tot ze gebakken haringfilet met aardappelpuree, rode ui en vossenbessen konden kopen. Daarachter zag hij het kabbelende water en het prachtige kasteel Gripsholm. Zijn gezichtsuitdrukking was ondoorgrondelijk. Als hij net zo naar haar verlangde als zij naar hem, liet hij dat in elk geval niet merken.

Sanna opende het hek voorzichtig en liep het grindpad op. Hij hoorde het knerpen onder haar voeten en keek in haar richting. Hij glimlachte en hief zijn hand bij wijze van groet. Ze zwaaide terug, maar deed haar best om zich de laatste stappen niet te haasten. Ze was er nog niet aan toe om hem te tonen wat deze ontmoeting voor haar betekende en waar ze op hoopte.

Ze omhelsden elkaar. Een beetje stijf in het begin, maar daarna steeds inniger. Toen ze elkaar losslieten, waren ze allebei onzeker over wat er hierna zou gebeuren. Hij keek opnieuw naar het kasteel. 'Je woont in een prachtige stad.'

Ze glimlachte naar hem, legde haar hand in de zijne en trok hem mee naar de receptie. 'Kom, laat me het hotel en je kamer zien. We hebben veel om over te praten.'

Haar Duits was goed, maar het Zweedse accent gaf er een pikante klank aan. Hij vond het prachtig klinken en zou het dolgraag tot uiting willen laten komen in zijn muziek.

Hij volgde haar zonder te protesteren en smoorde de onrust die hij voortdurend voelde. Ja, ze hadden veel om over te praten, maar op dit moment zweeg hij liever. Het was een heerlijke, verboden situatie en misschien het begin van iets fantastisch. Hij had dat nu meer nodig dan ooit; een moment van vrede zonder de problemen, conflicten en herinneringen die hem anders kwelden. Natuurlijk besefte hij dat het een vlucht was, maar dan wel een heel fijne. Hoewel het niets veranderde aan het onvermijdelijke. Hij moest haar de waarheid, zoals hij die nu kende, vertellen.

Ze zaten op het terras van het hotelrestaurant en dronken een glas Krombacher, een van zijn favoriete biersoorten.

Hij had haar het hotel en zelfs zijn kamer laten zien. De minisuite was ingericht in gustaviaanse stijl, compleet met spiegels, lampjes, een tafel en stoelen. Het brede tweepersoonsbed paste bij het overige meubilair en zag er heel mooi uit. Ze keken er allebei een tijdje naar voordat ze weggingen. Daarna bekeken ze de prachtige, ronde sauna die in een apart gebouw lag. Op de terugweg moesten ze bukken voor een paar meeuwen die plotseling tussen de gebouwen door vlogen. Hij sloeg haastig zijn armen om haar heen.

Het was fijn om als een toerist op het terras te zitten, maar Sanna begon zich rusteloos te voelen. De onderdrukte onrust en bezorgdheid moesten op haar gezicht te lezen zijn, dacht ze. Haar wang deed nog steeds pijn.

'Laten we een wandeling maken. Het is een klein, charmant stadje. Wat denk je daarvan?'

Hij had geen bezwaar. Alles kwam terug als hij hier zo zat en naar haar keek.

Ze was ouder geworden, dat was duidelijk, maar dat gold natuurlijk ook voor hem. Ze straalde dezelfde levendigheid uit die hij zich zo goed herinnerde, maar er was een zweem van weemoed en misschien verdriet bijgekomen. Met tegenzin gingen zijn gedachte naar Renate in Düsseldorf en hun gestrande huwelijk. De laatste tijd had hij alleen rust gevoeld als hij op zijn saxofoon speelde.

'Laten we naar het plein gaan. Daar is een leuke, kleine boekwinkel en een café waar ze heerlijk Italiaans ijs verkopen. We kunnen eerst een stuk langs het water wandelen. Dan komen we langs een goed restaurant waar we naartoe kunnen gaan als je daar de voorkeur aan geeft boven het hotelrestaurant. Ik neem aan dat je gisteravond hier hebt gegeten?'

'Natuurlijk, ik ga graag ergens anders met je eten. En dan kunnen we misschien later hier terugkomen?'

Hij had de vraag gesteld.

Ze keek naar hem met een warme blik in haar ogen en gaf hem een kus. Zonder een woord te zeggen kwamen ze overeind, liepen weg bij de tafel met de halflege glazen bier en gingen naar de hotelkamer. Een politieauto reed langzaam over de Strandvägen.

26

Donderdag 29 juni 2006, 18.06 uur

Fredrik was heel vrolijk toen hij vanaf de redactie naar huis ging. Emilia en hij hadden samen een fantastische reportage gemaakt, hun eerste. Het was maanden geleden dat hij zich zo goed had gevoeld. Het artikel bevatte alle dramatiek die je je kon wensen. Fredrik lachte toen hij terugdacht aan Emilia's gezichtsuitdrukking na het interview met PO Ahlgren. Haar ogen hadden opgewonden geglansd en ze had zo veel haast gehad om te vertellen dat het moeilijk was om haar te volgen. Hij was sprakeloos geweest toen hij begreep waar het om ging.

Een *inside job...* Kon dat echt waar zijn? Het was natuurlijk eerder gebeurd, maar dat een bankdirecteur een van zijn personeelsleden verdacht was groot nieuws. Fredrik had Simon Theorin op zijn mobiel geprobeerd te bellen, maar was meteen doorgeschakeld naar zijn voicemail. Het zou hem niet verbazen dat Simon hem had uitgezet om het risico op telefoontjes van nieuwsgierige journalisten te ontlopen.

Het was fantastisch dat Emilia PO had kunnen interviewen. Natuurlijk had ze geluk gehad dat ze PO precies op het juiste moment te pakken had gekregen, maar dat was niet belangrijk. Een goede journalist creëerde zijn eigen geluk. Het was fantastisch om te zien dat ze zich voortdurend ontwikkelde en hij besefte ineens hoe leuk hij het vond om met haar samen te werken.

Bovendien kon het vervolg minstens zo goed worden. Het onderzoek naar het criminele netwerk in Eskilstuna dat Emilia eerder had gedaan, bevatte uitstekend materiaal. Fredrik was ervan overtuigd dat de bende op een of andere manier iets te maken had met wat er gebeurd was. Als ze erachter waren op welke manier dat gebeurd was, dan was de volgende primeur een feit.

Er moest inmiddels onrust heersen. Iets was heel erg verkeerd gegaan. Twee personen op klaarlichte dag doodschieten, met zo veel getuigen, kon nauwelijks onderdeel van het plan geweest zijn. Fredrik had Emilia gevraagd om in Bertil Lindby's achtergrond te graven. De drugsdealer paste niet in het plaatje. Van het beetje dat Fredrik inmiddels wist was de man gewetenloos geweest, maar een gewapende overval was iets heel anders dan pillen aan tieners verkopen.

Achteraf was Fredrik blij dat Ulla erop had aangedrongen dat hij er met Emilia naartoe zou gaan. Na de consternatie vorig jaar was hij overvallen door een enorme moeheid. De adrenalinekick en de roes tijdens het moordonderzoek in Mälarlunden waren net zo snel verdwenen als ze gekomen waren. De doodsbedreiging tegen hem en zijn gezin had hem meer aangegrepen dan hij wilde toegeven. Toch wist hij dat hij het best functioneerde als er veel gebeurde en er snelle beslissingen genomen moesten worden. In zulke situaties zou hij er nooit over nadenken of hij zijn gevoel voor goede journalistiek was kwijtgeraakt. Met Emilia viel alles op zijn plek. Ze was precies zo onbevangen als een jonge journalist moest zijn. Het was fijn om een keer degene met ervaring te zijn. Hij keek er al naar uit om morgen weer met haar samen te werken. Bovendien heerste er koorts op de redactie in verband met het jazzfestival. Gege en Fahlner lagen voortdurend met elkaar overhoop en de oude collega's beklaagden zich erover hoe krap het was nu de culturele afdeling uit Eskilstuna hun kantoorruimte in beslag nam, maar de energie en betrokkenheid die in de lucht vibreerden waren niet te missen.

Morgen zou hij vragen aan de politie stellen. Ze hadden beslist meer te vertellen. Er was een tijdje geleden een tip binnengekomen en als die op waarheid berustte, dan was dat sensationeel nieuws. Een vrouwelijke politieagent was verdwenen, misschien ontvoerd. Hij had geprobeerd Maria Carlson te bereiken voordat hij naar huis ging, maar zonder resultaat. Eén ding was in elk geval zeker: alles wees erop dat de overvallers de politie te slim af waren geweest en spoorloos verdwenen waren.

Simon Theorin arriveerde tien minuten te laat in de bowlinghal van Strängnäs. Op weg naar huis was hij door het centrum van Mariefred en via de Munkhagsgatan langs de bank gereden, maar daar was niemand. Dat was waarschijnlijk maar goed ook. Hij voelde zich absoluut niet in staat om het personeel nu te spreken, bezweet en vermoeid als hij was. Vooral Sanna niet, die gegarandeerd zou genieten van elke steek onder water die PO hem misschien zou geven omdat hij niet bereikbaar was geweest. Nee, het was beter om naar Vivianne te rijden, zich te ergeren over vandaag en misschien even te gaan liggen. Om een of andere reden smolt ze voor hem als hij zijn kwetsbare en gevoelige kant toonde.

Het ging echter niet zoals hij hoopte. Ze wachtte hem op bij de voordeur en vertelde dat Jennifer dood was en dat PO in het ziekenhuis bij zijn zoontje waakte. Het was nog steeds niet duidelijk of de baby het zou overleven.

Het nieuws bezorgde Simon een heel leeg gevoel. Hij begreep het niet. Vivianne bleef doorzeuren over alles wat er was gebeurd, maar hij kon het niet meer opbrengen om naar haar te luisteren, ging naar zijn werkkamer en deed de deur achter zich dicht. Gespannen belde hij PO. Het werd een heel onwerkelijk gesprek.

'Hallo PO! Ik heb gehoord wat er gebeurd is. Ik snap er niets van. Wat een afschuwelijke situatie. Hoe voel je je?'

'Ben je terug?'

'Ja, dat ben ik. Ik ben meteen naar huis gegaan.'

'O, ja?'

'Eh... En wat gebeurt er nu? Ik bedoel, hoe is het met je zoontje?'

PO's stem klonk dik. 'De artsen kunnen nog geen zekerheid geven. Hij is heel naar terechtgekomen, maar baby's hebben soepele lijfjes. Het enige wat ik kan doen is bij hem zitten en hopen.'

'Ik snap het. Afschuwelijk. Begrijp ik het goed dat we je dan een tijdje niet zien?'

Simon lachte zenuwachtig. Het bleef een paar seconden stil.

'Nee, ik probeer morgen naar kantoor te komen. Dat is belangrijk.'

'Weet je dat zeker? Ik denk dat ik en de rest van het personeel de bank wel een dag kunnen runnen als jij bij Emil in het ziekenhuis wilt zijn.'

'Dat denk ik ook, maar ik moet met je praten. Er zijn een paar dingen die we moeten uitzoeken.'

Klik.

Het gesprek werd afgebroken en het duurde een paar seconden voordat Simon begreep dat PO had opgehangen. Hij besefte dat zijn baas geschokt en verdrietig moest zijn, maar het was niets voor hem om zich zo lomp te gedragen en niet eens gedag te zeggen. Het gaf Simon een onbehaaglijk gevoel, maar hij probeerde er niet te zwaar aan te tillen. PO vond het soms leuk om hem te commanderen en dat moest je accepteren als je hogerop wilde komen. Het was misschien een ongepaste avond om te gaan bowlen, maar hij kon niet thuisblijven. De mannen van Östgöta Enskilda zouden er beslist zijn. Ze misten nooit een bowlingavond. Hij bedacht dat het misschien niet zo verkeerd was om zijn toekomst veilig te stellen. PO had niet bepaald stabiel geklonken. In het ergste geval had hij een nieuwe baan nodig en Putte, de afdelingsmanager bij ÖEB, kon weleens zijn beste vriend blijken te zijn.

Het was ook niet zo erg als hij iets later was. Dat gaf hem de kans om te vertellen hoe hij PO had getroost en de verantwoordelijkheid voor het hanteren van de crisis op zich had genomen. Het was niet verkeerd om te benadrukken wat een loyale en hardwerkende werknemer hij was. Aangeslagen door verdriet, maar toch bereid om de verantwoordelijkheid voor de bank te nemen. Hij had ergere verhalen verzonnen.

DEEL 4 - IN HET OOG VAN DE STORM

For I have watched the path of angels
And I have heard the heavens roar
There is strife within the tempest
But there is calm in the eye of the storm

'Eye of the Storm' – CRÜXSHADOWS

27

Vrijdag 30 juni 2006, 06.27 uur

Sanna werd wakker met een vaag gevoel van onwerkelijkheid. Stanislaw lag kalm naast haar te slapen. Het was een diepe, bevredigende slaap, bevrijd van alle gewetenswroegingen, gevoelsstormen en moeilijke vragen waarmee hij worstelde. De gordijnen waren dicht, maar de ochtendzon scheen door de kieren naar binnen en verwarmde haar gezicht terwijl ze veilig in zijn armen lag. Het was moeilijk te geloven dat ze de vorige dag een bankoverval had meegemaakt. Als haar wang niet zo veel pijn deed, zou ze eraan twijfelen of het echt was gebeurd.

Ze strekte zich voorzichtig uit naar haar mobiel, die op het nachtkastje lag. Hij stond aan, maar ze had het geluid uitgezet. Ze had een paar gemiste gesprekken, bijna allemaal van Anna-Lena.

Toen ze had besloten wat ze zou doen en de beslissende stap had genomen, had het niet moeilijk geleken. Ze werd voortgedreven door verdriet en de behoefte aan wraak. Nu waren die sterke gevoelens afgezwakt en vervangen door de begeerte die ze nog steeds voelde, hoewel die tijdelijk iets minder was. Ze streelde zachtjes over zijn buik.

Ze besefte dat alle mannen die ze had gehad slappe surrogaten voor Stanislaw waren geweest.

Eén moment werd ze een beetje bang. Ze had haar verlangen naar een ander leven zo lang bij zich gedragen en het was ongelooflijk dat het nu binnen bereik was. Maar het was meer dan dat. Ze besefte dat ze van Stanislaw hield en dat maakte haar kwetsbaar. Het was eigenlijk belachelijk, omdat ze nooit in de grote liefde had geloofd. Ze kreeg tranen in haar ogen. Alles hing af van wat er vandaag en morgen gebeurde.

Het was bijna lastig dat haar woede verminderd was. Ze had die meer dan ooit nodig. Als je zo veel van iemand hield was er echter geen plaats voor andere gevoelens.

Sanna kroop dichter tegen Stanislaw aan, legde haar arm tegen zijn onderrug en begroef haar gezicht in zijn haar. Hij mompelde iets in zijn slaap, maar werd niet wakker.

Ze was bereid om uit Mariefred te vertrekken en nooit meer terug te komen. Ze zou geen seconde aarzelen, niet na vandaag.

Alleen Anna-Lena zou ze missen. Hun relatie was anders dan ze ooit had meegemaakt. Die bevatte zo veel warmte en intimiteit dat het duizelingwekkend opwindend was. Zij, die zo veel had uitgeprobeerd, was net een klein meisje geweest toen ze besefte dat ze op het punt stond om een lesbische relatie te krijgen. Achteraf wist ze niet wat het moeilijkste was geweest: haar eigen vooroordelen of die van de anderen. Anna-Lena was alles wat zij niet was. Ze was beschermend, georganiseerd, objectief en liet zich veel minder leiden door haar gevoelens. Hoewel dat niet betekende dat ze niets voelde; integendeel. Anna-Lena's hartstocht en het vermogen om zo toegewijd aan iemand te zijn en de consequenties daarvan te aanvaarden, hadden haar intens geraakt. Daarom was ze bij Jan-Börje gebleven en daarom was ze ook bij hem weggegaan. Sanna zou altijd van haar houden, maar ze wist dat er niets was veranderd. Ze had nog steeds iets anders nodig. Ze had Stanislaw nodig. Maar de ironie van de situatie ontging haar niet. Zonder Anna-Lena had ze hier niet gelegen. Zonder Anna-Lena zou ze het nooit gedurfd hebben.

Stanislaw bewoog zachtjes in haar armen. Hij begon wakker te worden en er was geen twijfel aan wat hij wilde. Ze voelde dat ze meteen nat werd.

Ze duwde hem lachend op zijn rug, pakte zijn ballen vast en streelde die. Voorzichtig ging ze schrijlings op hem zitten en wreef zijn lid langzaam tegen haar buik, plaagde hem en dwong hem te wachten. Pas toen ze hem in haar hand voelde pulseren en zijn ademhaling stokte, gleed ze langzaam naar voren en nam hem in zich op.

Vrijdag 30 juni 2006, 08.05 uur

Anna-Lena's hoofd gonsde alsof een zwerm wespen wanhopig een uitweg uit hun gevangenis probeerde te vinden. Ze zat in haar kantoor en probeerde zich te concentreren en het evenementenschema nog een keer door te nemen. De komende week was gedetailleerd gepland met bijna elk kwartier van tien uur 's ochtends tot middernacht diverse activiteiten en optredens. In de intensiefste periode vonden er vijf optredens tegelijk plaats. De vergadering met Sune Holmgren begon bijna. Vandaag zou platenmaatschappijdirecteur Taubermann met veel trompetgeschal arriveren en bij zulke gelegenheden ontbrak Sune natuurlijk niet. Toch maakte ze zich weinig zorgen, omdat ze de hele gebeurtenis tot in het kleinste detail had voorbereid.

Ze had meer moeite met haar plannen voor vanavond. Ze had een afspraak met Göran Jonstoft, maar nadat ze zijn uitnodiging had aangenomen, had ze zich verschrikkelijk schuldig gevoeld. Het was onverantwoord om de avond voor de opening van het jazzfestival uit te gaan en oneerlijk omdat ze Göran het idee gaf dat dit het begin van iets meer kon zijn. Zelf wist ze dat het in het beste geval een verzetje en misschien een avontuur was. De situatie gaf haar een steeds ongemakkelijker gevoel en een deel van haar wilde voortdurend de telefoon pakken om het af te zeggen. Ze bedacht het ene slechte excuus na het andere en stelde zich voor wat hij zou zeggen als ze afbelde. Vreemd genoeg was ze bang om hem te kwetsen, en ze wist niet of dat werd veroorzaakt door een mislukt moederinstinct of iets anders. Ze besefte dat ze een beetje verlegen was, wat haar irriteerde, en begreep haar eigen reactie niet.

Om met hem uit te gaan, hoe onschuldig haar bedoelingen ook waren, voelde ook een beetje onprofessioneel. Hij was tenslotte een van de belangrijkste sponsors van de gemeente en als er iets misging, kon dat consequenties hebben die een bedreiging vormden voor alles waarvoor ze gewerkt had. In het ergste geval werd misschien gedacht dat hun afspraak te maken had met zijn rol bij het jazzfestival.

Ze lachte droog. Het ontbrak er alleen nog aan dat er werd geroddeld dat ze een escortservice was begonnen...

Niet alleen de afspraak met Göran Jonstoft gaf haar een rusteloos en onbehaaglijk gevoel, maar ook de situatie met Sanna. Toen ze over de bankoverval hoorde en vernam dat Sanna mishandeld was, had ze meteen gebeld, maar er werd de hele middag niet opgenomen. Ze had zichzelf wijsgemaakt dat Sanna geschokt was en wat tijd voor zichzelf nodig had, maar ze had toch terug kunnen bellen? En waar was ze nu? Gisteravond was ze naar Sanna's appartement gegaan, maar ze was niet thuis geweest.

De rusteloosheid werd steeds sterker, maar ze probeerde die in toom te houden. Ze wilde Sanna niet achtervolgen. Als er iemand waarde hechtte aan zelfstandigheid dan was zij het. Anna-Lena wist uit eigen ervaring hoe verstikkend een partner met een behoefte aan controle kon zijn.

149

Terneergeslagen had ze zich omgedraaid en was naar huis gegaan, had haar noodpakje sigaretten tevoorschijn gehaald en was op het balkon gaan zitten. Het pittoreske van het leven in een klein stadje kalmeerde haar normaal gesproken, maar de vorige avond had het plein eenzaamheid uitgestraald.

Het gevoel van onbehagen was vandaag nog erger geworden. Er was iets mis.

Sanna had de laatste keren dat ze elkaar hadden gezien een beetje afstandelijk en afwezig geleken, maar ze had geen tijd of energie gehad om daar veel over na te denken. Sanna had gelijk: het jazzfestival eiste zijn tol. Het was alleen de vraag of het dat waard was.

Er werd op de deur geklopt. Sunes karakteristieke korte roffel. Hij was zoals altijd een paar minuten te laat. Anna-Lena keek naar zijn rozige wangen en de scherpe, heldere blik in zijn ogen. Dit was een man in zijn element, klaar voor een paar fantastische dagen in de schijnwerpers. Anna-Lena had niet zo veel vergelijkingsmateriaal, maar het was moeilijk om zich een enthousiastere baas voor te stellen.

Hij liet zich op de bezoekersstoel vallen en pakte zijn agenda, een waardeloos klein ding van het soort dat vakbonden gratis uitdeelden. Ze bedacht dat er onmogelijk voldoende ruimte kon zijn om al zijn vergaderingen in te noteren, maar hij had haar natuurlijk om op te vertrouwen.

'En, hoe staat het ervoor?'

'Tja, ik denk dat we alles min of meer onder controle hebben.'

'Ga je mee om Taubermann te ontvangen? Ik denk dat er veel mensen komen kijken. Het gebeurt niet elke dag dat we zo'n boot in Västerviken krijgen. Ik heb iedereen een tip gegeven.' Sune glimlachte breed, duidelijk heel tevreden over zijn inspanning.

Soms was publiciteit het beste wat er was, dacht Anna-Lena, en soms was het het ergste. Sune wilde revanche nemen en was duidelijk van plan er zo veel mogelijk uit te halen.

'Natuurlijk. Wie zijn er aan boord? Is Stanislaw Crantz erbij?'

Sune schudde zijn hoofd. 'Hij is al in Mariefred. Ik heb een tijdje geleden gesproken met Rolf Heinz, Taubermanns advocaat. Blijkbaar wilde hij zich afzijdig houden van alle aandacht, maar...' Sune liet zijn stem samenzweerderig dalen. '...ik heb van een zekere bron vernomen dat hij een *donna* heeft ontmoet, een vrouw uit Mariefred die bij een bank werkt.'

Anna-Lena keek naar hem met glanzende ogen. Het onbehagen veranderde snel in een acuut gevoel van misselijkheid. 'Ja ja, zo zie je maar weer. Weten we wie ze is? Kennen ze elkaar van vroeger?'

Sunes glimlach ging over in een seniel gegrinnik. Hij haalde zijn schouders op. 'Ze heet Sara of Sanna, ik kan me niet goed herinneren wat hij zei. Ik heb geen idee of ze elkaar eerder hebben ontmoet, maar ze hebben elkaar nu in elk geval goed leren kennen. Ik heb gehoord dat ze tekeergaan als konijnen.'

Plotseling stopte hij met lachen en hij kreeg een ongeruste uitdrukking op zijn gezicht. 'Luister, als de Duitse roddelpers dit te weten komt, kan het een verschrikkelijke opschudding geven. Normaal gesproken kan me dat niet schelen, maar we kunnen het risico niet lopen dat hij het concert afzegt. Hij is tenslotte een van de hoofdattracties en bovendien moeten we aan Taubermann denken. Misschien kun jij een gesprekje met hem hebben waarin je hem wijst op de voordelen van discretie?'

Anna-Lena knikte onwillig. Ze hoopte dat Sune haar gezichtsuitdrukking als nadenkend zou beschouwen. 'Natuurlijk kan ik dat doen. Het is misschien goed als ik er meteen langsga. Het duurt tenslotte nog een paar uur voordat het jacht aanmeert en ik heb vandaag geen vergaderingen.'

Sune keek opgelucht. 'Mooi! Wat zou ik zonder jou moeten beginnen? Het zal beslist geen problemen veroorzaken, maar je kunt nooit voorzichtig genoeg zijn.'

Hij sloeg zijn agenda dicht zonder dat hij er iets in genoteerd had en kwam overeind. 'Ik had een paar andere vragen over het evenement, maar dat kunnen we later bespreken. We zien elkaar in de haven.'

Hij zwaaide en vertrok.

28

Vrijdag 30 juni 2006, 08.38 uur

Opgelucht besefte PO dat hij als eerste bij de bank was. Zijn ogen waren vermoeid en rood na een avond in het ziekenhuis naast Emils bed. Het was een nacht vol verwarde gedachten en zelfverwijten geweest. Hij begreep nog steeds niet wat er precies was gebeurd, maar hij wist dat hij hier vandaag moest zijn.

Ze hadden hem een bed naast dat van Emil aangeboden, maar daar had hij voor bedankt. Na middernacht was hij naar huis gegaan om zijn bedroefde zus af te lossen, die voor zijn andere kinderen had gezorgd.

'Mama is dood,' had Pontus, zijn oudste zoon, vanochtend gezegd. De jongen was zijn slaapkamer in gekomen en had hem omhelsd.

Hij snapte er niets van. Het was onbegrijpelijk dat ze er niet meer was. Hij kon nu echter niet instorten. Er waren te veel mensen afhankelijk van hem. Niet alleen zijn kinderen, maar ook zijn werknemers. De Mälardalsbank was niet alleen een werkplek, maar was een instituut, een van de laatste particuliere regiobanken. PO was de derde generatie bankdirecteuren in de familie Ahlgren. Twintig jaar geleden had zijn ouwe heer keiharde onderhandelingen gevoerd met de Föreningssparbanken, die later Swedbank zou worden. Ze waren zelfstandig gebleven, maar PO vroeg zich steeds vaker af of het de prijs waard was. Hij had het gevoel dat de kleine bank voornamelijk overleefde als een soort curiositeit, net als de museumspoorbaan die er vlak naast lag.

De plek op zijn dijbeen waar hij met de kolf van de kalasjnikov was geslagen, klopte en deed pijn. Hij had een flinke blauwe plek, maar er was niets gebroken. Hij had de ergste pijn verdoofd met Citodon, Jennifers pillen die ze soms had genomen tegen de pijn van de bekkenbodeminstabiliteit waarvan ze tijdens haar zwangerschap last had gehad. Hij begon zich meteen suf te voelen, alsof er watten in zijn hoofd zaten.

Hij begon te huilen toen hij aan Jennifers pillen dacht. Het hele huis rook naar haar en een tijdlang was dat overweldigend geweest. Hij stak zijn hand in zijn jaszak en raakte de voedingscompressen aan die daarin zaten. Toen hij pijnstillers zocht had hij ze naast de wastafel gevonden.

Het ergst was het doornemen van de stapel post. Jennifer had blijkbaar een verrassing voor hem gehad, en hij had een hele tijd naar de reserveringsbevestiging voor twee personen voor het strandhotel in Nynäshamn komend weekend gestaard.

Terwijl hij op Simon, Petra en Sanna wachtte, zuchtte hij diep. Wat moest hij tegen hen zeggen? Het ging niet alleen om het afschuwelijke feit dat het leven van de vrouw die hij niet lang geleden had teruggevonden voorbij was. Het ging niet alleen om zijn verlammende onrust over Emil. Het ging ook om de bank. Hij was bang dat de overval de nagel aan de doodskist kon zijn, vooral als de verzekeringsmaatschappij het verlies niet snel dekte. Op een of ander manier was het de overvallers gelukt om precies op het moment toe te slaan dat er veel meer geld dan anders in de brandkast lag en het was uitermate onwaarschijnlijk dat ze alle beschermende maatregelen hadden kunnen omzeilen. Ze wisten van de twee codes en hadden toegang tot Simons code gehad. Het was allemaal heel vreemd. Hij vroeg zich af wat Simon te vertellen had. Hij wilde niet geloven dat zijn collega erbij betrokken was, maar hij vroeg zich af wat het alternatief was.

Petra Larsson, die achter de balie werkte, kwam met een zenuwachtige blik op hem verlegen de bank binnen. Ze was tweeëntwintig en hun laatste aanwinst. Beatrice, de trouwe werkneemster die vroeger voor zijn vader had gewerkt, werkte tegenwoordig parttime en was bovendien vrij vaak ziek, dus de uitbreiding was broodnodig geweest. Het was maar goed dat Beatrice de vorige dag niet had gewerkt. Ze had waarschijnlijk een hartaanval gekregen. Petra werkte inmiddels bijna zes maanden bij hen en was zo verlegen dat hij bang was dat het hem niet zou lukken om haar goed te leren kennen. Ze deed haar werk goed, wat meer was dan hij had verwacht. Hij had haar in eerste instantie gekozen omdat haar vader een van zijn oudste vrienden en tevens een waardevol contact in het gemeentebestuur was. Hij keek heimelijk naar haar terwijl ze naar haar werkplek liep en zich met snelle bewegingen op de opening begon voor te bereiden. Er was eigenlijk helemaal geen haast bij: ze had nog bijna een uur. Ze leek zenuwachtiger dan anders. Hij keek naar haar muiskleurige haar dat ze in een strakke knot in haar nek had gebonden. De nagels van de lange, smalle vingers waren afgebeten tot het nagelbed. Onbewust krabde ze af en toe aan een lelijke eczeemplek op haar pols. De handcrème met pompje die altijd bij haar werkplek stond gebruikte ze ijverig, maar leek niet veel effect te hebben.

Hij had medelijden met haar. De gebeurtenissen van gisteren hadden beslist diepe sporen achtergelaten. Een van de overvallers had het afgezaagde jachtgeweer in haar gezicht geduwd, hetzelfde wapen dat de overvaller vlak daarna had gebruikt om zijn handlanger dood te schieten. Het was dapper van haar om vandaag te komen werken. Hij vroeg zich af wat Sanna zou doen.

Het deed hem elke keer pijn als hij haar zag en dat zou vandaag niet anders zijn. Hij kwelde zichzelf enorm door haar in dienst te houden nu hun relatie voorbij was. Het verbaasde hem dat ze geen ontslag had genomen en hij verachtte zichzelf om zijn zwakheid waardoor hij niets had gedaan. Simon had hem vaker op het onhoudbare van de situatie gewezen.

Verdrietig bedacht hij dat Simon de enige was met wie hij fatsoenlijk kon praten. De enige van wie hij het gevoel had dat hij hart voor de bank had. Daarom vond hij het gesprek dat ze vandaag moesten voeren zo lastig. Alleen al de verdenking dat Simon hem had verraden was pijnlijk.

Zijn mobiel ging, met de karakteristieke ringtone van *The good, the bad and the ugly*.

'Ja?'

'Hallo, u spreekt met de politie. Spreek ik met directeur Ahlgren?'

De vrouwenstem klonk dringend. Hij had op het display van zijn telefoon gezien dat ze uit Strängnäs belde, maar ze sprak met een uitgesproken Stockholms accent.

'Mmm... Dat klopt. Wat kan ik voor u doen?'

'Ik ben Maria Carlson, politie van Strängnäs. Ten eerste wil ik u condoleren.'

'Dank u. Wat kan ik voor u doen?'

'Het spijt me dat ik stoor, maar ik heb het artikel over de overval in de krant gelezen.'

'Ja?'

'Er staat in dat u denkt dat het een *inside job* is. Klopt dat?'

Hij gaf niet meteen antwoord. Verdomme, verdomme, verdomme. Het korte gesprek met de knappe journaliste gisteren, tegen wie hij ronduit had gezegd wat hij dacht.

'Dat weet ik niet. Tenminste, ik kan zoiets gezegd hebben, maar...'

'Wie verdenkt u?'

De deurbel ging. Het was Simon. Vanuit zijn ooghoeken zag PO zijn collega aarzelend de bank binnen lopen. Simon knikte naar Petra en zocht daarna de ogen van PO, maar die besloot om weg te kijken.

'Kunnen we daar later over praten? Het komt op dit moment niet zo goed uit.'

'Dat begrijp ik. Bent u bij de bank? Kan ik samen met een collega langs-komen?'

'Natuurlijk. Wanneer?'

'Jullie gaan toch om tien uur open? Dan zijn we er rond die tijd.'

'Dat is goed.'

Nadat PO de verbinding had verbroken, draaide hij zich naar Simon en keek hem strak aan. De verdenking van gisteren kreeg nieuwe voeding door de stramme en zenuwachtige manier waarop Simon zijn colbertje op-hing, de inhoud van zijn zakken op zijn bureau legde, ging zitten en doel-loos aan zijn papieren begon te frunniken. PO liep snel naar hem toe en legde een hand op zijn schouder.

'We moeten praten. Nu.'

Stanislaw bestelde ontbijt op de kamer. Het werd geserveerd op een ele-gante serveerwagen, die zo mooi gedekt was met alles wat ze zich konden wensen dat ze er bijna niet aan wilden komen. Op de twee verdiepingen van de kar lagen gesteven linnen tafelkleden. In het midden van de boven-ste etage stond een champagnefles in een emmer met een opgerolde doek rond de hals. Daaromheen waren bruschetta's met frambozen en mascar-pone, een schaal met aardbeien en natuurlijk champagneglazen geschikt. De rest van de kar bevatte nog veel meer verrassingen. Een goudbruine omelet met Västerbottenkaas, gegrilde courgette en serranoham die werd geserveerd met knapperige bacon en kappertjes was meteen Stanislaws fa-voriet. Sanna genoot vooral van alle keuzemogelijkheden, het exclusieve beleg en het versgebakken brood. Ze was verrukt van de kaasschotel met onder meer Boxholmse extra belegen kaas en de marmelade van het huis, een peren-gemberjam die op haar tong prikte. Na de champagne waren ze overgegaan op koffie, die energie gaf, waardoor ze al snel weer aan andere dingen dan eten dachten.

Hij kuste haar hele lichaam, verkende elk deel met zijn lippen en zij be-antwoordde dat door hem te strelen en te proeven. Pas toen hij haar wang licht aanraakte dacht ze terug aan de vorige dag. Haar wang deed heel veel pijn en hoewel ze zijn strelingen heerlijk vond, kon ze zijn hand daar niet verdragen. Hij keek haar vragend aan en fronste zijn voorhoofd terwijl hij naar de lelijke, blauwrode plek keek, maar zei niets. Ze dacht dat er een verdrietige blik in zijn ogen lag, maar ze wist het niet zeker. Het was lang geleden dat ze samen waren geweest en ze wist niet eens of ze wilde weten wat hem dwarszat. Hij liet zijn blik zakken en concentreerde zich op haar borsten, en dat was heel veel beter. Het was haar heerlijkste ontbijt ooit.

Ze besefte dat het geroddel in de stad inmiddels op gang was gekomen. Ze had de blikken gisteren gezien toen ze het restaurant uit liepen, maar het kon haar niet schelen. Ze was niet langer afhankelijk van hen. Ze mochten hun gang gaan. Dit was de manier waarop ze wilde leven. Laat ze maar roddelen, dacht ze, ik ben hier toch bijna weg.

Ze weigerde echter naar het *Strengnäs Dagblad* te kijken, dat op de ontbijtkar lag. De kop MOORD OP DE OPENBARE WEG was voldoende om het dekbed over haar hoofd te willen trekken.

Toen Stanislaw naar de badkamer ging en zij alleen in bed lag, kon ze haar tranen niet langer bedwingen. Het was allemaal zo breekbaar. De vorige keer dat hij op die manier was weggegaan, was alles afgelopen. Ze had het nooit verwerkt. Toch huilde ze niet om haar herinneringen, maar om het besef dat er nog een vrouw dood was. Eerst Johanna en nu Jennifer. En dat was haar schuld.

Ze droogde haar gezicht met het geborduurde servet en ging weer in bed liggen. Toen hij terugkwam bedreven ze een laatste keer de liefde. Hij omhelsde haar stevig en verzekerde haar ervan dat ze elkaar heel snel weer zouden zien.

Sanna ging eerst naar haar appartement. Ze kon niet naar haar werk gaan in de kleding die ze gisteren had gedragen en ze had geen schone kleren bij zich. Daarmee zou ze het lot getart hebben, ook al had ze hier al zo lang van gedroomd.

Thuis kreeg ze een steek in haar hart toen ze op de mat in de hal een briefje vond dat was geschreven in Anna-Lena's karakteristieke handschrift. Ze bukte zich en pakte het op.

BEL ME. IK BEN ONGERUST. MIS JE. A-L.

Anna-Lena was geen brievenschrijfster, maar de boodschap kwam duidelijk over. Haar benen trilden en ze moest snel op een stoel in de keuken gaan zitten. Ze verkreukelde het briefje in haar hand en probeerde er elk greintje gevoel en betekenis uit te persen. Daarna deed ze het raam open en gooide het papieren balletje naar buiten. Nee, ze was niet van plan om te bellen. Er waren grenzen aan de hoeveelheid toneel die ze kon spelen.

Ze was laat voor haar werk, nam een snelle douche en trok schone kleren aan. Daarna poederde ze haar gezicht, maar ze deed geen moeite om de lelijke blauwe plek te verbergen.

De wandeling door de stad kostte maar een paar minuten. Ze deed haar best om niet te snel te lopen. Het was niet goed om bezweet en gestrest aan te komen. Voor de zoveelste keer voelde ze aan de plastic tas en de inhoud ervan die ze in haar handtas had.

De winkels waren open en het gevecht om terug te keren naar het normale leven was begonnen. Voor de boekwinkel stonden houten kisten met afgeprijsde boeken en daarnaast een kraam waar de eigenares op mooie zomerdagen lokaal geproduceerd sap, jam en marmelade verkocht. Er stond ook een bord waarop werd aangekondigd dat een plaatselijke schrijver die dag zijn boeken zou signeren. De ijsverkoop in Två Goda Ting was al op gang gekomen, al zat het terras niet vol, en voor de ijzerwinkel stonden de grasmaaiers zoals gewoonlijk in een rij.

Sanna begroette een paar mensen die haar tegemoetkwamen en kreeg lusteloze knikjes terug, maar ook afkeurende blikken. Geamuseerd zag ze dat een vrouw haar echtgenoot stevig vastpakte en sneller ging lopen. Alsof ze belangstelling voor die oude bok zou hebben, dacht ze. Het was fijn om het bankgebouw binnen te lopen, ook al wist ze dat daar andere zorgen wachtten. Binnen zag ze alleen Petra op haar gebruikelijke plek zitten.

'Hoi, hoe is het met je?'

'Goed denk ik, dank je. Ik ben nog steeds een beetje trillerig, maar ik voel me beter dan gisteren. Vreemd genoeg is het fijn om hier te zijn, in elk geval beter dan thuis te zitten en te piekeren. Het lijkt erop dat PO hetzelfde voelt. Hij is boven met Simon. En jij?'

Sanna zag dat Petra met afkeer en misschien een beetje medelijden naar de blauwe plek keek. Ze hief haar hand en raakte de zwelling voorzichtig aan. 'Hetzelfde. Alles voelt een beetje onwerkelijk.'

'Doet het veel pijn?'

Sanna haalde haar schouders op. 'Hoe is het met de baby? Heeft PO iets gezegd?'

'Nee. Hij kreeg vlak nadat ik er was een telefoontje en daarna is hij met Simon naar boven gegaan. We moeten het hem straks maar vragen.'

Sanna knikte en glimlachte naar Petra, waarna ze naar haar plek achter de balie liep. Ze keek naar de muur waarin grote gaten van de kogels uit de kalasjnikov zaten. Stomme idioten, dacht ze. De kapotte deur die anders de ingang naar het heiligdom van PO vormde, was weg. Ze voelde een zenuwachtige kriebel in haar maag, maar probeerde dat te negeren. Ze keek naar Petra, die verdiept was in haar computerscherm. Simons bureau stond strategisch opgesteld achter de balie. Het was niet moeilijk te bedenken waarom die smeerlap dat zo wilde. Soms voelde ze een fysiek onbehagen als ze daar stond en wist dat hij naar haar billen keek. Het was zielig dat hij dacht dat ze het niet merkte.

'Petra, wil je een engel zijn en koffie zetten? Dat is volgens mij precies wat ik nodig heb.'

Petra lachte. 'Komt voor elkaar. Ik denk dat een vroege koffiepauze inderdaad goed voor ons is. Ik doe het meteen.'

Sanna probeerde opnieuw te glimlachen en haar collega liep snel naar de keuken. Het was een dag zoals alle andere, of misschien niet helemaal, dacht ze. Ze slikte en haalde diep adem. Hoewel het afschuwelijk was om hier vandaag te zijn, veranderde het niets aan haar plannen. Ze draaide zich om, keek naar de trap en luisterde naar de stemmen van PO en Simon. Ze hoorde niets. Het was tijd.

29

Vrijdag 30 juni 2006, 09.49 uur

Maria Carlson zat samen met Ingvar Lundmark in haar kantoor. Ze zagen er allebei bezorgd en verdrietig uit. Er was gisteren van alles misgegaan en daarna waren ze ook nog eens een collega kwijtgeraakt. Boel Sjöquist was spoorloos verdwenen, waarschijnlijk gekidnapt door de overvallers of misschien zelfs vermoord.

Fritte Fredriksen had verteld hoe het was gebeurd. De manoeuvre die de auto van de overvallers had uitgevoerd, had hem verrast, waardoor hij de macht over zijn stuur was verloren. Het was Boel wel gelukt om de auto te volgen, waarna ze spoorloos verdwenen was. Het enige wat ze hadden gevonden was de motor, die tussen de bomen lag. De wielsporen in het grind maakten duidelijk dat een auto op die plek was gedraaid, waarschijnlijk de Porsche Cayenne die ze achtervolgden. Ze bleven zoeken en kregen na verloop van tijd ondersteuning van helikopters, maar de auto van de overvallers was verdwenen, en Boel ook. Ze zouden vandaag blijven zoeken en hadden versterking aangevraagd. Toch koesterden Maria en Ingvar niet veel hoop. Als de overvallers inderdaad ontsnapt waren, konden ze inmiddels heel ver weg zijn en misschien zelfs naar het buitenland zijn gevlucht. Maar waarschijnlijk niet met hun gijzelaar, dacht Ingvar.

Maria was er daarentegen van overtuigd dat de overvallers nog in de buurt waren. Ze kon het niet bewijzen en had er ook geen goede argumenten voor, het was alleen een gevoel. Daarom was ze blij met elk uur dat het nationale interventieteam er was en met elk uur dat de helikopters in de lucht waren om te zoeken.

Misschien zou de bevolking ook helpen. De krantenartikelen waren op zijn minst gezegd sensationeel. De gebeurtenissen hadden plaatsgevonden in komkommertijd en alle kranten stonden vol foto's en artikelen, de een nog speculatiever dan de andere.

Een foto van Boel, die Ingvar aan Lukas Jansson had gegeven, nam een

hele pagina van *Eskilstunaposten* in beslag en had beslist ook een promi-
nente plek in de landelijke kranten gekregen. ONTVOERD EN MISSCHIEN
VERMOORD? luidde de tekst onder de foto.

Ingvar zag er gekweld, vermoeid en oud uit. Maria begreep hem. Boel
was zijn verantwoordelijkheid. De vraag hoe ze dit hadden kunnen laten
gebeuren, hing onuitgesproken in de lucht.

'Wat is de volgende stap?'

'Langs de deuren gaan, denk ik. Wat vind jij?'

Hij knikte en kwam overeind. 'Dat is goed. Ik verzamel de mannen.'

Liever iets doen dan hier zitten praten. Hij gebaarde lusteloos met zijn
hand om zijn vertrek aan te kondigen. 'Laat het me weten als je iets hoort.'

'Natuurlijk, daar kun je op rekenen. Ik ga naar de bank om met de directeur te praten. Als we geluk hebben, heeft hij nuttige informatie. Als het
een *inside job* is geweest, opent dat nieuwe perspectieven. Als ik terug ben
geef ik een persconferentie. Het is de enige manier om een beetje rust te
krijgen om te kunnen werken.'

Ze zag zijn rug in de deuropening verdwijnen. Hij zou waarschijnlijk
weg kunnen komen zonder belaagd te worden door de journalisten die
voor de ingang rondhingen. Zijn motor stond in de kelder en hij zou de
garage-uitgang nemen die uitkwam op de Eskilstunavägen. Als ze hem
goed inschatte, verzamelde hij zijn motorgroep op het parkeerterrein bij
Gula Rosornas. Daar zouden geen journalisten zijn. Ze wilde dat ze hem
kon troosten en hem vertrouwen kon geven, al was het maar een heel klein
beetje. Dat had ze zelf echter niet. Het werd allemaal te veel. Arme Boel.

Het lukte Anna-Lena om vlak voor de neus van een Mercedes met een
Duitse kentekenplaat een parkeerplek op het plein te bemachtigen. Ze had
haar auto eigenlijk bij de haven willen zetten, omdat dat het dichtst bij het
restaurant was, maar daar was het vol. Het jazzfestival begon steeds tast-
baarder te worden, precies zoals de bedoeling was. Op dit moment jamde
het Esbjörn Svenssons Trio voor de boothuizen op een provisorisch podium en de mensen stroomden van alle kanten toe. Onder andere omstandigheden zou ze genoten hebben van de spanning die in de lucht hing. De
straten begonnen vol te lopen met mensen die op het oog doelloos rond-
zwierven, maar die in werkelijkheid op zoek waren naar een van de spontane optredens die beloofd waren. Of misschien probeerden ze beroemdheden te spotten. Ze knikte verstrooid naar een Poolse musicus van wie

ze zich de naam niet herinnerde. Hij was met zijn trompet onder zijn arm op weg naar het restaurant en werd gevolgd door een groep nieuwsgierige mensen die begrepen dat er iets ging gebeuren. Anna-Lena overwoog of ze eerst naar de bank of eerst naar het restaurant zou gaan. Sunes roddel over Stanislaw Crantz en Sanna had haar volkomen overvallen. Want hij moest haar toch bedoelen? Iemand anders leek vergezocht. Sune kende Sanna natuurlijk, maar hij stond niet bekend om zijn slimheid en had het verband waarschijnlijk niet gelegd.

Voor zover zij wist, werkten er maar twee vrouwen bij de bank, die allebei geen logische kandidaat voor een verhouding met de Duitse jazzberoemdheid waren. Alleen al de angst dat Sanna haar had verraden, bezorgde haar een brandend gevoel in haar borstkas.

Ineens kreeg ze een vreselijke gedachte. *Stanislaw*. Sanna, Johanna en Stanislaw. Maar het kon toch niet waar zijn dat Sanna haar zo had misleid?

Toen Johanna dood was, had Sanna daar maar heel weinig over gezegd. Anna-Lena en haar ouders hadden ook niet veel vragen gesteld over wat ze hadden gedaan en wie ze hadden ontmoet. Het verdriet was te groot geweest. De leegte verdreef alles. Maar Anna-Lena herinnerde zich de polaroidfoto met de twee vrolijke meisjes en de knappe donkere jongen die zijn armen om hen heen had geslagen. De foto had tussen Johanna's spullen gelegen die Anna-Lena en haar moeder samen hadden uitgepakt. Op de achterkant van de foto had Johanna zijn naam geschreven.

Anna-Lena wist niet wat ze moest geloven, maar er was maar één manier om daarachter te komen.

Na Johanna's dood had de angst voor alles wat buitenlands en vreemd was haar overvallen. Ze omarmde de veiligheid van Åker en daarmee Jan-Börje, een boer die heel veel op haar vader leek. Die zeepbel had nog steeds van haar had kunnen zijn als Jan-Börje hem niet had doorgeprikt, klap na klap, blauwe plek na blauwe plek. Ze besloot dat Stanislaw kon wachten. Ze moest eerst met Sanna praten. Ze duwde de angst en de nare voorgevoelens weg en liep vastbesloten naar de bank.

DEEL 5 - FEEST

Party till the break of dawn (come on let's do it)
Come on let's do it
Come on, come on, come on
Woah oh oh

'There's a Party at a Rich Dude's House' – KESHA

30

Zomer 1999

Het was een mooie ochtend met meeuwen in de lucht en een heerlijke bries uit zee. Renate Gönich maakte haar gebruikelijke wandeling in gezelschap van haar hond, een boxer die naar de naam Candor luisterde. Renates strandvilla lag prachtig in de beschutting van de duinen, met een heerlijk uitzicht op de Oostzee vanaf de bovenverdieping. Ze was ervan overtuigd dat het een van de mooiste plekken in Schleswig-Holstein was. Vanaf het huis liep een klein voetpad van drijfhout en afvalhout naar het strand. Candor rende voor haar uit, en was zoals altijd enthousiast op ontdekkingstocht. Hij was inmiddels een jaar oud en eigenlijk nog een pup.

Renate had heerlijk geslapen, ook al was het feest op het luxejacht dat een stuk verderop lag nogal luidruchtig geweest. Gelukkig was dat gecompenseerd door de mooie muziek, waaronder reggae, funk, country en jazz. Een indrukwekkend repertoire voor een liveband, dacht Renate, maar directeur Taubermann zat tenslotte in de muziekbranche.

Ze was nieuwsgierig en besloot in de richting van de pompeuze villa van de directeur te lopen. Soms kon je de vreemdste dingen op het strand vinden, vooral na een feest. Een keer was ze bijna gestruikeld over een ongeopende fles champagne die iemand blijkbaar vergeten was. Zulke vondsten maakten het eenvoudiger om begrip te hebben voor de herrie en de troep die onvermijdelijk waren. De enige keer dat ze echt verontwaardigd was geweest, was toen Candor zijn poot had opengehaald aan een kapot glas. Meneer Taubermann was vol berouw geweest en had het bezoek aan de dierenarts natuurlijk betaald. Voor hem was een goede verstandhouding met de buren blijkbaar ook belangrijk.

Het irriteerde haar dat hij er niet aan had gedacht om haar uit te nodigen. Dat was eigenlijk niet zo netjes van hem. Een tijd geleden had ze een dinertje gegeven waarvoor ze zowel Rudi Taubermann als zijn vrouw Heike had uitgenodigd, maar daarna was er veel gebeurd. De Taubermanns waren inmiddels gescheiden en hij woonde alleen in de villa. Er was veel geroddeld door de bewoners van de strandvilla's. Niemand wist wat er precies was gebeurd. Zou hij een andere vrouw ontmoet hebben, want Heike zou toch niet weggegaan zijn bij zo'n fantastische man? Misschien kon Renate vandaag meer te weten komen. Ze zou Taubermann vanmiddag een bezoekje brengen en hem hopelijk een slecht geweten bezorgen.

Plotseling begon Candor zo snel langs het water te rennen dat het natte zand onder zijn poten opspatte.

'Voet, Candor! Voet!'

Het hielp niet, hoe vaak ze ook riep. Candor had in de verte iets gezien en was niet van plan om te stoppen.

Die rothond! Zo had ze zich haar ochtendwandeling niet voorgesteld. Nou ja, hij zou zo meteen wel kalmeren. Ze hoopte maar dat het geen gewonde vogel was. Ze liep op een drafje achter hem aan.

Het strand was leeg, op de onduidelijke vorm na die een paar honderd meter voor haar in het zeewier lag. Was het een dode vis? Dat zou Candors belangstelling verklaren.

Nee, het stijve lichaam dat door de branding op het strand was gespoeld was van een vrouw van in de twintig. Zeewiertakken waren rond haar lichaam gedraaid, blauwzwarte bulten staken af tegen de bleke huid. Ze lag op haar zij met het lange haar achter zich in een natte, verwarde sliert. Het was groen van het zeegras op de plek waar het over het zand kronkelde. Toen Candor dichterbij kwam vlogen twee zilvermeeuwen die aan het lichaam hadden gepikt weg. De starre ogen hadden ze met rust gelaten, zag Renate toen ze dichterbij kwam. Ze staarde naar het gehavende gezicht. De wangen, neus en lippen waren langzaam maar onverbiddelijk kapot geschuurd door het grove zand van de bodem terwijl de golven haar naar het strand hadden gespoeld.

Sanna had hoofdpijn en een enorme kater. Ze had Johanna de vorige avond overgehaald om mee te gaan naar het feest en nu wist ze niet waar haar vriendin was, hoewel ze hadden beloofd om op elkaar te letten na wat er in de jazzclub in Hamburg was gebeurd.

Hoewel Johanna het niet erg had gevonden. Ze had in elk geval geknikt en had er vrolijk uitgezien toen Sanna vertelde dat ze met Stanislaw naar buiten zou gaan omdat ze frisse lucht nodig had. Misschien had ze niet begrepen dat Sanna niet van plan was om terug te komen. Het was nog vroeg geweest en Stanislaw had zijn tweede optreden van de avond achter de rug. Omdat ze zich misselijk voelde had ze gevraagd of hij met haar mee wilde gaan. Het eindigde ermee dat hij haar vasthield terwijl zij kotste en daarna droeg hij haar van de steiger naar zijn kamer in de villa van Taubermann. Langzaam begon ze zich iets beter te voelen. Ze spoelde de vieze smaak in haar mond en het brandende gevoel in haar keel weg met Perrier en een paar slokken champagne terwijl hij haar voorzichtig streelde en haar voorhoofd depte. Daarna waren ze voor het eerst met elkaar naar bed geweest. Ze had niet een keer aan Johanna gedacht. Nu was het ochtend en Stanislaw was verdwenen. De slaapkamer leek op een luxesuite in een hotel. Het felle daglicht achter de hoge ramen scheen door de gebloemde gordijnen naar binnen. De vrouw die de kamer had ingericht, waarschijnlijk de afgedankte mevrouw Taubermann, had duidelijk een zwak voor Laura Ashley. Sanna legde het kussen op haar hoofd en genoot van de koele satijnen lakens tegen haar huid. Ze had Stanislaw vanaf het begin leuk gevonden, maar ze had nooit gedacht dat het zo snel zou gaan. Vier dagen geleden had hij haar voor het eerst gekust, op de avond dat ze elkaar in de jazzclub hadden ontmoet.

Sanna hield niet van jazz, maar Johanna had net zolang gezeurd tot ze naar Der Jazzkeller waren gegaan. Ze hadden een hele tijd in de rij gestaan om kaartjes te kopen en toen ze eindelijk binnen waren, begrepen ze dat het een heel populaire plek was. De club bevond zich midden in de stad in de gewelven van een middeleeuws Hanzegebouw. Johanna had gelezen dat er bijna elke dag een liveband speelde en deze avond was er een programma met meerdere gastoptredens. Johanna en Sanna stonden in de buurt van het podium, lachten, keken naar het publiek en dronken bier. Zoals overal deze vakantie waren er voldoende mannen die hun waarderende en begerige blikken toewierpen. Het was de normale overdreven aandacht voor blondines en Johanna genoot daarvan. Sanna vond het echter niet prettig.

Toen de swingband goed op dreef was, drong het publiek dichter naar het podium toe en werd het benauwd. Iedereen deinde op de maat van de muziek heen en weer, lichaam tegen lichaam. Het was suggestief en spannend, maar toen Sanna een grote hand voelde die hard in haar bil kneep gaf ze een gil. Geschrokken draaide ze haar hoofd om en zag het grijnzende gezicht van een ongeveer vijftigjarige man in kostuum. Zijn blik was glazig en hij leek moeite te hebben zijn ogen ergens op te richten. Waarschijnlijk is hij onder invloed van drugs, dacht ze. De hand waarmee hij niet in haar bil had geknepen, had hij in zijn broek gestopt.

'*Liebchen*,' kreunde hij.

Ze probeerde bij hem weg te komen, maar kon nergens naartoe. Hij haalde zijn hand van haar bil en legde hem op haar buik, waarna hij zijn onderlichaam tegen haar aan duwde. Ze probeerde Johanna te waarschuwen, maar de muziek was te hard en hij hield haar vast.

Ze voelde dat hij tegen haar aan wreef terwijl hij in haar oor kreunde en ze begon echt bang te worden. Uit pure wanhoop lukte het haar hem een elleboogstoot in zijn maag te geven. Niet hard, maar voldoende om haar los te laten. Op dat moment begon iedereen te applaudisseren. Het nummer was blijkbaar afgelopen. De druk verminderde en opgelucht wrong ze zich tussen de mensen door naar Johanna, die lachte en applaudisseerde en niet in de gaten had wat er gebeurd was.

'Help me,' zei ze hees in het oor van haar vriendin, die verbaasd opkeek en zich naar haar toe draaide.

De man was absoluut niet geschrokken van haar weerstand en kwam weer dichterbij. Een man van in de dertig kwam met een saxofoon het podium op. Hij had krullend, donker haar, grote ogen en een mooie mond. Het publiek begon te roepen en te klappen: 'Stanse! Stanse! Stanse!'

Hij zwaaide naar zijn fans en glimlachte. Zijn ogen zwierven over het samengedromde publiek en bleven bij Sanna en Johanna hangen, twee knappe meisjes die er minder vrolijk uitzagen dan de mensen om hen heen. Sanna zag dat hij zijn wenkbrauwen een beetje optrok, alsof hun gezichtsuitdrukking een raadsel voor hem was. Ze keek ongerust naar de viezerik die haar had betast en keek daarna weer naar de jazzmusicus. Er lag een nieuwsgierige blik in zijn ogen en daarna zei hij iets wat ze niet begrepen. Iedereen lachte. Hij gebaarde naar hen dat ze naar het podium moesten komen. De mensen draaiden zich om en wezen naar hen. Plotseling was er een opening voor hen. Verlegen maar opgelucht liep Sanna voor Johanna uit, die giechelde. Sanna besefte dat Johanna nog steeds niet wist dat Sanna bijna iets ergs was overkomen, maar misschien was dat beter. Die viezerik was haar energie niet waard. Ze probeerde het gevoel van zijn begerige handen op haar lichaam te verdringen en richtte haar aandacht op de knappe jazzmusicus op het podium.

Daar had ze geen spijt van gehad. Ze liet zich gewillig veroveren door Stanislaw en genoot van zijn geflirt. Hij was een fantastische musicus, soms melancholiek, soms sprankelend vrolijk. Hoewel het duidelijk was dat Stanislaw onzeker was, had hij een enorme behoefte om zich te bewijzen en indruk te maken. Dat had een beetje belachelijk kunnen zijn, maar Sanna vond het alleen maar grappig. Misschien was dat omdat hij heel cool was. Johanna vond het niet erg dat Stanislaw Sanna probeerde te versieren, bleef er vrolijk onder en leek alleen blij voor haar te zijn.

Stanse had over het feest aan de kust gepraat vanaf het moment waarop ze elkaar in Hamburg hadden ontmoet. Meerdere liveoptredens en gratis drank voor alle gasten. Directeur Taubermann pakte het groots aan en had iedereen uitgenodigd die iets betekende in de Duitse muziekwereld. Stanse had net een contract bij Taubermanns platenmaatschappij getekend en was trots als een pauw. Een beter label was er niet, beweerde hij. Zowel Johanna als Sanna was onder de indruk van alles wat ze te zien kregen en hoe Stanse overal waar ze kwamen werd ontvangen. In drie dagen bezochten ze vier steden, waar Stanislaw drie avondoptredens en een middagconcert gaf. Het was net een droom en na een tijdje negeerde Sanna het gevoel van walging dat alle begerige blikken haar bezorgden.

Na het incident in de jazzclub hadden Johanna en zij afgesproken dat ze elkaar niet meer alleen zouden laten en dat ze op elkaar zouden letten. Daarom was het verschrikkelijk verkeerd geweest om haar alleen bij de bar achter te laten en samen met Stanse weg te gaan. Ze herinnerde zich dat Johanna had gevraagd of ze mee moest gaan, maar ze leek het niet erg te vinden toen Sanna had gezegd dat dat niet nodig was. Had Johanna met de barman geflirt? Hij had in elk geval geprobeerd haar te versieren, dat wist Sanna zeker.

Ze dwong zichzelf om uit bed te komen en op zoek te gaan naar Stanislaw. De houten vloer onder haar blote voeten was verwarmd door de zon. Ze schoof de gordijnen opzij. Het raam keek uit op het strand en de zee. Het zou opnieuw een mooie zomerdag worden. Eerst zag ze alleen het glanzende water dat zich uitstrekte tot de horizon, maar daarna zag ze een groepje mensen bij de waterkant. Al snel zag ze Stanislaws krullende haar. Ze deed het raam open en hoorde opgewonden stemmen.

Waarschijnlijk wist ze op dat moment al wat er was gebeurd. Ze werd in elk geval overvallen door een enorme angst. Ze trok haar gekreukte kleren haastig aan terwijl haar hoofd tolde. De duizeligheid kwam in golven, maar ze negeerde het gevoel en rende de trappen af. Het grote huis leek verlaten. Iedereen die wakker was, was blijkbaar op het strand.

Ze deed de deur naar het terras open. De kussens en dekens getuigden ervan dat er mensen buiten geslapen hadden. Ze wilde rennen, maar haar benen trilden zo dat ze zich aan de leuning moest vasthouden terwijl ze de trap naar het strand af liep.

Waar was Johanna?

Ze wilde haar naam schreeuwen, haar dwingen tevoorschijn te komen. Ze deed het niet en haar blik zocht Johanna tussen de mensen. Het viel haar op dat iedereen in kleine groepjes stond te praten. In het midden zag ze een elegante vrouw met grijsblond haar die een hond streelde. Sommigen huilden.

Toen Stanislaw haar zag, sperde hij geschrokken zijn ogen open. Terwijl hij met uitgestrekte armen naar haar toe kwam rennen, klonk het geluid van sirenes.

De trein ratelde door Denemarken. Stanislaw had erop gestaan dat ze eersteklas zou reizen. Hij had eerst geprobeerd haar over te halen om te vliegen, maar dat had ze geweigerd. Ze had tijd nodig om te verwerken wat er was gebeurd en de omvang van de ramp te begrijpen. Ze moest er ook over nadenken wat ze voor Stanislaw voelde en ongestoord kunnen worstelen met de akelige vermoedens die ze met zich meedroeg. Ze voelde zich misselijk zodra ze aan de aanstaande confrontatie met Johanna's familie dacht en vooral met Anna-Lena, de oudere zus die niet had gewild dat Johanna en Sanna samen op vakantie gingen en haar had gevraagd om goed voor Johanna te zorgen. De zusjes Anna-Lena en Johanna, die zo verschillend waren en toch zo'n nauwe band met elkaar hadden.

Niemand wist wat er was gebeurd. Sanna had de barman vragen willen stellen, maar hij was verdwenen. Of liever gezegd, niemand kon – of wilde – vertellen waar hij was. Te midden van alle vriendelijkheid, spontane omhelzingen en zorgzaamheid was Sanna ervan overtuigd dat ze iets voor haar verborgen hielden en dat er dingen waren die ze moest weten.

Het was een tragisch ongeluk, zeiden sommigen. Ze was overboord gevallen, beweerde een ander. Ze had te veel gedronken, durfde iemand anders te zeggen.

Johanna. Het was onbegrijpelijk dat ze er niet meer was.

Taubermann had een inzinking gekregen. Zoiets was nog nooit op een van zijn feesten gebeurd, had hij gezegd. Alsof dat een troost voor haar was.

De meeste moeite had ze echter met haar gevoelens voor Stanse. Ze kon het hem niet vergeven, net zo min als ze het zichzelf kon vergeven dat ze Johanna had meegenomen naar dat verdomde feest. Misschien was het heel onrechtvaardig, maar alles was met hem begonnen. Hij had hen uitgenodigd en hij was weggegaan met Sanna. Het hielp niet dat hij zei dat hij het verschrikkelijk vond. Alles wat goed was geweest liet nu een bittere nasmaak achter.

Toen ze afscheid namen op het station zeiden ze geen woord over hun gevoelens, maar ze zag zijn gezicht met de uitdrukking van verlies en gemis nog steeds voor zich. Toch moest het zo zijn. Hij was niet eerlijk tegen haar geweest, net als de anderen. Ze wist zeker dat hij meer wist dan hij vertelde.

Misschien zou het politieonderzoek duidelijk maken wat er was gebeurd, maar Sanna geloofde daar niet in. Taubermann wilde de kwestie zo snel mogelijk vergeten en ze had het gevoel dat de plaatselijke politie niet bijzonder zijn best zou doen.

En nu zat ze in de trein, op weg naar huis. Ze wilde Stanse vergeten. Ze wilde Taubermann vergeten. Ze zou Åker en Mariefred nog een kans geven en anders kon ze altijd nog naar Stockholm gaan.

Het voelde goed toen ze de beslissing had genomen, ook al liepen de tranen over haar wangen. De smaak van zoute tranen zou heel lang verbonden zijn met de herinnering aan Stanse.

DEEL 6 - INFERNO

So if you tried to understand me
Would you crucify or damn me?
Or stand by me
Like smoke around the flame?

'Don't Break My Heart' – VAYA CON DIOS

31

Vrijdag 30 juni 2006, 10.07 uur

Per en Maria waren onderweg naar de bank voor het gesprek met PO Ahlgren. Maria had Kjell bureaudienst gegeven omdat ze vond dat hij tot rust moest komen. Toen de arme man gistermiddag eindelijk op het politiebureau terug was, had hij verlamd van angst geleken. Het verbaasde haar niets. Per had zichzelf blijkbaar overtroffen met autorijden, en daarvoor waren ze beschoten met een automatisch wapen. Om de situatie nog erger te maken, had Per over zijn functie tijdens het jazzfestival verteld toen ze in de kantine uitbliezen. Maria wist dat zij dat had moeten doen, maar ze had alles wat betrekking had op het jazzfestival het afgelopen etmaal opzijgeschoven. Helaas kon dat niet langer. De stad stroomde vol met verwachtingsvolle mensen en artiesten voor de opening van de volgende dag. Ze had haar planning en het bezettingsrooster natuurlijk allang klaar, maar je kon er donder op zeggen dat er iets mis zou gaan. Alsof een bankoverval, twee moorden en een vermissing niet voldoende waren.

Ze parkeerden voor de bank in de Munkhagsgatan. Het was moeilijk om niet aan de vorige dag te denken. Maria keek op haar horloge. Ze waren op tijd. Ze duwde de zware deur open en liet Per voorgaan.

Er klonk een luide bel en iedereen in de bank keek in hun richting. Verbaasd zag Maria dat Anna-Lena Olofsson er was. Verder herkende ze alleen de bankdirecteur, die op dat moment samen met een andere man binnen kwam lopen. Per liet Maria voorgaan naar de balie. De vrouw links achter de balie, waar Anna-Lena stond, had een enorme blauwe plek op haar wang. Maria herinnerde zich wat er in het verslag had gestaan en besefte dat het Sanna Friborg moest zijn. Ze keek even met interesse naar de baliemedewerkster en Anna-Lena, draaide zich daarna naar de bankdirecteur en stak haar hand uit om hem te begroeten.

Na een ongeruste blik op zijn mannelijke collega beantwoordde PO de begroeting.

'Zullen we naar je kantoor gaan?'

PO aarzelde. Hij keek nog een keer naar zijn collega, dit keer vragend.

Maria liet geen ruimte voor onduidelijkheden. 'Ik denk dat we dit het best onder vier ogen kunnen bespreken.'

'Dat is goed. Simon, wij praten straks verder.'

Simon knikte langzaam. Hij keek heel somber.

Verder zei niemand iets. Achteraf was dat wat Maria zich het duidelijkst herinnerde: de intense stilte en de vragen die in de lucht hingen.

PO wees naar een deuropening en de trap erachter. 'Deze kant op.'

Ze volgden de bankdirecteur de trap op naar zijn kantoor, waar ze ongevraagd op de bezoekersstoelen gingen zitten. Maria verspilde geen tijd aan praten over koetjes en kalfjes. 'Zo, vertel ons je vermoedens. Waarom denk je dat de overval een *inside job* is geweest?'

'Tja... Ik hoop dat ik het mis heb, maar ik snap niet hoe het anders gegaan kan zijn. De overvallers kregen de code van de kluis terwijl ik erbij stond.'

De agenten keken hem verbaasd aan.

'Er zijn twee codes nodig om de kluis te openen. Ik heb de ene en mijn collega Simon Theorin de andere. De overvaller dwong me onder bedreiging van een wapen om mijn code in te toetsen en daarna kreeg hij een sms met de tweede code.'

'Aha, en heb je Theorin daarnaar gevraagd? Wat zegt hij?'

'Hij beweert categorisch dat zijn mobiel gisteren de hele middag heeft uitgestaan. Blijkbaar een probleem met de simkaart. Ik weet niet wat ik moet geloven.' PO spreidde zijn armen in een berustend gebaar. 'Ik heb Simon altijd vertrouwd. Ik kan me niet voorstellen dat hij mij en de bank zoiets zou aandoen, maar ik snap niet hoe het anders gegaan kan zijn. Het irriteert me dat ik het niet heb vermoed. Dan had ik misschien... Dan had ik misschien kunnen weigeren om mijn code af te geven.'

Maria schudde vastbesloten haar hoofd. 'Het is maar goed dat je dat wel hebt gedaan. Zulke kerels kennen geen consideratie. Je had net zo goed dood kunnen zijn.'

PO staarde naar haar met zijn rode ogen. Het grauwe gezicht was gesloten en gereserveerd. 'Bedoel je zoals mijn vrouw?'

Maria keek naar beneden en probeerde de blos te verdringen die over haar wangen kroop. Daarna dwong ze zichzelf om weer in zijn ogen te kijken. 'Ja, en dat spijt me echt verschrikkelijk. Het moet afschuwelijk zwaar zijn. Ik snap niet dat je het aankunt om hier te zijn.'

'Ik blijf niet lang. Ik moet naar het ziekenhuis terug. Maar ik wilde vandaag met Simon en het andere personeel praten. Dit heeft ons allemaal diep geraakt. Ik kan niet alleen aan mezelf denken.'

Indrukwekkend, of had hij bewust voor die houding gekozen? dacht Maria. Dit was echter geen moment voor kritiek. Hoe zou ze zelf reageren als er zoiets ergs gebeurde? Ze vond het moeilijk om zich voor te stellen hoe groot de absolute leegte zou zijn die iemand die een deel van jezelf was, achterliet. Misschien zou zij ook naar haar werk, haar dagelijkse leven en haar collega's willen.

'En wat zegt Simon ervan?'

'Ik heb net voordat jullie kwamen met hem gesproken. Hij leek echt verbaasd en geschokt over wat er is gebeurd en ik geloof niet dat hij zo goed toneel kan spelen...'

'Het klinkt alsof wij een praatje met hem moeten maken. Wie weet, misschien is er een andere verklaring. Weet je hoe hij de code bewaart? Kan het zijn dat iemand anders hem te pakken heeft gekregen?'

'Ik heb het hem gevraagd, maar hij beweert heel beslist dat hij hem aan niemand heeft verteld, niet eens aan zijn vrouw. Hij heeft hem ook nergens opgeschreven, maar vertrouwt op zijn geheugen. Dat zegt hij in elk geval.'

'Goed, dan nemen we hem mee voor een verhoor. Zoals je weet zijn de overvallers nog steeds op vrije voeten en als, ik zeg áls, Theorin erbij betrokken is, kan zijn informatie van doorslaggevende betekenis zijn.'

PO keek haar onderzoekend aan. Daarna keek hij weg alsof hij plotseling zijn belangstelling was verloren. Zijn ogen waren vochtig. 'Jullie vertellen het toch zodra jullie meer weten?' mompelde hij, waarna hij een zakdoek pakte.

Ze knikten en kwamen overeind, erop gebrand om weg te komen. Maria ging het eerst naar beneden. Per slenterde achter haar aan. Het was te merken dat hij met zijn gedachten ergens anders was. Misschien bereidde hij zich geestelijk voor op zijn functie bij het jazzfestival of was hij aangeslagen door de verdrietige sfeer. In de deuropening ging ze langzamer lopen, zodat hij haar inhaalde. Ze hoorden de deur boven opengaan. PO was ook op weg naar beneden.

'Zeg jij het tegen hem?' vroeg Maria aan Per.

De baliemedewerksters stonden nog steeds op dezelfde plek, maar Anna-Lena was weg. Simon zat achter zijn bureau en deed of hij een rapport las.

'Simon, we willen je een paar vragen stellen en dat willen we op het bureau doen.' Hij deed zijn best om zakelijk en niet autoritair te lijken.

'W-Wat? Wat heb ik gedaan? Word ik ergens van beschuldigd?'

'We willen je gewoon een paar routinevragen stellen, maar ik denk dat het beter is dat we dat niet hier doen.'

Ze keek veelbetekenend naar het andere personeel. De baliemedewerksters staarden naar hun computerscherm en PO had blijkbaar iets in de kluisruimte te doen.

'Ja, natuurlijk, dat is geen probleem.' Simon pakte zijn aktetas en keek zenuwachtig naar zijn bureau, waarschijnlijk om te controleren of er iets op lag wat hij mee moest nemen.

Ze zagen hem schrikken en tussen de stapels papieren kijken. Per en Maria wierpen elkaar een verbaasde blik toe. Wat was er met hem?

Plotseling klonk het geluid van een kakelende kip. Uit pure gewoonte voelde Maria in de borstzak waar haar mobiel altijd zat voordat ze besefte dat ze haar ringtone afgelopen voorjaar had veranderd.

'Moet je niet opnemen?' vroeg Per aan Simon. Hij klonk geïrriteerd.

Simon wierp een verwarde blik op zijn aktetas en daarna op zijn mobiel, die op zijn bureau lag. 'Ja... Natuurlijk, dat zal ik doen. Maar ik dacht dat...'

Uiteindelijk pakte hij zijn mobiel. 'Ja, hallo? Hallo, Putte. Kunnen we iets later bellen? Ik heb... een afspraak met een klant. Mag ik jou bellen? Mmm... Jij ook. Tot straks.'

Hij stopte zijn mobiel in zijn aktetas en pakte zijn beige zomerjas, die aan een haak aan de muur hing. PO was naar buiten gekomen toen Simons mobiel ging en keek hem nu strak aan. 'Je zei toch dat je mobiel het niet doet?'

Simon keek hem onzeker aan. 'Ja, zoals ik al zei deed hij het gisteren niet. Ik weet niet...'

PO balde zijn vuisten. Zijn gezicht vertrok tot een gespannen grimas. 'Jij smerige moordenaar.' Hij draaide zich naar Maria. 'Controleer die mobiel heel grondig!'

Hij draaide zich om en hinkte snel de trap op zonder zich om te draaien. Ze hoorden de kantoordeur dichtslaan. Met een stevige greep rond Simons arm nam Per hem mee naar buiten, terwijl Maria vlak achter hen liep. Verstrooid zwaaide ze naar de twee baliemedewerksters. Ze keken verbaasd, maar niet ontzet.

32

Vrijdag 30 juni 2006, 10.56 uur

Anna-Lena was verdrietig en gedeprimeerd, maar vooral ontzettend boos. Ze haatte het om zich zo te voelen. Vanaf het moment waarop ze afgelopen herfst de controle over haar leven in eigen hand had genomen, was ze bang geweest. Ze had haar demonen en schaamtegevoelens overwonnen en was weggegaan bij Jan-Börje, weg van het verwrongen, zieke beeld van de goede huisvrouw dat hij in haar had willen rammen. Ze liet de zogenaamde vriendinnen in Åker achter, die nooit een vinger hadden uitgestoken om haar te helpen. Toen ze de beslissing had genomen, was het gemakkelijker gegaan dan ze zich had voorgesteld. Ze had nooit teruggekeken, maar de angst om het goede gevoel en haar kracht kwijt te raken, was er de hele tijd geweest. De gedachte om zich opnieuw zo hulpeloos en zwak te voelen en overgeleverd te zijn aan de goede wil van iemand anders dreef haar voort.

En nu, op een heel belangrijk moment, met het jazzfestival voor de deur, overkwam haar dit.

Sanna's verraad deed meer pijn dan ze ooit had kunnen vermoeden, maar het ergste was de verlamming. Het besef dat haar liefde niet langer beantwoord werd en dat Sanna een andere weg had gekozen, was meer dan ze kon verdragen. Het was niet belangrijk hoe vaak ze de gedachte eerder had gehad. Nu was het ernst, en dat was een heel ander gevoel.

Ze zat in haar auto, zapte langs de radiozenders en overwoog wat ze moest doen.

De confrontatie met Sanna was zo snel gegaan dat het een onwerkelijk gevoel had achtergelaten. Bovendien gebeurden er dingen die ze niet goed begreep. Er was iets aan de sfeer in de bank die haar bezoek bijzonder onaangenaam had gemaakt.

Toen ze de grote eiken deur opende en naar binnen liep was Sanna alleen geweest. De ravage van de overval was overal zichtbaar en de eerste gedachte die haar te binnen schoot was dat het absurd was dat de bank vandaag open was. Het was een chaos en het personeel was duidelijk in shock, dus wat had het voor nut?

Sanna stond met haar rug naar de balie en rommelde met wat papieren op een bureau. Ze schrok van het geluid van de deurbel en draaide zich om. Haar schuldbewuste blik verraste Anna-Lena.

Waar ben je mee bezig? dacht Anna-Lena. Waarom schrik je zo?

Ze keken elkaar aan zonder iets te zeggen, alsof ze houvast zochten voor het onvermijdelijke dat ging komen. Anna-Lena vermande zich en liep vastbesloten naar haar toe. Bij de balie boog ze zich naar voren en keek haar vriendin diep in de ogen. Sanna werd rood.

'Hallo, hoe is het?' Ze stelde de vraag alsof hij heel onschuldig was, maar toen de woorden over haar lippen kwamen, hadden ze een zware lading. Het was een vraag die een uitvoerig antwoord vereiste. Of een blik die alles vertelde en alle hoop vernietigde dat het weer als vroeger zou worden.

Anna-Lena hoorde het getik van hakken merkwaardig ver weg, alsof ze watten in haar hoofd had. Het was Sanna's jongere collega, die met twee koppen dampende koffie verscheen. Ze glimlachte breed naar Anna-Lena. 'Goedemorgen! De eerste klant van vandaag! Wil je een kop koffie? Ik kan er nog een halen.'

Zonder op antwoord te wachten zette ze de koffie tussen hen in op de balie, gaf een tikje op Sanna's schouder en liep terug naar de keuken. Het was een absurde onderbreking, maar Anna-Lena liet zich er niet door weerhouden. 'Je gaat dus met hem naar bed? Met Stanislaw, de grote jazz-held?'

Sanna schrok op, maar herstelde zich snel. 'Hoe ben je daarachter gekomen?'

'Dat was niet zo moeilijk. Ik heb hem zelf uitgenodigd, dus ik weet waar hij logeert. Bovendien wordt er flink gekletst in dit stadje. Als iemand dat weet, ben jij het waarschijnlijk.'

'Het spijt me. Het is zo ingewikkeld. Het is niet wat je denkt. Absoluut niet, maar we moeten praten. Kunnen we straks met elkaar afspreken? Ik ben om drie uur klaar.'

'Maar... Je kunt toch iets zeggen? Je kunt me toch niet zo aan mijn lot overlaten? Je weet heel goed dat het moeilijk voor me is om tijd vrij te maken. Het festival begint.'

Sanna keek naar beneden en wilde Anna-Lena niet aankijken. Anna-Lena vond dat Sanna er vooral opgelaten uitzag, alsof ze stoorde. Ze zag geen tekenen van spijt, maar misschien wees haar gebogen hoofd erop dat ze zich schaamde. Dat was bij lange na niet voldoende. Anna-Lena zag niets in Sanna's houding waaruit bleek dat ze er moeite mee had dat hun relatie in een diepe crisis terechtgekomen was. Ze hoorde de klagende toon die in haar stem was geslopen, maar ze kon hem niet tegenhouden. Alsjeblieft, laat me niet smeken en zeuren, dacht ze.

'Ja, ik weet het. Stanse speelt morgen tenslotte. We hebben afgesproken.'

'O ja? Dus je zegt dat je geen tijd hebt om met mij af te spreken? Hoe gemeen is dat? Vind je niet dat je me in elk geval een verklaring schuldig bent?'

Nu doe ik het toch, dacht ze. Ik zeur en doe me zwakker voor dan ik ben. Ik smeek haar om eerlijk tegen me te zijn, terwijl ik niets verkeerd heb gedaan. En hoe handig ze dat koosnaampje noemt, waardoor ze laat merken dat ze intiem zijn. Het was alsof ze een mes in haar lichaam stak. Verdomde Sanna.

'Ik zei dat we straks kunnen afspreken, maar als jij niet kunt...'

'Goed, hoe laat stel je voor? Hoelang kun je bij hem wegblijven? Trouwens, heb je hem gevraagd wat er met Johanna gebeurd is?'

Sanna's gezichtsuitdrukking was ondoorgrondelijk. Het stoorde Anna-Lena dat Sanna de gevoelens niet toonde die ze zo graag wilde zien.

'We zullen later moeten praten. Petra komt er weer aan.'

De baliemedewerkster was net op haar plek terug toen de deurbel ging. Het was Maria Carlson met een collega. Anna-Lena en Maria wisselden een verbaasde blik. Anna-Lena probeerde wanhopig er onbewogen uit te zien. De watten in haar hoofd zaten er nog steeds en ze was doodsbang om betrokken te raken bij een gesprek met haar politievriendin of iemand anders.

Ze bleef staan terwijl de agenten hun vragen stelden en daarna samen met de bankdirecteur de trap op liepen, maar daarna verloor ze haar zelfbeheersing. Ze gaf Sanna een woedend knikje en beende zo snel mogelijk de bank uit.

Anna-Lena liep meteen naar haar auto. Het geplande bezoek aan Stanislaw Crantz kon ze vergeten. Ze had een berg vragen die ze hem wilde stellen, maar niet nu. Als ze hem nu in de stad zag, zou ze de neiging hebben om over hem heen te rijden.

Het schokte haar dat ze zo heftig reageerde. Ze was zo jaloers dat het pijn deed. Hoe had ze zich in vredesnaam kunnen laten verleiden om hem uit te nodigen? Ze zag het nu duidelijk. Sanna was heel slim en berekenend geweest, een andere aannemelijke verklaring was er niet. Hoelang was dit al aan de gang?

Sanna was altijd gesloten geweest over wat er in Duitsland was gebeurd en Anna-Lena had er niet veel belangstelling voor gehad. Het deed pijn om erover te praten en als ze eerlijk was, wilde Anna-Lena niet dat Johanna opnieuw tussen Sanna en haar in zou staan. Alles liever dan dat, maar misschien was dat fout geweest.

Ineens besefte ze nog iets. Als Stanislaw op het feest was geweest, wat Johanna's laatste avond was geworden, dan was Taubermann de gastheer geweest. Het was dus niet vreemd dat de naam haar zo bekend was voorgekomen toen Arne Kyrkström hem ter sprake bracht. Ze legde haar voorhoofd op het stuur. Het was een nachtmerrie die plotseling heel persoonlijk was geworden.

Ze hief haar hoofd en keek naar het dashboardklokje. Over een uur zou Taubermann zijn glorieuze entree maken. Het was haar taak om daarbij te zijn.

Anna-Lena zocht een zender en vond uiteindelijk een geschikte. Ze draaiden 'Strong Enough' van Cher. Ze zong met de tekst mee terwijl ze Mariefred uit reed. Ze was nog niet klaar met Sanna, bij lange na niet, maar nu moest ze aanwezig zijn bij de aankomst. Dat was op dit moment belangrijker. Holmgren vertrouwde erop dat ze ervoor zou zorgen dat Taubermann een gepaste ontvangst kreeg.

Plotseling besefte ze dat ze vanavond een afspraak had met Göran Jonstoft, die had beloofd haar te verwennen. Ze vroeg zich af hoe ze zich daarbij zou voelen. Waarschijnlijk vrij goed.

33

Ontelbare naalden prikten in Boels huid, maar haar keel was het ergst. Bij elke ademhaling had ze een schrijnend, uitgedroogd gevoel. Ze was blijkbaar opnieuw flauwgevallen. Ze had een heel vaag besef van tijd, maar vermoedde dat er inmiddels uren voorbij waren. Haar pijnlijke lichaam, dat volkomen verstijfd was nadat ze een nacht zo gelegen had, bevestigde dat.

Haar helm was een gevangenis geworden. Ze zag niets. Hij had hem niet afgedaan nadat hij haar op haar buik in de auto had gelegd. Haar armen had hij met tape op haar rug vastgebonden en daarna had hij tape rond haar benen gewikkeld. Haar leren overall was inmiddels nat van zweet en urine. Ze had het zo lang mogelijk opgehouden, maar uiteindelijk ging het niet meer.

Haar vingers en tenen waren gevoelloos, hoewel ze probeerde de bloedcirculatie op gang te houden door ze te bewegen. De pijn in haar schouder was minder geworden, maar ze was er vrij zeker van dat hij uit de kom was. Haar schouder had de grootste klap opgevangen toen ze onderuitging met haar motor na de angstige confrontatie met die idioot achter het stuur. Als ze niet het bos in was gereden, waren ze frontaal op elkaar gebotst.

Langzamerhand begon ze pijn in haar nek te krijgen. Ze had alleen een vage herinnering aan de man die haar hiernaartoe had gebracht.

Ze had er geen idee van hoe hij eruitzag, maar zijn smekende stem die zenuwachtig kletste terwijl hij haar vastbond, was door de mist in haar hoofd gedrongen. 'Sorry, sorry, sorry. Het spijt me, hoor je dat? Het was niet de bedoeling. Je hebt me onder druk gezet, snap je?'

Op dat moment haatte ze hem intens en kon ze geen antwoord geven, zelfs als ze had gewild. Nu wilde ze alleen dat hij terugkwam. Hij of wie dan ook.

Met een enorme krachtsinspanning rolde ze op haar rug. De pijn in haar schouder vlamde op en stuurde verzengende stralen naar alle kanten. Haar borstkas, armen en rug brandden, maar toch voelde het een beetje beter.

Het was moeilijk om haar hoofd te bewegen, maar ze kon in elk geval zien waar ze zich bevond. Het moest de auto zijn die ze had achtervolgd. Ze lag op de achterbank. De auto leek binnen te staan, waarschijnlijk in een oude schuur of werkplaats. Met haar hoofd tegen het portier kon ze het plafond zien. Zonlicht scheen door de kapotte ramen naar binnen en verlichtte de zwevende stofdeeltjes. Hoewel de helm en de auto het geluid dempten, dacht ze dat ze vogels hoorde zingen. Ze probeerde te gaan zitten, maar dat deed te veel pijn en ze was verzwakt. Met een kreun liet ze zich weer op de bank vallen. Misschien had ze voldoende kracht om te schreeuwen, om hulp te roepen, maar wat had dat voor zin? Niemand zou haar hier horen.

34

Jimmy duwde zijn handen tegen zijn bonkende slapen. Wat had hij verdomme gedaan?

Het had hem een uur gekost om naar het huisje te komen nadat hij de auto had verstopt. Een riskante wandeling door velden en over wegen voordat hij eindelijk tussen de bomen liep. Marcin had gezegd dat hij de boel in de fik moest steken om al het bewijs te vernietigen, maar daar was natuurlijk geen denken aan. Niet met een motoragente als pakketje op de achterbank.

Hij had geen woord over de vrouw tegen Marcin gezegd, alleen dat hij geen tijd had gehad om de auto in brand te steken. Later hadden ze zwijgend naar het opsporingsbericht op de radio geluisterd. Marcin had Jimmy's zenuwachtigheid verkeerd opgevat.

'Hé, kerel, maak je geen zorgen. Ik regel het. Geen probleem.'

'Weet je het zeker? Ik bedoel, misschien is het beter dat ik terugga om het te doen als alles wat rustiger is.'

'Nee, nee, luister naar me. Beschouw het als geregeld. Ik hoef alleen te bellen. Ik doe het meteen.'

'Oké, dat klinkt goed.'

Wat moest hij zeggen nu hij haar daar aan haar lot had overgelaten? Het was niet wat hij had gewild, maar dat was niet belangrijk. Ze zou het niet lang redden en er was niets wat hij kon doen zonder alles te riskeren. Misschien moest hij contact opnemen met de politie, maar hij was een lafaard. Te bang voor zijn eigen huid. Te bang voor de moordenaars met wie hij in zee was gegaan.

Het vakantiehuisje lag midden in een donker bos aan het eind van een overwoekerd pad. Jimmy had de plek geregeld zonder aan de anderen te vertellen hoe hij dat had gedaan. De mannen in Eskilstuna wisten er niets van en het was beter als dat zo bleef. Marcin had geen bezwaar gemaakt en Fassidy kon het niet schelen.

Jimmy had lang nagedacht of het slim was om zich hier schuil te houden. Ze hadden geen ontsnappingsmogelijkheden als de politie kwam, maar het hoorde bij het plan dat aan hem voorgelegd was, een plan dat hij nooit zelf had kunnen bedenken. Als het lukte, dan was het briljant.

Hij maakte zich echter zorgen om Fassidy. De vonk was terug in de ogen van de moordenaar. De maffia van Eskilstuna had hem gestuurd en ze zouden hem ook weer opeisen.

Het was een krankzinnige situatie. Hoewel Jimmy diep vanbinnen ook een beetje trots was. Deze keer was hij niet alleen een getergde rallyrijder. Hij had de hele zaak tenslotte geregeld. Weliswaar onder dwang, maar toch.

Marcin zette koffie. Hij vulde het filter langzaam en methodisch met koffie terwijl hij een melodie floot die Jimmy eerst niet herkende. Ineens besefte hij dat het een ernstig mishandelde versie van 'Who wants to live forever' van Queen was. Marcin schonk water op de koffie en mat dat net zo precies af. Hij vroeg niet aan de anderen of ze ook wilden, maar zette drie bekers op de kleine keukentafel. Jimmy deed de koelkast open op het moment dat het koffiezetapparaat begon te pruttelen en te sissen. Hij zat vol eten, precies zoals hem was beloofd. Ze konden het hier minstens een week uithouden. Hij pakte brood, boter en beleg.

Hij kon de politie niet bellen, dat ging gewoon niet. Ze zouden het signaal kunnen peilen en hem lokaliseren. Het zou niet helpen als hij anoniem belde. Het risico zou veel te groot zijn. Hij wist dat hij een laffe klootzak was, maar hij durfde het niet.

Marcin schonk de bloedhete koffie in en trok een stoel bij. 'Kom eens hier, neger. Je moet wat eten.'

Jimmy schrok onwillekeurig. Marcin praatte langzaam, niet minachtend, maar de belediging sneed toch door hem heen. Hij gluurde naar Fassidy, ongerust over zijn reactie. Onbewust ging zijn rechterhand naar zijn rug, waar Arnes pistool nog steeds zat.

Fassidy staarde hem boos aan. Zijn gezicht was star en gesloten. De zweetdruppels glansden op zijn gezicht. Zonder een woord te zeggen kwam hij uit bed en ging moeizaam aan tafel zitten. Hij pakte een boterham, smeerde er langzaam en nauwkeurig boter op en belegde hem daarna. Hij nam een slok koffie en vertrok zijn gezicht. 'Wat is dit? Jezus, het is zwart, maar koffie is het niet.'

Ze keken elkaar aan en begonnen te lachen, harder en harder. Eerst geforceerd, maar daarna steeds gemakkelijker. Het was krankzinnig, maar misschien juist daarom heel bevrijdend. Het was de solidariteit van misdadigers of misschien de verbondenheid van buitenstaanders.

Ik krijg haar terug, als ik maar durf te doen wat daarvoor nodig is, dacht hij.

Jan-Börje zat op zijn tractor en was na een ochtend in het bos met een lading hout op weg naar zijn boerderij. Naast hem stond het geladen jachtgeweer met de afgezaagde lopen dat hij op het grind bij de groeve had gevonden. Hij dacht dat het van pas zou kunnen komen. Hij rekte zich uit. Zijn lichaam was heerlijk vermoeid na een paar uur met de motorzaag werken. Het werk in het bos had hem zoals zo vaak geholpen om zijn evenwicht terug te krijgen en zijn gedachten te ordenen. Nu wist hij wat hij moest doen.

De vliegen in de bestuurderscabine zoemden rond zijn hoofd, maar dat kon hem weinig schelen. Een boerderij runnen was echt mannenwerk, maar het was beroerd om alleen thuis te komen. Hij merkte dat hij wilde dat Anna Lena onder de overkapping bij de voordeur zou staan om hem te verwelkomen. *Het spijt me, Janne. Kun je me vergeven? Ik zal geen ruzie meer met je maken. Ik wil niemand anders dan jou.*

Hij huiverde van welbehagen door zijn fantasie. Wat zou er daarna gebeuren? Hij zou haar in de keuken nemen, hard tegen het fornuis, waarna ze verder zouden gaan in de slaapkamer. Ze zou zich telkens weer aan hem geven terwijl ze snikkend om vergiffenis bleef smeken voor alle pijn die ze hem had aangedaan. Hij zou haar slaan, en dat zou ze accepteren omdat ze wist dat ze het verdiend had.

Zijn dagdroom werd onderbroken door een dreunend geluid achter de tractor en het protesterende geknars van de aanhangwagen.

'Verdomme!' schreeuwde hij woedend. Hij remde, schopte het portier open, sprong naar buiten en keek naar de chaos terwijl hij bleef schelden en tieren.

Een van de zijschotten van de aanhangwagen had het begeven en nu lagen de stammen in de greppel en op het weiland.

Verdomme, het zou uren kosten om dit op te ruimen. Het was meer dan hij op dit moment kon verdragen en bovendien zou het hem zonder hulp niet lukken. Had hij de lading echt zo slecht vastgemaakt? Of kwam het door die stommeling van een Stig-Ove, die hem vandaag in het bos had geholpen? De jongen was goedhartig en onschadelijk, maar slim was hij bepaald niet.

Hij had de lading toch gecontroleerd voordat hij wegreed? Nee, verdomme, dat had hij niet.

De aanhanger was stuk. Het zou veel geld kosten als hij hem niet zelf kon repareren. Alles leek vandaag te mislukken. Hoe moest hij dit in jezusnaam oplossen?

Het enige wat hij kon doen was verder rijden en reserveonderdelen ophalen. Met een zucht klom hij weer in de cabine.

Jan-Börje wilde net schakelen toen hij besefte dat de tractor nog steeds aan de kapotte aanhanger was gekoppeld. Vloekend als een ketter koppelde hij hem los en liet de aanhangwagen met de lading aan zijn lot over. Verdomme, minstens een halve dag kwijt. Het irritantste was echter dat hij de draad van zijn fantasie over Anna-Lena kwijt was. Hij had een vrouw nodig, maar had geen zin om daarvoor te kruipen. Bovendien wist hij dat er vrouwen waren die een harde aanpak waardeerden.

Maar Sanna hoef ik niet, dacht hij. Mariefred heeft geen hoeren nodig en daar zal ze nog achter komen.

Dat moest echter wachten. Nu moest hij hoognodig naar de oude schuur in Lilla Vasskärr.

35

Vrijdag 30 juni 2006, 12.02 uur

Fredrik en Emilia, een groot deel van de redactie en minstens honderd toeschouwers waren aanwezig toen *Der Schwan* Västerviken binnen gleed. Ook een paar buitenlandse journalisten, de meeste Duits, waren komen opdraven. Ulla Gense had er echter voor gekozen om vrij te nemen nadat ze had verkondigd dat ze geen belangstelling had voor de publiciteitsstunt. Fredrik was geneigd het met haar eens te zijn, maar omdat Sune Holmgren kwam, wilde hij erbij zijn.

De woordvoerder van de cultuurcommissie liep als een pauw over de kade en controleerde of alles in orde was. Hij vond het moeilijk om zijn handen stil te houden en gebaarde druk. Collega's van het stadhuis, onder wie Anna-Lena, stonden op een kluitje achter hem. Ze probeerden er neutraal uit te zien, maar konden het niet laten om veelbetekenend naar elkaar te kijken als Sune langsliep terwijl hij gebaarde en ongefundeerde bevelen naar het havenpersoneel riep.

Een plaatselijke jazzband was ter plekke om voor de juiste sfeer te zorgen. Het terras van Riva zat helemaal vol. Daar zaten de geluksvogels die genoten van koud bier en *cevapcici*, naar de muziek luisterden en de boot konden bewonderen zonder dat ze aandacht hoefden te besteden aan de hoogdravende teksten en het politieke gezwets.

Ulrika was met Hampus in de kinderwagen gekomen. Ze was naar Fredrik toe gegaan, had hem omhelsd en zijn collega's begroet, maar was daarna met een paar vriendinnen naar de ijskraam gegaan. Fredrik kon het niet laten om af en toe naar haar te kijken. Ze hadden de vorige avond geen prettig gesprek gehad. Eigenlijk kon je het ruzie noemen, hoewel ze niet tegen elkaar hadden geschreeuwd.

Deze zomer had hij af en toe het gevoel dat hij overal genoeg van had. Het was als een zwerm kleine, stekende vliegjes die de zon verduisterden, overal staken en het moeilijk maakten om adem te halen. Het was niet gemakkelijk te accepteren of te begrijpen. Het ging goed op zijn werk, ze hadden de zwangerschap en de bevalling gemakkelijker doorstaan dan hij had verwacht en Hampus was fantastisch. Toch was het alsof Ulrika en hij de vanzelfsprekendheid die er altijd in hun relatie was geweest op een bepaald moment waren kwijtgeraakt. Vorig jaar herfst, toen alles zo'n chaos was geweest, was Ulrika er de hele tijd voor hem geweest en had ze hem gesteund.

Hij twijfelde eraan of hij net zo'n grote hulp zou zijn als zij zo'n periode op haar werk meemaakte. Het was bijna bovenmenselijk geweest omdat ze zwanger was en alle reden had om zich te beklagen en hem aan zijn lot over te laten. In plaats daarvan mocht hij veilig tegen haar buik liggen en twijfelde hij er niet aan waar hij thuishoorde. Dat had ervoor gezorgd dat hij de kinderachtige machtsstrijd op de redactie, de consternatie rond zijn persoon na de jacht op de moordenaar en alle andere gebeurtenissen in het juiste perspectief had gezien. Zijn gezin was het belangrijkst, daarna kwamen Ragnarök en de krant pas.

Op dat moment had hij gedacht dat de onverbeterlijke oudgedienden op de redactie in Strängnäs met hun achterhaalde manier van werken en categorische weigering om op een nieuwe manier te denken hem nooit zouden kunnen weerhouden om goed werk te leveren zolang hij Ulrika thuis had en haar over alle idiote beslissingen kon vertellen, haar om advies kon vragen en voelde dat er naar hem geluisterd werd. Dat was nu niet meer zo en dat deed pijn.

Hij wist zeker dat zij het ook voelde, ook al besefte hij dat hij de vorige avond nauwelijks begrip voor haar had getoond. In plaats daarvan had hij zich ingegraven in de slecht gekozen positie van de gekwetste man die deed wat hij kon, iets waarin hij zelf niet eens geloofde. Hij kon haar verdrietige stem en zijn eigen grimmigheid nog steeds horen. Ze vond dat hij te weinig aandacht aan haar en de kinderen besteedde. Zijn werk kon toch niet belangrijker zijn dan Hampus? Zo drastisch had ze zich uitgedrukt en ze wisten allebei dat dat onrechtvaardig was. Daarna hadden ze rug tegen rug met het dekbed tussen hen in geprobeerd te slapen.

De omhelzing van daarnet was een beetje onverwacht geweest. Was het alleen een begroeting of het begin van een verzoening? Hij had haar op zijn beurt stevig vastgepakt.

Emilia stond vlak bij hem. Het donkere haar raakte haar schouders en werd uit haar gezicht gehouden met een paar haarspelden, en ze droeg een zomerjurk en witte sneakers. De geur van haar pasgewassen haar kietelde in zijn neus.

'Ik heb informatie over Jimmy Phil', fluisterde ze tegen hem. 'Ik geloof dat hij problemen heeft met de Clan. Ik heb gesproken met een man die vertelde dat een van de leiders, een man die Budde wordt genoemd, meerdere keren heeft geklaagd over Jimmy. Bovendien is Jimmy verdwenen en niemand wil of kan vertellen waar hij naartoe is.'

Fredrik begreep niet goed waarom ze hem dit nu vertelde, maar humde instemmend zodat ze verder zou gaan. Budde... De naam kwam hem vaag bekend voor.

Hij was gefascineerd, maar ook een beetje ongerust over de manier waarop ze al die informatie had gekregen. Wat voor contacten had ze? En hoe kwam ze daaraan?

'En weet je wat? Kun je je herinneren dat je me hebt gevraagd om die drugsdealer na te trekken? Die Lindby, je weet wel.'

'Ja?'

'Ik heb van een betrouwbare bron dat Jimmy en hij bevriend waren.'

'Wat wil je daarmee zeggen? Alle kleine criminelen kennen elkaar toch? Zo veel zijn er niet in dit gebied.'

Emilia haalde haar schouders op. 'Dat klopt, maar iets zegt me dat er meer is.'

Fredrik keek haar onderzoekend aan, maar dat merkte ze niet omdat ze voor zich keek. Hij besefte dat ze hier hard aan gewerkt had. Hij had haar veel vrijheid gegeven en besefte nu dat hij angstaanjagend weinig belangstelling had getoond voor waar ze mee bezig was.

Ze draaide zich om en keek weer naar hem op met glanzende ogen waar een plagerige blik in lag. 'En ik heb iets ontdekt waarvan ik wil horen of jij vindt dat we het nader moeten onderzoeken. Het is waarschijnlijk niets, gewoon een onverwachte samenloop van omstandigheden.'

Meer kon ze niet zeggen omdat de jazzband 'When the saints go marching in' inzette. Het havenpersoneel had zijn taak gedaan en had *Der Schwan* stevig aangemeerd. Een groep mannen kwam de ladder af. Iedereen lachte breed en zwaaide. Fredrik had de man die voorop liep eerder gezien en begreep dat het Rudi Taubermann moest zijn. Hij was klein en gespierd, met een omvangrijke buik waar het overhemd met de korte mouwen strak omheen zat. Het haar rond de kale plek, die er verbrand uitzag door de vele zonnige dagen aan dek, was kort gehouden.

Sune omhelsde hem zodra hij aan land stapte en sloeg lachend op zijn rug. De mensen eromheen hadden meer interesse voor wie er daarna kwamen. Behalve een lange, slanke man met een ernstige gezichtsuitdrukking die vlak bij de platenmaatschappijdirecteur bleef en een lijfwacht leek te zijn, waren de anderen jazzmuzikanten. Het waren bekende namen die de komende dagen op het programma stonden. Ze behoorden niet allemaal tot Taubermanns stal; hij had blijkbaar ook andere sterren aan boord uitgenodigd. Het verbazingwekkendste was dat de vrouwelijke artiesten schitterden door afwezigheid. Fredrik wist dat de boot een paar dagen in Stallarholmen had gelegen, dus deze intocht was voornamelijk een onofficiële opening van het muziekfestival. Het personeel van het toeristenbureau ging rond met bladen met champagne en hapjes. De fotografen en journalisten mochten er naar hartenlust van nemen. De sterren waren in net zo'n goed humeur als Sune Holmgren, poseerden opgewekt voor foto's en gaven interviews. De uitbundige stemming werkte aanstekelijk. Eindelijk begon het festival. Eindelijk gebeurde er iets fantastisch.

36

Ze was in slaap gevallen. Het duurde een paar seconden voordat ze besefte waar ze was en waarom ze zich niet kon bewegen. Haar lichaam tintelde. Plotseling hoorde ze het geluid weer, een gekraak waarvan ze besefte dat het haar had gewekt. Er was iemand in de schuur die de deur achter zich had dichtgedaan.

Ze gaf een gil toen er een onscherp gezicht verscheen dat nieuwsgierig door het autoraam naar haar keek. Er stroomde een golf van opluchting door haar stijve lichaam. Eindelijk was de nachtmerrie voorbij.

Het autoportier ging open en hij snoof. Ze moest naar zweet en urine stinken, ook al rook ze dat zelf niet.

Ze ontspande een beetje. Hij zag er niet gevaarlijk uit. Waarschijnlijk was hij een boer. Ze wachtte tot hij haar uit de auto zou helpen, maar hij bleef staan. Daarna begon hij te lachen. 'Wat doe jij hier zo helemaal alleen? Is er iemand stout tegen je geweest?'

Ze probeerde iets te zeggen, maar haar stem weigerde dienst. De gil van daarnet was niet veel meer dan gekras geweest en nu was het alsof haar stembanden verdord waren.

Hij zweeg en begon zwaar adem te halen.

Ze probeerde te gaan zitten, maar dat lukte niet. Zijn ogen gleden over haar lichaam. Ze zag dat zijn rechterarm ritmisch bewoog. Ze probeerde weer te schreeuwen, maar er klonk alleen gerochel.

Hij kreunde en veegde zijn rechterhand aan zijn broekspijp af. Daarna boog hij zich over haar heen en grinnikte. 'Is er iemand die thuis op je wacht?'

Ze voelde zijn handen, die onhandig over het motorpak gleden en haar borsten hard kneedden. Ze verzamelde al haar krachten voor een wanhopige poging om weerstand te bieden. Ze probeerde haar benen op te trekken om hem een trap in zijn buik of zijn kruis te geven, maar het was alsof hij wist wat ze van plan was, want hij deed een stap naar achteren. Daarna verdween hij.

Ze hoorde hem de deur van de schuur opendoen, maar hij was meteen weer terug. Hij had iets in zijn hand wat glansde toen hij het naar haar hals bracht. Daarna stak hij.

Ze schreeuwde met haar verdorde stembanden en hij lachte weer. Heel even dacht ze dat hij haar levend zou villen.

Ze voelde dat hij van haar hals helemaal naar haar schaambeen sneed. Daarna volgden twee snelle, verticale halen onder haar borsten.

Hij trok de flappen van het motorpak van haar borsten en haar buik. Hij had een doek vol olievlekken rond zijn hoofd gewonden, maar ze zag zijn begerige ogen. De man ging rechtop staan en liet het mes op de betonnen vloer vallen.

Ze hoorde zijn zware ademhaling weer en zag dat hij zijn smerige overhemd begon open te knopen. Plotseling stopte hij, alsof hij iets had bedacht. Hij boog zich weer naar voren en pakte haar onder haar armen. Ze merkte hoe sterk hij was. Hij legde haar over zijn schouder en liep naar de achterkant van de auto.

'Zullen we het ons gemakkelijk maken?'

Ze merkte dat hij ergens tegenaan schopte, daarna legde hij haar op de vloer. Naast haar lag een oude matras. Het schuimrubber stak uit de gaten die de muizen hadden gemaakt.

Ze moest haar helm af krijgen. Hem dwingen om haar te zien. Bovendien had ze het gevoel dat ze geen adem kon halen.

Nu waren de knopen open. Waarom trok hij zijn overhemd niet uit? In plaats daarvan stond hij weer naar haar te kijken. Hij draaide zijn hoofd naar de deur en luisterde. 'Nergens naartoe gaan.' Hij ging op zijn hurken zitten en kneep lachend met een smerige hand in haar borst. 'Ik ben zo terug.'

Hij kwam overeind en liep weg. Ze dacht dat ze het geluid van een motor hoorde. Het was de enige kans die ze zou krijgen.

De kapotgesneden overall gaf haar meer bewegingsvrijheid en de tape rond haar armen zat niet zo strak meer. Langzaam, veel te langzaam, probeerde ze haar rechterarm uit haar mouw te krijgen. Uiteindelijk lukte het. Toen haar armen vrij waren, trok ze de gehate helm af, zoog zo veel mogelijk lucht in haar longen en ging zitten.

Het geluid van de motor was verdwenen en ze hoorde allerlei geluiden die haar eerder niet hadden bereikt: het gekraak van de houten muren; het geritsel van een muis of woelmuis tussen de rommel; de wind die door de kieren blies. Daarna hoorde ze de schoten: eerst een zachte knal en daarna een hardere. De auto schudde en ze trok wanhopig aan het tape rond haar scheenbenen, maar dat weigerde mee te geven. Ze zag dat de schuurdeur half openstond, maar buiten zag ze niets. Ze snoof de scherpe lucht van benzine op en zag de plas op de betonnen vloer. Het ruiste en spatte onder de auto; het schot had de benzinetank blijkbaar geraakt.

Ze probeerde overeind te komen, maar was veel te zwak. Haar benen trilden en wilden haar niet dragen. De schuurdeur werd opengeduwd en een gestalte vulde de deuropening. Hij was terug.

Ze rolde over de matras tussen de rommel en kroop verder naar de muur. Oud, afgedankt gereedschap, roestige dakplaten en opgedroogde verfblikken rammelden. Hij kon elk moment bij haar zijn en ze zou vechten voor haar leven.

Er kwam echter niemand. Het werd weer stil. Daarna hoorde ze een schurend geluid, alsof iemand een zware zak over de vloer sleepte. Ze lag doodstil te wachten.

Soms functioneren de zintuigen eigenaardig. Kleine, onbetekenende geluiden en geuren worden waargenomen en maken indruk terwijl oorverdovende geluiden en pijn worden verdrongen. Op dat moment, met het gerammel van de troep in haar oren, met schaafwonden over haar hele lichaam en benzinedampen die in haar neus prikten, hoorde ze het geluid van een lucifer die langs een doosje werd gestreken.

37

Vrijdag 30 juni 2006, 12.34 uur

'Hebben jullie het grote nieuws gehoord?'

Tore kwam naar de receptie lopen toen Fredrik en Emilia binnenkwamen.

'Nee, wat dan?'

'Er gebeuren interessante dingen, Fredrik!' Tore straalde over zijn hele gezicht. Hij was duidelijk bijzonder tevreden dat hij meer wist dan de misdaadjournalist, maar raakte een beetje van zijn stuk toen hij de snelle blik zag die de journalisten wisselden. 'Tja, dus… Eh, voor jou ook, Emilia. Ha, ha, dit is heel spannend voor een jonge journalist.'

Ze glimlachte vriendelijk naar hem. Uit ervaring wist ze dat het de beste manier was om mannen die haar als een kind behandelden tegemoet te treden. 'Leuk! Wat is er gebeurd?'

Tores blik zwierf heen en weer. Hij voelde zich duidelijk ongemakkelijk in zijn nieuwe rol als voorlichter. 'De politie heeft een man opgepakt. Hij is blijkbaar betrokken bij de bankoverval.'

'O ja? Weet je wie het is? En op welke manier is hij erbij betrokken?'

'Tja, het lijkt erop dat jullie gelijk hadden. Ze hebben Simon Theorin opgepakt, een van de bankemployés.'

Fredrik floot zachtjes. 'Zo zie je maar weer! Dus de officier van justitie bekijkt de zaak nu?'

Tore keek snel op zijn horloge. 'Als ik het goed onthouden heb, wordt hij over een kwartier voorgeleid.' Hij voelde hun irritatie onmiddellijk. 'Tja, ik was natuurlijk van plan jullie te bellen, maar toen kwam Ulla en…'

'Is ze dan niet vrij?'

'Eh, dat weet ik niet. Ze kwam binnen op het moment dat we het telefoontje kregen, dus heb ik de informatie aan haar gegeven.'

'Het was dus een tip?'

'Jazeker! Het roddelcircuit natuurlijk. We hebben het van Peter Bornmark van Östgöta Enskilda Bank. Hij had het gehoord van iemand bij de gemeente wiens dochter blijkbaar bij de Mälardalsbank werkt. Puur leedvermaak, als je het mij vraagt.'

'Weet je of Ulla iets weet over de reden waarom ze hem opgepakt hebben?'

'Het is haar blijkbaar gelukt om Maria Carlson te pakken te krijgen, maar veel meer weet ik niet. Het was iets met zijn mobiel. Ze zeggen dat die gebruikt is bij de overval. Ulla had het over een code, maar dat moeten jullie haar vragen.'

Ze bedankten Tore en liepen naar de redactie. Ze hadden allebei een gevoel van mislukking en onvrede omdat ze zoiets belangrijks gemist hadden.

Ulla zou de voorpagina en de aanplakbiljetten krijgen en wie zou zich morgen druk maken over een paar mannen die elkaar begroetten bij een luxejacht? Fredrik vloekte binnensmonds. Hij kon het zich niet eens veroorloven om een hatelijk stuk over Sune Holmgren te schrijven. Daar zou hij zichzelf mee in de vingers snijden. De aankomst was immers geslaagd geweest en in sommige kringen werd een drammerige journalist niet gewaardeerd.

Hij kon het net zo goed loslaten.

'Zullen we een kop koffie gaan drinken? Dan kun je wat meer vertellen over Jimmy Phil en wat je hebt ontdekt.'

Emilia knikte en ze liepen de trappen af naar de kelder. Wanneer er eindelijk een koffieruimte bij de redactie zou komen wist niemand.

'Ga zitten, dan haal ik het. Melk maar geen suiker, toch?'

Het was elke dag hetzelfde ritueel. Hun routine was zo vertrouwd dat Emilia automatisch op haar plek ging zitten, een stoel in een van de hoeken. Het maakte niet uit dat ze alleen waren.

De koffieautomaat klonk niet gezond. Hij reutelde en siste op een verontrustende manier, maar Fredrik wist dat het de bedoeling van fabrikant Wittenborg was om de koffiedrinkers een gevoel van persoonlijke service te geven. Het was in elk geval een nieuwe automaat, ook al smaakte de koffie weinig beter.

Hij hield de twee gloeiend hete plastic bekers tussen zijn vingertoppen, laveerde tussen de tafels door naar Emilia en ging tegenover haar zitten.

Ze pakte een beker uit zijn hand, maar zette hem meteen neer zonder een slok te nemen.

'Goed, vertel. Je hebt dus interessante dingen over Jimmy Phil ontdekt. Nu is de man verdwenen en jij vermoedt dat hij betrokken is bij de overval, klopt dat?'

Emilia knikte, maar zag er afwezig uit. 'Denk je dat er brood en beleg is? Ik moet iets eten.'

Fredrik haalde zijn schouders op. Ze kwam overeind en liep naar de koelkast.

Haar zoektocht had blijkbaar succes, want ze kwam terug met een droog, verschrompeld kaneelbroodje in haar hand. 'Waar waren we ook alweer? O, ja, Jimmy. Zijn ruzie met de maffia in Eskilstuna, of in elk geval met die Budde.'

'Hoe heb je dat ontdekt?'

Ze glimlachte ondeugend naar hem. 'Sorry, beroepsgeheim.'

'Hou op!'

'Ha ha. Nee, het is eigenlijk niet zo geheimzinnig. Bertil Lindby was weliswaar een zielige drugsgebruiker zonder scrupules, maar veel mensen lijken bang geworden te zijn door zijn gewelddadige dood. Ik had al een keer met Maria Carlson gepraat en zij vertelde dat Lindby altijd rondhing bij het gezondheidscentrum, dus ben ik daarnaartoe gegaan. Het duurde niet lang voordat ik iemand vond die wilde praten. Een van Lindby's klanten natuurlijk, een man met duidelijke ontwenningsverschijnselen. Hij vertelde dat Lindby, of Berra zoals hij werd genoemd, een oude vriend van Jimmy was.'

'Waarom vertelde hij dat?'

Emilia keek hem verbaasd aan. 'Omdat ik het hem gevraagd heb natuurlijk. Je bent de opdracht die je me hebt gegeven toch niet vergeten?'

Nee, dat was hij niet, maar... Emilia zag zijn verwarde gezichtsuitdrukking en ging verder zonder op antwoord te wachten. 'Het was vanaf het begin jouw idee. Om het racecircuit in Sörmland aan een nader onderzoek te onderwerpen, bedoel ik. Jimmy's naam viel meteen op. Per Strand vertelde me laatst dat ze de bekende kleine criminelen in het gebied een beetje extra in de gaten houden. Hij beweerde dat het preventief werkt. Ik heb hem gevraagd om uit te leggen wat hij bedoelde en hij gebruikte Jimmy als voorbeeld. Regelmatige thuisbezoeken scheppen een onzekerheid die de criminele werkzaamheden bemoeilijken en in sommige gevallen stoppen ze helemaal, vertelde hij. Blijkbaar praten Per en zijn collega Kjell Jonsson vaak met Jimmy en houden ze zichzelf voor dat het verschil maakt.

Nu ik erover nadenk geloof ik zelfs dat hij vertelde dat Jimmy gek is op rallyrijden. Maar goed, het was niet moeilijk te constateren dat Jimmy de interessantste kandidaat is voor de ontsnapping uit Bondhagen. Het is alleen onwaarschijnlijk dat hij dat zelf heeft geregeld.'

'Ja, ik herinner het me weer. Dat heb je eerder verteld. Maar waarom ben je verder gaan spitten? Hoe heb je de koppeling tussen Lindby en de overval gemaakt?'

'Jij zegt toch altijd dat je een beetje geluk moet hebben? Ik kon de gedachte aan Jimmy niet loslaten. Als hij het is geweest, heeft hij hulp gehad. Daarna herinnerde ik me iets wat ik van Ulla heb gehoord.'

Ze zweeg en Fredrik begreep dat het de bedoeling was dat hij zijn nieuwsgierigheid zou tonen. 'Ulla. Wat zei ze dan?'

'Dat er niets gebeurt zonder dat de Clan een van hun smerige vingers in de pap heeft.'

Fredrik knikte. Het was een van Ulla's onomwonden uitspraken, en helaas maar al te waar.

'Dus met een geloofwaardige kandidaat achter het stuur van de vluchtauto en een mogelijke koppeling met de Clan begon ik naar een verband te zoeken; het raakvlak tussen Jimmy en de maffia in Eskilstuna.'

'Jezus, je hebt je er echt in gestort, nietwaar?'

Ze rolde met haar ogen en lachte droog. 'Tja, het uitgaansleven in deze stad is niet bepaald indrukwekkend. Ik heb voldoende tijd gehad om na te denken en rond te bellen. Bovendien was het heel spannend toen ik eenmaal op gang was.'

'Maar waarom vertel je het nu pas?'

'Omdat ik nu pas het gevoel heb dat ik iets heb, en toch zijn het voornamelijk speculaties.'

Fredrik knikte opnieuw. Hij kwam om in het werk en het was heel prettig dat iemand die tijd had gehad om aan iets anders dan de dagelijkse gang van zaken te denken.

'Ik begon met mensen die ik ontmoette te praten over Jimmy en vroeg ze wie hem kende, zodat ik het verband met de Clan al vermoedde toen de overval plaatsvond.'

'O ja?'

'Dat was jij trouwens weer. Ik worstelde me door een aantal oude artikelen over de Clan toen ik er een vond dat jij ongeveer een jaar geleden hebt geschreven. Het ging over een inval van de politie van Eskilstuna in een magazijn in Folkesta. Jij meldde dat Budde Andersson en een paar anderen waren aangehouden op verdenking van heling. Je schreef ook dat er een grote kans was dat ze banden hadden met de georganiseerde misdaad.'

Daarom herkende hij de naam natuurlijk. Hij herinnerde zich dat hij een discussie met Gege had gehad over het publiceren van zijn naam. 'Ik bleef hangen bij het helen. Per Strand had tenslotte verteld dat Jimmy inbraken pleegde om in zijn levensonderhoud te voorzien, dus was de koppeling niet moeilijk te leggen. En inderdaad vond ik al snel een meisje dat ze allebei kent.'

Fredrik nam een slok koffie. Het smaakte naar niets, maar hij kreeg in elk geval geen verbrande tong. 'Ja ja, en wie beweerde dat ze ruzie hadden?'

'De man die wist dat Lindby en Jimmy vrienden waren. Lindby heeft hem verteld over een akkefietje waarmee hij Jimmy moest helpen. Hij vertelde ook dat Jimmy problemen met Budde had en dat de ruzie voor eens en voor altijd opgelost moest worden.'

'Je gelooft dus dat Jimmy rechtstreeks betrokken is bij de overval?'

Emilia haalde haar schouders op. Ze had een nadenkende blik in haar ogen. 'Dat is lastig te zeggen. Ik ben vrij zeker van zijn betrokkenheid, maar ik weet niet op welke manier.'

'Mmm... Van het weinige wat Per wilde vertellen, heb ik inderdaad begrepen dat de chauffeur van de vluchtauto uitstekend kon rijden.' Fredrik trommelde met zijn vingers op tafel en keek naar een punt achter haar. Het duurde meerdere seconden voordat hij antwoord gaf. 'Hoor eens, dit lijkt allemaal heel interessant, maar het is vrij lastig om er een artikel over te schrijven. Het zijn inderdaad voornamelijk geruchten en speculaties. Hoe wil je verdergaan?'

Emilia zuchtte. De nadenkende blik in haar ogen was er nog. 'Dat is het probleem. Bovendien is er meer. Een vermoeden dat ik maar moeilijk los kan laten.'

'En dat is?'

'Het lijkt eigenlijk veel te samenzweerderig. Vergezocht misschien. Alsof ik een verband zie dat er niet is. Beloof je om niet te lachen?'

Hij was een beetje overvallen door haar veranderde toon en de angst die plotseling in haar stem te horen was. 'Natuurlijk niet. Dit is een theoretische discussie. We kijken naar mogelijkheden, verder niet. Wat is je vermoeden?'

'Taubermann. Ik ben benieuwd naar Rudi Taubermann.'

Fredrik keek in haar ogen. Hij probeerde zijn gezichtsuitdrukking neutraal te houden en niet te beoordelen wat ze zei. Hij begreep er niets van. 'Wat is er met hem?'

Ze zuchtte alsof het haar tegenstond om verder te gaan. Als hij niet beter wist, zou hij denken dat ze zich met opzet theatraal gedroeg.

'Weet je wie hem hiernaartoe gehaald heeft? Naar het festival dus?'

'Ja... Anna-Lena Olofsson was toch degene die...'

'Zij heeft hem uitgenodigd, maar Arne Kyrkström heeft het contact gelegd.'

Fredrik kreeg een flashback van een donkere, patserige villa bij het water, een zenuwachtige man op een fauteuil, zijn zeurderige stem en een glas cognac waarin ijsblokjes tinkelden. Hij had de autohandelaar daarna vaker gezien, maar ze hadden nooit meer met elkaar gesproken.

'Dat is misschien niet zo verwonderlijk, maar er is nog iets wat vreemd is. Toen ik Jimmy natrok kwam ik erachter dat Kyrkström en hij ook bevriend zijn.'

'Wat?'

'Ja, dat is zo. Of dat denk ik in elk geval. Ik heb van verschillende kanten gehoord dat ze zaken met elkaar hebben gedaan. Bovendien is Arne een paar keer bij Jimmy op bezoek geweest, als ik de buren moet geloven.'

'Maar wat heeft dat met Taubermann te maken?'

'Daar kom ik zo op. Weet jij wie er bij Taubermann aan boord zijn?'

'Nee, eigenlijk niet.'

'Afgezien van de bemanning heeft hij twee mannen die altijd aanwezig zijn. Dat zijn zijn advocaat Rolf Heinz en zijn lijfwacht Udo Bauer. De laatste heb je op de steiger gezien. Hij is overal waar Taubermann is. Heinz was er echter niet bij. Ze werken allebei al jarenlang voor hem. Heinz is blijkbaar mede-eigenaar van een klein advocatenkantoor in Frankfurt am *an der* Oder, ten oosten van Berlijn, maar hij is zelden thuis. Ik heb hem nagetrokken op internet, en hij onderscheidt zich niet op een bepaalde manier. Hij is een advocaat die het geluk gehad heeft dat hij Taubermann zo'n tien jaar geleden tegen het lijf is gelopen. Ik gok dat hij bijna al zijn inkomsten bij de directeur verdient. Bauer is een oude vechtsporter, een voormalige Duitse internationale judokampioen die nu voor Taubermann werkt. Officieel is hij de veiligheidsmanager, maar hij lijkt niet veel meer te doen dan de platenmaatschappijdirecteur te schaduwen.'

Ze maakte geen grapje. Ze was echt grondig te werk gegaan. Het was op de grens van manisch, maar hij kon geen oordeel vellen voordat ze klaar was met haar verhaal.

'Dit is waar ik het verdachte verband ontdekte. Iets wat ik toevallig tegenkwam toen ik wat research deed naar Marcin Szalas. Je weet wel, de uitbreker.'

'Natuurlijk weet ik dat. Hoe komt hij in het verhaal terecht?'

'Luister, ik heb wat Duitse en Poolse veroordelingen gelezen. Het lijkt erop dat hij smokkelde tussen Duitsland en Polen. Alcohol, sigaretten en god weet wat, maar drugs worden niet genoemd. Voordat hij in Zweden werd opgepakt, bedoel ik. In een paar Poolse nieuwsartikelen die ik heb gevonden...'

Fredrik trok zijn wenkbrauwen op.

'...wordt gesuggereerd dat hij betrokken is bij ergere zaken. Het verbazingwekkendste is dat hij maar één keer is veroordeeld. Dat was in Polen en de straf die hij kreeg was ongewoon kort.'

'Dat wijst op maffiacontacten, als je het mij vraagt. Maar... Wat is het verband met Taubermann?' Hij begon ongeduldig te worden. Het artikel over de intocht van Taubermann moest geschreven worden voordat hij naar huis kon en hij had er vandaag absoluut geen behoefte aan om laat te zijn.

'Ik ontdekte het toen ik me in de Duitse rechtszaak verdiepte. Weet je wie allebei de keren de advocaat van Szalas was?'

'Nee. Rolf Heinz?'

'Inderdaad.'

38

Vrijdag 30 juni 2006, 12.41 uur

Ingvar Lundmark was vermoeider dan hij wilde toegeven. Het was alsof hij vastgegroeid was op zijn motor. Het afgelopen etmaal had hij zijn groep tot het uiterste gedreven en misschien nog een stukje verder, maar nu hadden pure barmhartigheid en de overurenregelingen ervoor gezorgd dat hij hen terug had gestuurd naar Södertälje. Ze zouden het zoeken naar Boel later in de middag voortzetten.

Zelf was hij echter niet van plan om een pauze te nemen. Elke minuut telde. Hij wist niet hoeveel kilometer hij al had afgelegd over de smalle weggetjes tussen Strängnäs en Södertälje en dat kon hem ook niet schelen. Hij was zich er heel goed van bewust dat ze net zo goed ergens anders kon zijn. De politieleiding was in twee kampen verdeeld. Sommigen dachten dat de overvallers nog in Oost-Sörmland waren, maar de meesten waren ervan overtuigd dat ze door de versperringen waren gebroken. In dat geval waren ze misschien in Stockholm of was het hun gelukt om het land uit te komen. Ingvar hoorde bij degenen die geloofden dat de overvallers nog in het gebied waren of in elk geval Boel hadden achtergelaten. Er ontbrak een vluchtauto, dezelfde auto die hem bijna had overreden en die Boel had achtervolgd. Misdadigers verbrandden hun auto's altijd als ze de kans kregen, dat wist elke agent. Het was de laatste strohalm.

Nu was hij terug in het gebied waar Boel was verdwenen. Hij en zijn groep waren bij alle huizen in de omgeving langs geweest om te controleren of iemand iets had gezien, maar ze hadden overal bot gevangen. Daarnaast had de burgerbescherming zonder resultaat in de bossen gezocht. Toch ging hij keer op keer terug, misschien in de hoop dat hij een spoor zou vinden. Iets, wat dan ook, wat duidelijkheid kon geven.

Hij was al drie keer langs Skottvångs groeve gereden en reed opnieuw over de weg die Boel had genomen, door de bocht waar Fritte van de weg was geraakt, over het slingerende grindpad naar de plek waar ze haar motor hadden gevonden. Deze keer stopte hij niet, maar reed meteen verder. Even later liet hij het bos achter zich. Hij knipperde met zijn ogen en vocht tegen de slaap.

Op weg naar de splitsing bereidde hij zich voor op een bocht naar rechts en keek naar links om te zien of er verkeer aankwam. Hij zag geen auto's, maar wel een enorme rookkolom minder dan een kilometer verderop. Hij stopte de motor op de kruising. Zijn rechter richtingaanwijzer tikte, maar hij kon zijn ogen niet van de rook afhouden. Waardoor werd een dergelijke rookontwikkeling veroorzaakt? Het zag er niet uit als een bosbrand en het was het verkeerde jaargetijde om struikgewas te verbranden.

Naar de hel met vermoeidheid en moedeloosheid, hij moest het controleren. Hij sloeg af naar links en draaide het gas open. Ook hier kronkelde de weg als een slang door het landschap. Soms zag hij de rook niet als de weg vlak langs een groep bomen liep, maar even later was hij weer zichtbaar.

Al snel rook hij een scherpe lucht. Hij begreep meteen dat er een huis in brand stond. Het was rook van brandend plastic en geschilderd hout; een heel andere lucht dan een brandend bos. Hij ging nog harder rijden terwijl hij via de ingebouwde headset in zijn helm contact opnam met SOS Alarm.

Ineens zag hij de brandende schuur. Dikke, zwarte rook walmde uit de open deur en het dak brandde op verschillende plekken. Voor de deur stond een tractor gevaarlijk dicht bij de schuur geparkeerd, maar hij zag niemand. Autobanden hadden sporen in de zachte aarde achtergelaten. Ingvar was geen expert, maar voor zover hij het kon beoordelen waren de bandensporen vers, maximaal een uur oud. Hij stapte van de motor en liep voorzichtig naar de met rook gevulde deuropening. Wat was er gebeurd? Was de brand aangestoken? Dat leek inderdaad zo als hij afging op de benzinestank en de jerrycan die bij de muur stond.

Hij hoorde een geluid dat hij niet goed kon plaatsen. Misschien was het verbeelding, maar er klonk een metaalachtig geluid uit de schuur dat bijna verdronk in het geknetter van het vuur.

Ingvar stond inmiddels zo dichtbij dat hij de hitte begon te voelen en in de vlammenzee voorbij de deur kon kijken. Hij zag de contouren van een auto en toen de rook even uiteendreef herkende hij hem. Zijn hart sloeg op hol. Verdomme, stel dat ze binnen was!

Hoelang brandde het al? Blijkbaar niet zo lang. Hij zag dat de vlammen op het dak voornamelijk van de kapotte dakramen afkomstig waren. Ongeduldige vlammentongen likten aan alles wat op hun pad kwam en zouden het dak al snel in lichterlaaie zetten. Via de deuropening werd zuurstof naar binnen gezogen, waardoor de vlammen omhoogschoten. Rond de auto was de schuur een inferno. Hij zag de donkere vorm van een brandend lichaam naast de auto en dat maakte hem misselijk van angst. Iemand was gestorven in het vuur en het was niet vreemd als het Boel was.

Hij moest proberen het lichaam naar buiten te krijgen. Hij keek wild om zich heen naar iets wat hij als bescherming kon gebruiken en zag uiteindelijk de punt van een oude paardendeken uit een van de ramen van de tractorcabine steken. Hij sprong op de treeplank en trok de cabinedeur open. Het stonk naar oud zweet, beschimmeld voedsel en diesel. De deken zag eruit alsof iemand erop had gekotst, maar het was beter dan niets. Hij sprong naar beneden met de deken in zijn armen en rende naar de badkuip halfvol regenwater die bij de schuur stond. Hij gooide de deken en zijn motorhandschoenen erin.

Toen hij zijn handschoenen weer aantrok en de druipende deken optilde, hoorde hij opnieuw geschraap van metaal.

Hij haalde diep adem en rende naar binnen. Hij kon alleen maar hopen dat de deken en de helm hem in elk geval een beetje zouden beschermen.

Ingvar liep het vuur in. De vloer brandde en de vlammen speelden rond zijn benen. Zijn voeten begonnen onmiddellijk te prikken. Hij bukte snel en tastte met zijn handen over het brandende lichaam. Het siste en rookte rond de natte handschoenen. Hij pakte een been en trok. Het lichaam was loodzwaar, maar het lukte hem toch het in de juiste richting te verplaatsen. Hij hoefde nog maar vier stappen naar de deuropening te doen, maar kreeg moeite met ademhalen. De rook stak in zijn ogen, waardoor hij moeite had om iets te zien, maar hij begreep dat het slappe lichaam in de katoenen kleding niet van Boel kon zijn.

Hoewel dat een opluchting was, had hij geen tijd om daarover na te denken. Ze moesten naar buiten. Zijn spieren deden pijn van de inspanning, maar langzaam sleepte hij het lichaam over de brandende vloer. Er bleef een streep brandende benzine achter, waardoor de vlammen hem naar de uitgang volgden. De plek waar het lichaam net had gelegen was een beroet eiland in een zee van vuur. Het laatste wat hij met zijn rode, met rook gevulde ogen zag voordat hij buiten was, waren alle moeren, schroeven en metalen voorwerpen die rond de auto lagen.

Hij tuimelde samen met het ernstig verbrande lichaam de schuur uit.

Eén ding was meteen duidelijk: de man had een kogelgat in zijn voorhoofd.

Wat was hier in vredesnaam gebeurd?

Er klonk gerammel en hij keek in de schuur. Op de plek waar het lichaam daarnet had gelegen, draaide een oude wieldop. Ingvar begreep dat die daar niet uit zichzelf was gekomen. Plotseling kreeg het geluid dat hij eerder had gehoord een nieuwe betekenis.

Hij kwam snel weer overeind. Zijn keel brandde en zijn ogen traanden. Hij wilde niets liever dan zijn helm afdoen, maar dat moest wachten. Hij gooide de deken nog een keer in de oude badkuip en doopte de rokende handschoenen onder water. De stank van verbrand rubber hing zwaar om hem heen, maar hij leek geen ernstige brandwonden te hebben. Een dreun in de schuur en een drukgolf maakten hem duidelijk dat de tank van de auto was gescheurd. Ingvar wist dat het de bluswerkzaamheden aanzienlijk zou bemoeilijken, maar hij vroeg zich vooral af hoe de arme ziel die al minutenlang zijn aandacht probeerde te trekken eraan toe zou zijn als de rest van de brandstof in een douche van vuur naar buiten was gekomen. Het ergste was dat hij plotseling wist dat het Boel moest zijn.

Met een schreeuw en de deken als een armzalige paraplu over zijn hoofd rende hij weer naar binnen. Hij zag haar bijna meteen. Ze lag beschut achter een stapel planken op de vloer tegen de muur gedrukt. Hij begreep waarom ze daar was gebleven. Hij zag de tape rond haar scheenbenen en haar ontblote lichaam. De rook trok langs de vloerplinten in de lekke schuur. Nu de uitgang versperd was door de zee van vuur en ze te zwak en te onbeschermd was om naar buiten te kunnen, zocht ze frisse lucht. Midden in het vuur brandde de trots op haar binnen in hem. Hij vocht zich naar voren door de gloeiende troep. Rode en oranje schilfers dwarrelden overal omhoog. Het was verschrikkelijk heet aan zijn benen en rug. Hij bukte zich, tilde haar voorzichtig op in de warme, natte deken en wankelde naar de deur.

DEEL 7 - UIT DE SCHADUW

Jazz Police I hear you calling, Jazz Police I feel so blue.
Jazz Police I think I'm falling, I'm falling for you.
Wild as any freedom loving racist, I applaud the actions of the chief.
Tell me now, oh beautiful and spacious, am I in trouble with the Jazz Police?

'Jazz Police' – LEONARD COHEN/JEFF FISHER

39

Zaterdag 1 juli 2006, 06.44 uur

Vandaag ging het gebeuren. Het jazzfestival was echt begonnen. Emilia ging rechtop zitten in bed en rekte zich uit. Ze had geen rust om nog langer te slapen. Het zou zo leuk zijn om mee te doen aan het volksfeest en te proberen haar collega's uit zowel Stockholm als het buitenland de loef af te steken. Het probleem was alleen dat ze zich nog bijna net zo moe voelde als toen ze naar bed was gegaan. Ze wilde dat ze een verduisteringsgordijn voor het raam had. Ze huurde de kamer bij een gezin in Storgärdet dat zijn inkomsten probeerde te vergroten. Het was ooit een dienstbodekamer in een statig huis geweest. De kamer lag vlak naast de gerenoveerde keuken, had een eigen toilet en min of meer een eigen ingang omdat de deur naar de tuin zich naast haar kamer bevond. Het enige raam keek uit op het oosten, naar de garageoprit en een paar uitstekend verzorgde appelbomen. Het vogelgekwetter was oorverdovend.

Hoewel ze moe was, had ze de vorige avond moeite gehad om in slaap te vallen nadat ze het Duitse rechtszaakprotocol en andere documenten had gelezen. Ze moest de hele tijd denken aan het gesprek met Fredrik. Ze was zenuwachtig geweest om hem te vertellen waar ze mee bezig was, hoewel hij het grotendeels goed had opgenomen en zelfs waardering voor haar werk had gehad. Ze hield zichzelf niet voor de gek, want ze wist wat haar drijfveer was: zijn aandacht.

Ze was niet verliefd op hem, in elk geval niet in de ware betekenis van het woord. Natuurlijk, ze speelde nog steeds met de gedachte om een verhouding met hem te beginnen, maar ze geloofde niet dat het realistisch was. Hij was veel te verliefd op zijn vrouw, ook al besefte hij dat zelf misschien niet. De manier waarop hij gisteren in Västerviken naar Ulrika had gekeken, was overduidelijk geweest en bevestigde wat ze vanaf het begin had geweten. Ze probeerde zichzelf voor te houden dat hij veel te degelijk was om een leuke verhouding mee te hebben, en meer dan dat wilde ze niet.

Ergens vond ze hem een rare snijboon. Een man die probeerde jonger te lijken dan hij was, die overduidelijk een beginnende veertigerscrisis had, met een gezicht waarop geschreven stond dat het hem dwarszat dat hij niet langer in het DN-gebouw werkte.

Aan de andere kant werd ze meegesleept door zijn energie en creativiteit. Ze bewonderde de professionele manier waarop hij goed nieuws onderscheidde en dat hij altijd de interessantste invalshoeken vond. Daarnaast was ze gevleid door zijn aandacht. Eerst had ze de uitnodigingen waar hij blijkbaar niet eens achterstond, beschouwd als het gebruikelijke machogedrag, maar na een tijdje had ze gemerkt hoeveel belangstelling hij voor haar werk had en dat hij bepaalde verwachtingen van haar had.

Daarom had hun gesprek van gisteren ook een nare bijsmaak achtergelaten. Fredrik was niet zo enthousiast geweest als ze diep vanbinnen had gehoopt. Hij zag geen mogelijkheden voor een artikel. De speculatiefactor was veel te hoog en hij twijfelde of ze diep genoeg kon graven om iets echt onthullends over Taubermann te schrijven. Vooral niet omdat het jazzfestival over een week afgelopen was, waarna de belangstelling voor de Duitser aanzienlijk zou verminderen.

Wat haar het meest irriteerde, was dat ze besefte dat hij waarschijnlijk gelijk had. Toch was ze niet van plan met haar onderzoek te stoppen. Ze had er te hard en te lang aan gewerkt om tevreden te zijn met een waarderend klopje op haar hoofd. Ze kon Marcin Szalas gewoon niet loslaten. Hoe meer ze las, des te meer fascineerde hij haar.

Hij was geen gewone misdadiger, dat was duidelijk. Hij was berucht en werd bewonderd, verafschuwd en gerespecteerd. Hij was een mythe, de gepersonifieerde persoonlijkheidsverheerlijking. Ze had informatie gevonden waarvan ze twijfelde of de Zweedse politie die had. Veel arme en buitengesloten mensen in Krakau hadden hem als hun redder in de nood beschouwd. Voor Emilia was hij een raadsel, omdat de informatie tegenstrijdig en moeilijk te beoordelen was. Het was een klassieke truc van maffialeden om zichzelf op te werpen als een voorvechter van de zwakkeren. Liefdadigheid werd gebruikt om loyaliteit te krijgen en op die manier een veiliger milieu voor de baas en zijn handlangers te creëren.

De beste informatie was afkomstig uit een politierapport van commissaris Helmut Kalinski, die blijkbaar veel wist over het Poolse criminele wereldje. Het rapport was gebruikt als bijlage van een rechtszaakprotocol. Tussen de regels door las Emilia dat de politieagent bewondering voor Szalas had. Kalinski schreef dat er hardnekkige geruchten over hem in omloop waren. Hij was een oplichter, een donjuan, een wraakengel, een meedogenloze man die iedereen in zijn omgeving manipuleerde, maar ook een vrijheidsheld, een Robin Hood en in principe een goede man die vocht voor een beter Polen.

Emilia moest erom lachen. Het politierapport was lichtelijk absurd en was verschrikkelijk gekleurd, maar het bracht haar fantasie absoluut op gang. Wat deed zo'n man in Zweden en waarom zou hij het risico nemen om met een grote hoeveelheid drugs in zijn auto de grens over te steken? Hij zou beslist handlangers hebben die hij dat soort vuile klusjes kon laten opknappen. Bovendien was nooit gebleken dat hij betrokken was geweest bij de drugshandel. Integendeel, Kalinski schreef dat Szalas de reputatie had dat hij zich buitengewoon hard opstelde tegen drugsdealers en pooiers. Hij werd ervan verdacht dat hij betrokken was geweest bij de opmerkelijke moord op een bordeelhoudster en haar handlanger in november 2001. Een jaar later zou hij voor de ogen van een beruchte bendeleider een partij cocaïne in brand gestoken hebben, waarna de crimineel hetzelfde lot onderging.

Als Maria Carlson een fractie wist van de informatie die Emilia over Szalas had, dan zou ze geschokt zijn dat hij nog steeds op vrije voeten was. Hoewel, als ze erover nadacht, leek Maria al het een en ander te weten. Dat verklaarde in elk geval waarom ze zich tijdens het gesprek met Emilia had laten ontglippen dat het onbegrijpelijk was dat zo'n zware crimineel in Bondhagen was geplaatst.

Nee, ze moest gewoon dieper graven. Fredrik accepteerde misschien dat de onderzoekende journalistiek op de nieuwsredacties van de kranten op sterven na dood was, maar zij had heel weinig te verliezen. Over vijf weken zat ze weer zonder baan als er niets buitengewoons gebeurde. Dit was haar beste kans, hoe gek het ook leek.

En op één punt wist ze zeker dat Fredrik het mis had. Als ze kon bewijzen dat er een duidelijk verband was tussen Szalas, de maffia van Eskilstuna en Taubermann, dan was dat landelijk nieuws, ook lang nadat het jazzfestival afgelopen was.

Maar vandaag ging het om het muziekfestival. Niets kon dat overschaduwen.

Zaterdag 1 juli 2006, 07.14 uur

De rit van Mariefred naar Åkers Styckebruk duurde minder dan tien minuten. Stanse keek geboeid uit het autoraam naar het pastorale landschap. Een paar paarden stonden roerloos in de omheinde weilanden. Misschien sliepen ze. Het was fris en verbazingwekkend koud. Stanse, die een paar uur eerder de deuren naar het balkon had opengedaan om te roken, had het voor het eerst sinds hij in Zweden was gearriveerd koud gehad, maar was toch blijven staan. Hij kon geen genoeg krijgen van het fantastische licht. Niemand kon onbewogen blijven bij het nachtelijke beeld van kasteel Gripsholm dat in het glinsterende water weerspiegelde. Toch wist hij dat ze in geleende tijd leefden. Hij was de controle kwijt. Er waren eisen en verwachtingen waaraan hij nooit zou kunnen voldoen. Gevoelsmatige vergelijkingen waar hij geen wijs uit kon worden. Hij vroeg zich af of zijn landgenoot Kurt Tucholsky, die was begraven in Mariefred, zich ook zo had gevoeld. Gelukkig en ongelukkig op hetzelfde moment in zijn geliefde kleine stad. Stanses dilemma was natuurlijk veel banaler. Hij was niet in ballingschap, hij werd niet gekweld door het verlangen naar een bepaalde plek in de wereld. Hij hield van reizen. Het waren de vrouwen tegen wie hij zich niet kon verweren, zonder wie hij niet kon leven. Toen hij uiteindelijk weer naar binnen was gegaan, was hij zo dicht mogelijk tegen Sanna aan gekropen, had haar omhelsd en naar haar kalme ademhaling geluisterd.

En nu zat ze naast hem op de achterbank van de auto. Hij kon de contouren van haar lichaam onder haar kleren zien. Het maakte hem opnieuw opgewonden. Het schuldgevoel verdween langzaam in de ochtendzon. Hij voelde dat hij vanavond goed zou spelen.

Dat betekende alles. Dat betekende niets.

Sanna had gezegd dat ze hem haar geboortestreek wilde laten zien. Hij was al onder de indruk van Zweden, en ze had hem beloofd dat dit een uitstapje was dat hij nooit zou vergeten. Hij twijfelde er niet aan dat ze gelijk had.

Udo reed. Stanse had een schaduw over Sanna's gezicht zien glijden toen Taubermanns lijfwacht was verschenen, maar vlak daarna was de schaduw weer weg. Hij wist waaraan ze dacht en er schoot een steek van verdriet door hem heen. De blauwe plek op haar gezicht herinnerde hem bovendien voortdurend aan de last die hij moest dragen, aan het verband waar zij geen weet van had. Het was moeilijk om mee te leven, maar toch deed hij het. Het lukte hem zelfs om te genieten.

Bij de oude fabriek sloegen ze scherp af naar rechts, waarna de weg al snel smaller werd. Na een bocht naar links reed de Volvo X90 over een smalle grindweg naar het meer.

Een oude Saab combi stond met de motor aan op hen te wachten. De kofferbak was open en een lange, pezige man van in de dertig was spullen aan het uitladen.

'Dat is de kajakverhuurder, denk je niet?'

Hij glimlachte naar haar. 'Hij is vast een expert, maar is dit echt wat je vandaag wilt doen?'

Het was de laatste kans om de plannen te veranderen en het gevoel van onbehagen te verjagen. Hij wilde dat ze weer in het hotel waren.

Ze zag er gelukkig uit en streelde speels over zijn buik. 'Je zult zien dat je het heerlijk vindt. Je zei toch dat je al eerder in een kajak hebt gevaren?'

'Jawel, maar dat is een hele tijd geleden...'

Ze wuifde zijn poging om tegen te stribbelen weg met de parelende lach die zo karakteristiek voor haar was en die een van de eerste dingen was die hem waren opgevallen toen ze elkaar ontmoetten.

Udo opende het portier voor hen en ze stapten uit. Ze gaven de kajakverhuurder een hand. Hij liet hun de uitrusting zien en gaf een paar instructies in gebroken Engels. Ze kregen een vaak gebruikte kaart waarop de route stond die ze moesten volgen. Hun bestemming was het kleine plaatsje Laxne, dat ongeveer negen kilometer verderop lag. Het klonk niet overdreven zwaar, dat zou hem zelfs lukken, dacht hij. Bovendien had hij een paar romantische pauzes in gedachten. Hij had Udo opdracht gegeven om een fles Moët & Chandon en een paar blikjes Iraanse kaviaar in te pakken voordat ze het hotel verlieten.

De route liep langs drie langgerekte meren, de Marvikarna, en ze zouden de kajak tussen de meren moeten dragen. Dat was iets waar hij niet bepaald naar uitkeek, maar als Sanna het leuk vond, dan moest het maar. Ze was elke inspanning waard. Misschien, heel misschien zou alles uiteindelijk toch goedkomen.

'We zien elkaar vanmiddag in Laxne. *Auf Wiedersehen!*'

De verhuurder stapte in zijn gammele auto en reed weg. Udo was al vertrokken.

Eindelijk waren ze weer alleen.

40

Zaterdag 1 juli 2006, 08.27 uur

Fredrik had de halve nacht gewerkt, maar was 's ochtends als een van de eersten op de redactie. Toch werden zijn gedachten niet in beslag genomen door het jazzfestival. Het was gisteravond niet geworden wat hij ervan had gehoopt en dat maakte hem ongerust en ongelukkig. Ulrika had gelaten geaccepteerd dat hij hun afspraak opnieuw onverwacht veranderde. Hij zou vroeg naar huis gaan, maar uiteindelijk was het toch laat geworden.

Ulrika had een lekkere maaltijd gekookt die ze zonder hem hadden gegeten. De fles Alsace die hij tijdens de lunch in de staatsslijterij in de Trädgårdsgatan had gekocht, zat nog steeds in de groene plastic tas. Het was Ulrika's favoriete wijn, die uitstekend geschikt was om op een mooie zomeravond gekoeld op de veranda te drinken. Nu vertegenwoordigde hij teleurstelling. De kans op verzoening en misschien een beetje romantiek was verkeken. Wie wist wanneer ze de volgende gelegenheid zouden krijgen? Het was een ernstige situatie, vooral omdat hij wist dat hij een serieus gesprek met zijn vrouw moest hebben zodat ze een eerlijke kans hadden om weer dichter bij elkaar te komen. Hij zou zich verontschuldigen voor zijn gezeur en egocentrische gedrag van de laatste tijd. Ze zeiden altijd dat ze voor elkaar klaarstonden, maar hij wist dat het niet zo ruimhartig was als het klonk, in elk geval niet van zijn kant. Het was moeilijk om te doen wat juist was als alles zo snel veranderde. Misschien was het allerergste dat de verandering geruisloos verliep en voor de buitenwereld nagenoeg onzichtbaar was. Het lukte bijna niet om aan een ander uit te leggen hoe groot het verschil was tussen één kind of twee kinderen hebben. Ze hadden zichzelf altijd voorgehouden dat de verhuizing naar Strängnäs een kleinigheid was, ook al dachten hun vrienden uit Stockholm daar anders over. Fredrik besefte nu dat de verhuizing heel veel had veranderd. Hij kon niet zeggen of het goed of slecht was. Hij was dingen kwijtgeraakt en had er andere dingen voor teruggekregen. In elk geval had de persoon tot wie hij zich had ontwikkeld een nauwe band met de stad. In zijn werk had hij bereidwillig een rustiger werktempo en lagere eisen aan de nieuwswaarde van artikelen geaccepteerd. De angst was later gekomen, tijdens de dramatische gebeurtenissen van afgelopen herfst. Plotseling was hij een soort plaatselijke bekendheid geweest, met alles wat dat met zich meebracht, van meer acceptatie tot jaloezie.

Voor Ulrika was het ook niet gemakkelijk geweest. Ze had een belangrijke baan met een enorme verantwoordelijkheid en veel werknemers die afhankelijk van haar waren. Het uitzendbureau waar ze werkte was een van de snelst groeiende in Zweden en voordat ze zwanger raakte, was ze in aanmerking gekomen voor een baan als vice-CEO met verantwoordelijkheid voor een van hun grootste commerciële bedrijfstakken. Dat zou een loonsverhoging betekend hebben waar Fredrik niet eens van durfde te dromen. Nu kwam daar niets van, ook al praatten ze zichzelf aan dat alles nog niet verloren was.

Maar alle plannen voor kwaliteitstijd met het gezin waren tenietgedaan door een brandende schuur in de buurt van Åker. Ulla had het initiatief genomen en hem gevraagd om mee te gaan. Als hij eerlijk was had hij geen seconde geaarzeld. Nu zaten Ulla en hij bij elkaar en namen door wat ze allemaal hadden. Op de voorpagina van vandaag prijkte een korrelige foto van de brandende schuur die Ulla met haar mobiel had genomen en naar Gege had gestuurd.

Toch was hij niet helemaal tevreden. Toen ze arriveerden was politieheld Ingvar Lundmark al met een ambulance onderweg naar het ziekenhuis. Geen van de politieagenten die aanwezig waren, kon of wilde vertellen wat er in de schuur was gebeurd, behalve dat Ingvar als eerste ter plaatse was geweest en zijn leven had geriskeerd. Fredrik en Ulla kwamen er al snel achter dat hij Boel Sjöquists leven had gered en dat een Porsche van het type dat bij de bankoverval was gebruikt, uitgebrand was in de schuur. Ze kregen ook te horen dat Boel zware brandwonden had opgelopen. Het leek Fredrik uitermate interessant om haar te interviewen, hoewel een bezoek aan het ziekenhuis waarschijnlijk niets zou opleveren. De politie waakte altijd als haviken over het eigen personeel. Maria Carlson zou vandaag in elk geval in de verdediging gedrongen worden. Het was onvermijdelijk dat er gespeculeerd zou worden over de manier waarop de politie de uitbraak uit de gevangenis en de bankoverval had aangepakt. Fredrik vond dat jammer. Het was niet zijn favoriete bezigheid om politieagenten onder druk te zetten, ook al was het een noodzakelijk onderdeel van zijn werk.

Daarnaast was het lijk er nog. Ze wisten nog niet wie het was en Fredrik vroeg zich af of het Jan-Börje Larsson kon zijn. Hij had ontdekt dat zowel de schuur als de tractor van Jan-Börje was. Ze zouden vandaag proberen om nog meer onderzoek te doen als ze daar tijd voor hadden. Ze waren van plan om bij de boeren langs te gaan om getuigen te zoeken als ze dat konden inpassen tussen de optredens die ze moesten verslaan.

Het voordeel om samen met Ulla aan een opdracht te werken, was dat hij uit haar kennis kon putten. Op weg naar de schuur had Ulla verteld wat er de vorige dag bij Simons voorgeleiding bekend was geworden. Simon Theorin had beweerd dat hij onschuldig was en had er afschuwelijk uitgezien. De officier van justitie had geen zware taak gehad. Het technische bewijs was overtuigend. Er was geen twijfel aan dat er een sms met Theorins mobiel naar een prepaid nummer was gestuurd. Theorin had niet eens de moeite genomen het bericht te wissen. De ontvanger stond als 'MS' in het adresboek van de mobiel en de mededeling bestond uit zes cijfers. PO Ahlgren had na controle van de brandkast bevestigd dat de cijfers Theorins code waren.

Simon Theorin ontkende niet dat het zijn mobiel was. Hij beweerde niet eens dat hij hem had uitgeleend. Integendeel, hij benadrukte verward dat hij zijn mobiel de hele tijd bij zich had gehad, dat hij geen sms had gestuurd en dat de telefoon op dat moment kapot was geweest. Het waren uitvluchten waaraan de rechtbank natuurlijk geen geloof hechtte.

Nu zat hij in hechtenis en Ulla had het gevoel dat ze meer achtergrondinformatie over de bankemployé nodig had voor het artikel, maar er was geen enkele kans dat haar dat zou lukken. Fredrik opperde dat het een uitstekende taak voor Emilia zou zijn, als het tenminste lukte haar te pakken te krijgen. Had ze zich verslapen, of was ze ergens naartoe gegaan?

41

Zaterdag 1 juli 2006, 09.13 uur

De knallen waren oorverdovend. Het geluid galmde in Sanna's oren en het duurde een fractie van een seconde voordat ze besefte wat er aan de hand was.

Het eerst schot had Stanse in zijn borst geraakt. Hij werd naar achteren gesmeten en de kajak verloor bijna al zijn vaart. De peddel gleed uit zijn handen in het ondiepe water.

Langzaam zakte hij in elkaar en viel tegen de stuurboordkant. Op dat moment kwam het tweede schot. Die raakte zijn schouder, waardoor hij krampachtig schokte.

Achteraf dacht ze dat het schot voor haar was bedoeld. Haar wang brandde en ze begreep dat ze geraakt was. In een reflex liet ze zich opzij vallen, in dezelfde richting als Stanse. Daardoor rolde de kajak om en trok hen mee onder het wateroppervlak.

Later vond ze het moeilijk zich meer dan fragmenten van wat er was gebeurd te herinneren. Ze zag de gestalte op de oever in het tegenlicht, maar het was iemand zonder gezicht. Ze had de gestalte voor hen meer vermoed dan gezien toen ze weer in het licht kwamen. Het was alsof de moordenaar vanuit het niets was opgedoken.

Ze herinnerde zich dat ze werd omsloten door het koude water en haar wanhopige gevecht om uit de kajak te komen. Alles daarna was veranderd in moeilijk te plaatsen fragmenten. Ze herinnerde zich dat ze haar arm rond Stanses middel had geslagen en de rolbeweging van de kajak was gevolgd. Het gevoel van wegzakken en verdwijnen in de natte duisternis. Zijn spastische bewegingen en de worsteling. Longen die bijna barstten en een intense pijn in haar achterhoofd. Misschien was ze flauwgevallen, ze wist het niet zeker.

Nu droop het water van haar af. Ze lag op haar zij op het gras. Haar hoofd lag op Stanses borstkas. Een hele tijd voelde ze niets, behalve het branden van haar keel en het bonken in haar hoofd. Haar ademhaling was hijgend, kort, intensief gereutel dat haar ondraaglijk langzaam terugvoerde naar de vreselijke werkelijkheid.

Uiteindelijk kwam ze moeizaam overeind en keek gespannen om zich heen. Er was niemand, behalve Stanse en zij. Op een of andere manier had ze hem ook op de oever gekregen, hoewel ze zich dat niet kon herinneren. Degene die hen had aangevallen was verdwenen, als het ware opgeslokt door het bos.

Ze was te geschokt om te huilen. In plaats daarvan was ze vervuld van een machteloze woede. Wie had op hen geschoten? En waarom?

Ze ging op haar knieën zitten, maar viel bijna weer toen een nieuwe golf van pijn haar overrompelde. Deze keer was het een messcherpe steek net onder haar knieschijf, gevolgd door een serie vlijmscherpe naaldenprikken in haar dijbeen. Ze steunde op haar gewonde handpalmen en dwong zichzelf op te staan.

Jezus, wat moet ik eruitzien, dacht ze. Haar haar hing in modderige slierten naar beneden en het gescheurde reddingsvest was donker van het bloed.

Ze dwong zichzelf om naar Stanse te kijken. Zijn ogen waren gesloten en zijn lichaam roerloos. Zijn reddingsvest zat onder het bloed. Was hij dood? Ze was bang van wel. Wat moest ze doen? Ineens zag ze het geweer. Het lag een stuk verder op de helling en glansde in de zon. Ze herkende het meteen. Haar woede groeide en verspreidde zich door haar lichaam en verdrong al het andere.

Verdomme. Ze had beter moeten weten, ze had hen niet moeten vertrouwen.

Ze hinkte naar het wapen, pakte het op en bekeek het nauwkeurig. Dat besliste de zaak. Hoeveel pijn het ook deed, ze kon niet blijven. Iemand moest hiervoor boeten en ze dacht dat ze wist wie dat was. Wat had ze nog te verliezen?

Ze bukte zich naar haar minnaar en streelde zijn koude wang. Ze zag dat hij niet ademde.

'Het spijt me,' fluisterde ze.

Ze ging rechtop staan, keek om zich heen en gaf een schreeuw van verdriet en woede. Daarna liep ze vastbesloten het bos in.

42

Zaterdag 1 juli 2006, 09.20 uur

Emilia wist dat ze zich op glad ijs begaf. Ze had al lang op de redactie moeten zijn, maar ze was bang dat ze geen kans meer zou krijgen om dit te doen als het nu niet gebeurde. Dus was ze thuisgebleven en had ze het materiaal aan de ontbijttafel doorgelezen. Ze kon het vermoeden niet kwijtraken dat er een verband tussen Taubermann en Szalas was. Fredrik kon zeggen wat hij wilde, maar het was een te fantastische samenloop van omstandigheden dat Taubermanns advocaat, die altijd in zijn buurt was, een gevaarlijke misdadiger had verdedigd die onlangs was ontsnapt en op dit moment waarschijnlijk de omgeving onveilig maakte.

Iets wat Fredrik gisteren had gezegd, had zich vastgezet in haar hoofd en lag daar sindsdien te smeulen. *Dat wijst op contacten met de maffia, als je het mij vraagt.*

Als Szalas bij de georganiseerde misdaad hoorde, zou dat dan ook voor Taubermann gelden? De gedachte was duizelingwekkend.

Waarom kwam een man zoals Taubermann naar Strängnäs? Hoe was het Arne Kyrkström gelukt om hem naar het jazzfestival te krijgen? Had hij zijn eigen duistere contacten en een eigen agenda, of had Taubermann hem gebruikt om een uitnodiging te krijgen? En als dat zo was, wat was de reden dan? Ze dacht ook na over de koppeling tussen Arne Kyrkström en Jimmy Phil, en aan het feit dat een van de auto's van de overvallers van Kyrkström was.

Ze zuchtte. Misschien zag ze overal samenzweringen en creëerde ze spannende verbanden die alleen in haar fantasie bestonden.

Ze durfde geen contact op te nemen met Taubermann, nog niet in elk geval, maar Kyrkström was een ander verhaal. Hem kon ze waarschijnlijk wel aan.

Ze reed het parkeerterrein voor de showroom op en parkeerde haar Mini tussen twee gloednieuwe Jaguars. Gelukkig leed ze niet aan een minderwaardigheidscomplex, dacht ze. Een plek als deze speelde altijd in op zulke gevoelens. Ze vroeg zich af wat voor gevoel Taubermann bij Arne Kyrkström opriep. Ze stapte uit en haalde haar notitieblok uit haar jaszak. Het balletje ging rollen.

'Dus Ingvar heeft haar in zijn eentje gered?'

'Dat klopt. Een fantastische prestatie.'

'Maar er was toch nog iemand in de schuur?'

Maria knikte. 'Dat klopt helaas. We hebben het lijk van een man aangetroffen.'

'Weten jullie wie hij is?'

'Nee. Het lichaam is te zwaar verbrand om het te kunnen identificeren. We hebben Boel ook nog niet kunnen verhoren.'

Ulla en Fredrik zaten op de bezoekersstoelen, keken nieuwsgierig naar haar en vroegen zich af of ze alles vertelde. Ze leek stijver dan anders, gevangen in een formele houding.

'En wat is jullie volgende stap? Is het waarschijnlijk dat de dode een van de overvallers is?'

Maria haalde haar schouders op en kwam overeind om aan te geven dat het interview voorbij was. 'Ik kan niets met zekerheid zeggen, maar het is natuurlijk een mogelijkheid. We intensiveren de jacht op hen in elk geval. Dat mogen jullie opschrijven. En als jullie me nu willen verontschuldigen, dan wil ik dit gesprek graag afsluiten. Ik zit tot over mijn oren in het werk. De helikopters zijn in de lucht, schrijf dat er maar bij.'

Als Ulla en Fredrik geïrriteerd waren door Maria's haast, dan lieten ze dat niet merken. Ze keken elkaar even aan, knikten naar Maria en verlieten het kantoor.

Toen de deur achter hen dicht was, ging Maria weer zitten. Ze legde haar hoofd in haar handen en bleef zo een hele tijd zitten zonder dat ze zichzelf ertoe kon zetten iets te doen. Ze wilde het liefst huilen, maar dat was een luxe die ze zich niet kon veroorloven.

Håkan had achter het stuur gezeten van de ambulance die Boel en Ingvar de vorige avond naar het ziekenhuis had gebracht. Boel was er slecht aan toe geweest. Håkan had zich afgevraagd wat voor monster iemand opzettelijk kon laten verbranden. Het was een heel goede vraag, met een niet alleen vaststaand, maar ook onbevredigend antwoord.

Als je Marcin Szalas' dossier las, dan was het duidelijk dat hij degene was die achter de brandstichting moest zitten. Maar wat had ze daar dat op dit moment aan?

Maria kon niet concreet benoemen wat ze verkeerd had gedaan, maar toch had ze het gevoel dat ze enorm gefaald had. Een collega zweefde tussen leven en dood en wie nam daar de verantwoordelijkheid voor? Ze had het gevoel dat ze zichzelf te veel had versnipperd, te druk bezig was geweest met alle kwesties die de hele tijd opdoken zonder dat ze erover had nagedacht waar ze prioriteit aan moest geven. Niets had belangrijker mogen zijn dan een collega opsporen en redden.

Ingvar was daarentegen volkomen op Boel gericht geweest, zo hevig dat hij op verschillende punten de regels had overtreden. Hij had geen moment geaarzeld. Hij was de echte held.

Ze snikte, balde haar vuist en sloeg er hard mee op de tafel. Haar energie ebde weg op het moment dat ze die het hardst nodig had. En ze moest toegeven dat de manier waarop ze de journalisten had weggestuurd geen schoonheidsprijs verdiende. Ze was helemaal uit haar evenwicht. Wat zou Carin Göthblad hiervan gevonden hebben?

Onvoldoende. Zonder enige twijfel onvoldoende, verdomme.

Zaterdag 1 juli 2006, 09.29 uur

Zodra Emilia wegreed pakte Arne de telefoon. Alsof het niet genoeg was dat die smerige dieven zijn showroom hadden vernield, zijn duurste auto hadden gestolen en total loss hadden gereden, had hij nu ook de kranten nog op zijn dak. De showroom ging pas om tien uur open, maar zoals gewoonlijk was hij vroeg geweest om zich ervan te verzekeren dat alles in orde was. Dat had dat rondsnuffelende wijf natuurlijk gezien. Verdomme! Wat in die buitengewoon moeilijke periode afgelopen herfst niet was gebeurd, dreigde nu wel te gebeuren. Waar hadden ze verdomme al hun informatie vandaan?

Arne belde eerst naar Jimmy. Hij wist precies waar die kleine klootzak mee bezig was. Hij geloofde niets van haar theorie dat Jimmy rechtstreeks betrokken was bij de overval. Daar was die kerel veel te laf voor. Het zou hem echter niet verbazen als Jimmy het een en ander wist. Misschien had hij zijn kameraden in Eskilstuna zelfs getipt over de auto. Jimmy nam echter niet op.

Gefrustreerd toetste hij opnieuw een nummer in. Die journaliste kon ernstige problemen veroorzaken als ze niet werd tegengehouden. Hij had weliswaar geen reden om aan te nemen dat Taubermann banden met de maffia had, maar het was voldoende dat het in de krant kwam om alles waarvoor hij had gewerkt teniet te doen. Dat mocht gewoon niet gebeuren, niet nog een keer.

Sune Holmgren wist waar het om ging en zou net zo bang voor de consequenties moeten zijn als hij. Het was op een of andere manier een goed gevoel. Hij en de sterke man van de gemeente zaten in hetzelfde schuitje. En het leek alsof dat schuitje *Der Schwan* heette.

43

'We gaan allemaal dood.'

De blik in zijn ogen was koppig en uitdagend toen hij de woorden uitsprak, zijn toon nonchalant. Een geforceerd stoere opmerking waar gemakkelijk doorheen te prikken was. Misschien had Sanna de ernst ervan niet beseft als hij niet tegelijkertijd het jachtgeweer had gepakt en dat had opengemaakt. Hij zocht in zijn jaszak en haalde twee patronen tevoorschijn. Twee bescheiden klikjes en het geweer lag geladen op zijn schoot. Ze zat doodstil op haar stoel en keek hem vragend aan.

Fassidy was een knappe, maar meedogenloze man, precies het soort man tot wie ze zich aangetrokken voelde. Hij was zelfverzekerd en stoer van buiten, maar zacht en onzeker van binnen. Hij was gul als hij geld had en stond altijd klaar voor een feest of een nieuw avontuur. Hij was net zo spannend en onberekenbaar als Sanna graag wilde. Eén keer vertelde hij dat hij een kindsoldaat in Congo was geweest, maar daarna wilde hij er niet meer over praten. Hij zei dat hij het wilde vergeten en dat er niets veranderde door oude herinneringen op te halen. Ze drong niet aan. Ze hield van mystiek en had tegelijkertijd medelijden met hem. Net als in eerdere relaties begon ze echter rusteloos te worden. Ze wilde meer, maar ze wist zelf niet wat.

'Verras me.'

Zo was het begonnen. Ze had hem opgehitst, dat besefte ze achteraf. Ze had hem ervan beschuldigd dat hij saai was, hoewel dat absoluut niet waar was. Maar zijn zelfvertrouwen was niet groot en ze kon het hem wijsmaken. Zijn ogen waren donkere poelen geworden.

Hij had haar afgehaald bij het Centraal Station in Stockholm in een nieuwe, donkergroene Peugeot die ze nog nooit had gezien. Hij gaf haar een afwezige kus met strakke lippen voordat hij haar bagage in de kofferbak gooide.

Daarna reed hij langs het LO-gebouw naar de Upplandsgatan, gaf gas toen ze de heuvel op reden en negeerde de voetgangers die vlak bij het Tegnérlundenpark bij het zebrapad wilden oversteken.

In de Rådmansgatan parkeerde hij zijn auto op een invalidenparkeerplaats.

'We gaan allemaal dood.'

Ze hadden naar elkaar gekeken terwijl de sfeer steeds somberder werd. Het groteske wapen in zijn handen was een symbool voor de dingen waartoe hij in staat was. Ze kende zijn reputatie. Ze wist dat hij in de gevangenis had gezeten voor een overval op een geldtransportauto. Toch had ze gedacht dat het niets met haar te maken had. Op dat moment niet in elk geval.

'Wat ben je van plan?' Haar vraag klonk angstiger dan ze had gewild, maar toen ze hem had gesteld, besefte ze pas hoe verschrikkelijk bang ze was.

Hij had gelachen, had zijn hand op haar dijbeen gelegd en speels langs de binnenkant gestreeld, waarna hij zijn vingers onder de rand van haar slipje had laten glijden. Daarna trok hij de panty over zijn hoofd en stapte uit de auto. In de achteruitkijkspiegel zag ze dat hij naar de 7-Eleven-winkel liep en de deur opentrok.

Zaterdag 1 juli 2006, 09.33 uur

Sanna was alleen in het bos, overgeleverd aan haat en verdriet. Haar hoofd tolde en elke stap kostte moeite. De woede over het verraad maakte het moeilijk om adem te halen, maar dreef haar ook voort. De pijn in haar lichaam was ondergeschikt, als een zeurend ongemak op de achtergrond dat op een of andere manier los van haar stond. Zolang ze in beweging bleef en haar ogen op het pad gericht hield, hoefde ze niets te voelen. In plaats daarvan waren de brandende longen en steken in haar lichaam opnieuw een bewijs dat ze nog leefde.

Die keer met Fassidy twee jaar geleden was ze alleen een onschuldige toeschouwer geweest. Een passagier zonder verantwoordelijkheid of mogelijkheid om invloed op de situatie uit te oefenen. Pas achteraf besefte ze dat hij het voor haar had gedaan. Het was geen impulsieve daad geweest, maar een van tevoren nauwkeurig geplande actie. Ze geloofde echter niet dat het zijn belangrijkste intentie was geweest om haar bang te maken. Het ging om iets anders. Hij wilde dat ze het wist. Misschien wilde hij indruk op haar maken en haar bewijzen hoe wild en spannend hij was, maar ze geloofde eerder dat hij haar deelgenoot wilde maken. Toch was ze bij hem weggegaan.

Het dennenbos was dicht en op sommige plekken bijna ondoordringbaar, maar ze had hier eerder gelopen. Soms zag ze een glimp van het glinsterende wateroppervlak van het meer achter de bomen. Ze was doorweekt, nat tot op het bot. Ze had niet eens haar reddingsvest uitgetrokken, hoewel dat geen functie meer had. Haar tanden klapperden, maar dat merkte ze niet.

Het zou al snel gemakkelijker worden. Als ze iets hoger kwam, zou de zachte naaldendeken onder haar voeten plaatsmaken voor mos en stenen.

We gaan allemaal dood. Was het een dreigement of een belofte geweest? In het grijze waas waarin ze zich bevond, aan de rand van de afgrond, was het allesbehalve vanzelfsprekend. Ze kon niet eens beginnen met bedenken wat de gebeurtenissen te betekenen hadden. Er had altijd een vuur in haar gebrand, een vlam die soms moeilijk onder controle te houden was. De gloed mocht nooit doven. Het was alles wat ze nog had.

Ze dacht eraan dat ze altijd bevestiging had gezocht en nooit op zichzelf had durven vertrouwen. Misschien had ze haar minnaars ook op die manier uitgekozen. Het was echter elke keer in een teleurstelling geëindigd.

Hoewel dat niet voor Anna-Lena gold. Tussen hen was een intensiteit en een vanzelfsprekendheid geweest die ze nooit eerder had meegemaakt.

Toch had ze in haar jacht op de waarheid en een ander leven voor Stanse gekozen. Ze had heel ver hiervandaan gewild.

Ze hoorde een zacht gebrom in de verte en dacht dat het een helikopter was. Ze bleef staan en keek naar het wapen dat ze in haar handen hield. De kolf was koel en glad. Het grijze metaal glansde in de zonnestralen die zich een weg tussen de takken door baanden. De rafelige randen van de afgezaagde lopen zagen eruit als een wond. Ze bedacht dat ze minder dan twee etmalen geleden met een wonderlijke combinatie van angst en verwachting recht in deze lopen had gekeken. Ze voelde de blauwe plek waar de kolf haar had geraakt nog steeds. Dat was wreed van hem geweest. Ze had gedacht dat ze begreep waarom, maar stel dat zijn gevoelens dieper gingen?

Ze wist waar ze naartoe ging, maar had er geen idee van wat ze moest doen als ze er was. Verwachtten ze haar?

Ze stopte op een open plek in het bos. Het was een bevrijding om op het mos te kunnen zitten. De aarde was vochtig, maar dat kon haar niet schelen. De zon verwarmde haar gezicht. Ze legde het geweer op de grond en wreef haar handpalmen tegen haar knieën.

Wat moest ze doen? Was ze gek geworden? Wat dacht ze te kunnen doen tegen drie gewelddadige mannen die heel weinig te verliezen hadden?

De woede was niet langer voldoende, maar misschien was het geld dat wel. Haar geld.

Ze pakte het geweer, kwam langzaam overeind en begon weer te lopen. Na minder dan tien minuten zag ze het huisje.

Het was een bescheiden vakantiehuisje midden in de natuur. De garage die ernaast stond was bijna net zo groot als het huis. Het leek alsof iemand de gebouwen midden in het bos had laten vallen zonder zich er druk om te maken waar ze terechtkwamen. De sparren stonden tot achter het huis en bosbessen- en vossenbessenstruiken groeiden tot vlak bij de kleine veranda waar ze zo vaak had gezeten. Door de zwartgebeitste planken leek het huis nog kleiner dan het was. Vorige zomer had ze geholpen met schilderen, de muggen weggeslagen en lachend gemopperd op de kleverige verf die overal leek te belanden, behalve op de muren.

De herinnering was duidelijk, bijna doordringend, maar voelde toch vreemd. Alsof het uit het geheugen van iemand anders afkomstig was.

Ze zag niemand, maar twijfelde er niet aan dat ze er waren. Er waren kleine details veranderd, dingen die niet op hun plek stonden, kleinigheden die alleen zichtbaar waren voor iemand die hier veel tijd had doorgebracht. In de kruiwagen met de bloempotten die bij het hek stond, had iemand een sigaret uitgedrukt. De deur naar de houtschuur was niet goed dicht en het rolgordijn in de slaapkamer was naar beneden. Als ze hier inderdaad naartoe waren gegaan, dan waren ze er nog. De politie zocht blijkbaar nog steeds in het gebied en als ze Stanse vonden, zouden ze hun inspanningen beslist verdubbelen. De tranen bleven in haar keel steken toen ze aan hem dacht, maar ze deed er alles aan om haar gevoelens te bedwingen. Daar had ze nu geen tijd voor.

Sanna aarzelde. Zou ze laten merken dat ze er was? Stel dat ze haar al hadden gezien?

Ze ging op haar knieën zitten, kroop voorzichtig naar de kruiwagen en ging erachter liggen. Ze lag roerloos te wachten terwijl ze de voordeur in de gaten hield.

Ze had gelijk gehad. Ze waren er. Achter het keukengordijn bewoog een schaduw en even later hoorde ze een deur dichtslaan.

Ze bedacht net of het toch niet het beste was om te laten merken dat ze er was toen ze snelle voetstappen achter zich hoorde. Wanhopig rolde ze om en richtte het geweer op de man die bijna bij haar was.

'Als je dichterbij komt schiet ik.'

Hij bleef staan, maar leek niet onder de indruk. 'Dat geloof ik niet. Waarom zou je dat doen?'

Hij glimlachte naar haar, maar ze zag dat hij het pistool in zijn hand stevig vasthield.

De deur achter hen ging open.

'Laat dat wapen vallen!' De stem was dwingend en koud als ijs.

DEEL 8 - PATSTELLING

It's like we both are crawling
Around and around again.
Every fight is too long,
Every word is too strong.
Bound to end it all, but when?

'*Stalemate*' – MILLENCOLIN

44

Zaterdag 1 juli 2006, 09.52 uur

Het was heel speciaal om zo laag over de langwerpige meren van Åkers Bergslag te vliegen, daar hadden de anderen helemaal gelijk in, dacht Björn Lind terwijl hij in zijn helikopter zat. De draaiende rotoren zwiepten het water omhoog en rukten aan de bladeren. Het gebeurde zelden dat hij boven een natuurreservaat mocht vliegen, maar vandaag werd daar geen rekening mee gehouden. Na de brand van gisteren en de vondst van de vluchtauto was er niemand die zich wilde inhouden. Het was een verbeten groep geweest die vanochtend bij het verzamelpunt was verschenen. Het nieuws over de gewonde collega's had zich bliksemsnel verspreid en plotseling was de jacht op de overvallers persoonlijk geworden. Bijna iedereen kende Ingvar Lundmark en alleen al de geruchten over wat die klootzakken met hun vrouwelijke collega hadden gedaan, waren voldoende om de razernij te laten oplvammen en overheersen. De groepsleider deed wat hij kon om de woede in opdrachten te kanaliseren, maar toen ze uit elkaar gingen was de sfeer onheilspellend. Een van Björns collega's had het collectieve gevoel samengevat: 'Als ik die klootzakken vind, schiet ik verdomme om te doden.'

Helaas was de wil alleen niet genoeg. Björns probleem, net als dat van alle anderen, was dat ze er geen idee van hadden waar ze naar zochten. Ja, ze zochten Marcin Szalas, dat was zeker. Er was geen politieagent die zich zijn gezicht niet moeiteloos voor de geest kon halen. De kwestie was alleen wat voor nut ze daarvan hadden. Het was Szalas gelukt om zich twee weken schuil te houden, maar bij de politie geloofde iedereen dat hij betrokken was geweest bij de overval.

Björn kon alleen maar hopen dat hij vanuit de lucht verlaten auto's of verdachte personen zou ontdekken, maar hij fungeerde vooral als back-up voor de mensen op de grond. Op dit moment controleerden politieagenten auto's op de Laxnevägen en kamden motorpatrouilles de omgeving rond

Åker uit. Een hondenpatrouille was bij de uitgebrande schuur geweest om naar sporen te zoeken, maar er was niets gevonden. Nu was de technische recherche er om het metalen skelet van de auto te onderzoeken. Je kon niet zeggen dat het politiewerk lekker liep, dacht Björn.

Hij naderde opnieuw het eind van een meer. Voor zich zag hij een bruingrijze streep, de weg die over de smalle landtong tussen de eilanden liep. De dennenbomen kwamen te dichtbij en hij moest klimmen om aan de veiligheidsvoorschriften te voldoen, maar daar had hij vandaag maling aan.

Als er nu een automobilist aan komt rijden, dan krijgt hij de schrik van zijn leven, dacht Björn met een grijns op zijn gezicht terwijl de helikopter de weg snel naderde. De grijns werd een grimas toen hij naar de oever aan de andere kant van de weg keek. Er lag een mens uitgestrekt op de grond. Vlakbij dreef een tweepersoonskajak in het meer. Er was duidelijk iets gebeurd.

Hij steeg steil op en draaide zijn helikopter. Nu hoefde hij alleen over de plek te vliegen en met de telelens op het lichaam in te zoomen om de situatie te begrijpen. De donkerbruine bloedvlekken op zijn borstkas spraken boekdelen.

Jezus, dacht hij, houdt het dan nooit op?

Ze stonden verstard tegenover elkaar. Sanna had haar vinger aan de trekker en hield de afgezaagde lopen stabiel op Jimmy gericht. Ze herkende Marcins stem achter zich. Ze hadden elkaar nooit ontmoet, maar ze had hem een paar keer aan de telefoon gehad. Ze was ervan overtuigd dat hij het meende, maar toch aarzelde ze. De ene dodelijke bedreiging was niet erger dan de andere. Jimmy zond dubbele signalen uit die haar verwarden. Hij stond op het oog ontspannen en met een glimlach rond zijn lippen voor haar, maar toch was de hand die het pistool vasthield gespannen.

Ze wist waar Marcin toe in staat was. De vraag was wat hij inmiddels had gedaan en of de anderen daarbij betrokken waren geweest. Vrienden of vijanden, dat was de vraag, en er was geen veilige manier om daarachter te komen.

'Laten we allemaal kalm blijven. Sanna, leg dat geweer alsjeblieft neer voordat er iemand gewond raakt.'

Jimmy leek een ander mens. Hij straalde een kalmte uit die ze nog nooit bij hem had gezien. Zijn ogen waren vriendelijk en er lag geen onbetrouwbaarheid in. Ze wist dat hij een inbreker was, maar hij had haar nooit ver-raden. Dat was meer dan je kon zeggen van de meeste van haar oude vrien-den, inclusief de smeerlap die zich blijkbaar hier ergens bevond.

'Inderdaad, Sanna. Jimmy, stop jij dat pistool ook weg zodat we kunnen praten.'

Er was iets in Marcins stem waardoor ze de beslissing nam om het jacht-geweer voorzichtig te laten zakken en op de grond te leggen. Dit was geen val. Jimmy was verbaasd om haar te zien, dat was duidelijk.

Hij stopte tegelijkertijd het pistool achter in zijn broekband en ging op zijn hurken naast haar zitten. 'Wat is er gebeurd? Wat doe je hier? We heb-ben afgesproken om elkaar pas bij Krampan te zien.'

Ze keek naar hem, voelde dat ze op het punt stond in huilen uit te barsten en deed haar uiterste best om het tegen te houden. Ze was te ver gekomen om nu te bezwijken. Ze moesten de kwestie regelen en voordat dat gebeurd was, zou ze zichzelf dwingen om niets te voelen. Hélémaal níéts.

Ze hoorde lichte, verende stappen achter zich en daarna stond hij er. Hij was kleiner dan ze had gedacht, maar een paar centimeter langer dan zij, met een tenger, gespierd lichaam, een hoog voorhoofd en fijne gelaatstrek-ken. De vastberaden, vierkante kin leek niet echt bij de rest van het gezicht te passen. Hij was een aantrekkelijke man met een uiterlijk dat op een of andere manier bekend was. Het verbaasde haar dat het meedogenloze in hem helemaal niet zichtbaar was. Het was niet aan zijn gezicht te zien dat hij zo gewelddadig was. Ze vroeg zich af waar hij zijn angst en pijn verborg, want die gevoelens zou hij toch ook hebben?

Hij stak een hand naar haar uit om haar te helpen met opstaan. Ze pakte hem en trok zichzelf omhoog. Nu zag ze dat hij niet gewapend was, óf in elk geval geen wapen vasthad. Ze begreep dat hij haar niet had bedreigd maar had gevraagd om te kalmeren. Met dat besef verdween er iets van de angst.

Hij keek naar het jachtgeweer en fronste zijn voorhoofd. 'Waar heb je dat vandaan?'

Ze aarzelde een seconde, maar daarna stroomden de woorden onsa-menhangend en onregelmatig naar buiten. Het was zo'n bevrijding om haar verhaal te vertellen. Om woorden te vinden voor wat er was gebeurd. Ze liet de details over Stanse echter achterwege en beschreef hem alleen als een goede vriend.

Jimmy en Marcin keken haar geschokt aan. Hun verbazing kon alleen maar echt zijn.

'Maar jij bent niet geraakt?'

Ze schudde haar hoofd. 'Niet ernstig in elk geval. Het brandt hier een beetje...' Ze wees naar haar linkerwang en slaap.

Jimmy knikte. 'Je hebt daar een paar verwondingen, maar die lijken niet ernstig.'

Marcin stak zijn hand uit en raakte met zijn vingertoppen de blauwe plek onder haar oog aan. 'Maar die heb je gisteren opgelopen. Met het-zelfde wapen.' Hij zag er berouwvol uit, of misschien lag er toch een beetje angst in zijn ogen.

'Is hij hier?' De vraag had een dubbele bodem en ze merkte dat Marcin begreep waar ze naartoe wilde.

'Ja, hij is er. Hij voelt zich zwak en is niet buiten geweest sinds we hier aangekomen zijn.' Hij keek kalm maar strak in haar ogen, alsof hij zich ervan wilde overtuigen dat de boodschap overgekomen was.

Ze knikte. Fassidy was dus niet degene die hen had overvallen. Niet als ze bereid was Marcin te geloven.

Er was iets aan hem wat vertrouwen inboezemde. Het was heel moeilijk voor haar om niet voortdurend naar hem te kijken. Ineens voelde ze dat ze het koud had. De ergste spanning was verdwenen en ze wilde alleen nog maar het vertrouwde huis binnen lopen en een van de dekens die PO altijd op de bank had liggen om zich heen slaan. Maar er was één ding dat ze eerst moest regelen.

'Jullie hebben het geld dus?'

Jimmy en Marcin keken elkaar aan. Doe jij het of ik, leken ze elkaar te vragen. Uiteindelijk knikte Jimmy. 'Jazeker, dat is allemaal geregeld. Zullen we naar binnen gaan?' Hij liep naar de deur zonder antwoord af te wachten.

Marcin pakte het geweer en volgde.

Sanna bedacht nu pas dat alle vingerafdrukken van de moordenaar waarschijnlijk waren weggeveegd en vervangen door die van haar en van Marcin. Aan de andere kant was het heel onwaarschijnlijk dat een ander dan een van deze drie mannen met een van hun wapens de aanval gepleegd zou hebben.

Want zo moest het zijn, daarvan raakte ze steeds meer overtuigd.

Maar wie? Wie wist waar Stanse en zij waren? Wie had het geld en de mogelijkheid om een professionele moordenaar te huren?

In het huisje was alles nog hetzelfde. Het versleten paarse linoleum in de hal vormde een scherp contrast met de witgebeitste, eiken vloerplanken in de zitkamer. Op de schoorsteenmantel van de met gele en rode bakstenen opgemetselde haard stonden souvenirs van de verschillende plekken waar PO was geweest. Er waren een paar dingen bijgekomen waarvan ze aannam dat die van Jennifer waren. Ze glimlachte verdrietig bij de gedachte. PO's vrouw had een tijd geleden de controle over deze plek overgenomen. Blijkbaar had Jennifer diep vanbinnen vermoed dat haar man een tijdlang van een ander was geweest.

Aan de muur boven de haard hing een kaart van het gebied waarop de banken waren aangegeven die tijdens de gloriedagen tot Ahlgrens imperium hadden behoord. Ze herinnerde zich dat PO vaak grapjes maakte over zijn opa's grootheidswaanzin, maar toch moeite had om zijn blik van de kaart te halen als hij hier was.

Hoewel het haar uiteindelijk toch altijd was gelukt hem af te leiden. Ze hadden in bijna elke kamer van dit huis fantastische seks gehad, maar dat was inmiddels alweer een hele tijd geleden.

Wie kon Stanse voldoende haten om hem te willen vermoorden? Het was onbegrijpelijk. Weliswaar had ze gemerkt dat hem iets dwarszat, maar ze had aangenomen dat hij bang was voor wat hun relatie voor zijn gezin zou betekenen. Misschien ging het echter niet om hem, maar alweer om haar. Misschien had ze opnieuw de gewelddadige, voortijdige dood van een mens veroorzaakt.

Haar gedachten werden onderbroken door een enorme hoestbui.

'Zo, daar ben je dus.'

Fassidy zat met een pistool in zijn hand op de rand van het bed en zag er beroerd uit. Het verband om zijn schouder, waarschijnlijk een zwachtel uit een eerstehulpdoos, was stijf en smerig. Het had gelekt, wat ook op het laken te zien was. Blijkbaar had hij zich net opgeknapt, want er lagen een handdoek en een borstel op het bed. Ze herkende zijn vijandigheid onmiddellijk. Ze was hier niet welkom.

Ze knikte voorzichtig met haar ogen op zijn gezicht gericht en deed haar best om niet naar het wapen op zijn schoot te kijken. Zoals ze had verwacht lukte het hem niet om het oogcontact lang vast te houden. Hij keek weg en concentreerde zich op zijn kameraden.

'Waarom is zij hier? Ik dacht dat we bijna zouden vertrekken. Dan hebben we geen wijf op sleeptouw nodig.'

Marcin gaf geen antwoord, pakte het jachtgeweer en liet het aan Fassidy zien. 'Kijk eens wat Sanna meegenomen heeft. Miste je het al?'

Fassidy keek er met een verbaasde uitdrukking op zijn gezicht naar en stak zijn arm naar Marcin uit, die hem het wapen gaf. Jimmy keek er somber naar.

'Waar heb je die gevonden? Bij de groeve?'

Sanna keek vol onbegrip naar hem.

Hij haalde zijn schouders op en concentreerde zich op het geweer, streek voorzichtig over de kolf en controleerde de lopen nauwkeurig. De genegenheid waarmee hij het wapen behandelde was angstaanjagend. Zijn aanraking was vederlicht, heel anders dan de klunzige en onzekere minnaar die ze ooit had gekend.

Hij keek met een scherpe blik in zijn ogen naar haar. 'Het is niet geladen. Dit wapen is pasgeleden afgevuurd. Heb jij ermee geschoten?'

Zijn toon maakte duidelijk dat hij dat onwaarschijnlijk vond. Hij legde het jachtgeweer naast zich op het bed en pakte zijn pistool weer.

Sanna schudde haar hoofd, maar zei niets meer. Ze had niet voldoende kracht om het verhaal nog een keer te vertellen.

Marcin nam het woord. 'Ze is overvallen, dus moet ze een tijdje hier blijven. Waarschijnlijk is dat niet zo lang. Ik heb Budde gebeld.'

Jimmy keek vragend naar Marcin. Hij leek niet voorbereid op het nieuws en het was duidelijk dat het hem niet aanstond.

Sanna besefte dat er een strijd tussen drie ego's plaatsvond. Ze was opnieuw een passagier en zou al heel snel moeten kiezen wie ze vertrouwde en bereid was te volgen. Maar allereerst het geld, dat wilde ze meteen hebben.

Fassidy was een stuk enthousiaster over Marcins mededeling. 'Eindelijk! Dat werd verdomme tijd. Goed dat je met Budde hebt gesproken, je kunt hem vertrouwen. Wanneer komen ze?'

'Zo snel mogelijk. Het stikt blijkbaar van de smerissen, dus moeten ze een geschikt moment afwachten. Hij heeft beloofd dat ze zullen proberen om aan het eind van de middag hier te zijn.'

Fassidy's enthousiaste gezichtsuitdrukking verdween. 'En zij blijft zolang hier?'

'Beschouw Sanna als een deel van het team. Zonder haar was het nooit gelukt en ze heeft recht op haar aandeel.'

Nu betrok Fassidy's gezicht nog meer en hij pakte het pistool steviger vast. 'Wat bedoel je daarmee? Ga je ons geld weggeven? Dat vind ik een heel slecht plan.'

De dreiging in zijn stem was duidelijk, maar Marcins gezicht bleef uitdrukkingsloos. Sanna zag dat Jimmy zijn hand achter zijn rug bij zijn pistool hield. 'Dat is de afspraak. Kalmeer, Fassidy, je hebt straks bakken met geld.'

Nu je Berra hebt vermoord. Sanna kon het Marcin en Jimmy bijna horen denken.

Ze keek naar Fassidy. Het was moeilijk om zich te verweren tegen zijn met haat gevulde blikken. Instinctief wilde ze weggaan zonder om te kijken, maar het was haar eigen schuld. Zij was degene die het eerste contact had gelegd en hem om hulp had gevraagd, hem weer in haar leven had uitgenodigd. Hij had natuurlijk gehoopt op meer, heel veel meer, en zij had dat ijskoud uitgebuit en had hem genegeerd zodra ze de juiste mensen had gevonden. Het was niet moeilijk te beseffen dat hij razend op haar was en dat hij haar daarom de klap met de geweerkolf had gegeven. Het was haar straf omdat ze hem had verraden. Zijn allesverterende woede was er eveneens de oorzaak van geweest dat hij daarna de straat op was gegaan en de verwarde Berra had neergeschoten. En het was allemaal haar schuld.

Ze durfde nauwelijks adem te halen. Hun blikken kruisten elkaar in een zwijgend gevecht. Hij had een moorddadige blik in zijn ogen, die van haar was geforceerd kalm. Ze wilde niet dood en ze dacht dat hij dat diep vanbinnen ook niet wilde. Jimmy stapte zenuwachtig van zijn ene voet op de andere met zijn hand op zijn wapen, maar hij zou het niet op tijd kunnen pakken als Fassidy besloot te schieten. Marcin kon ze niet zien. Als iemand Fassidy de baas kon, dan was hij dat, maar toch ging het gevecht tussen Fassidy en haar. Oog om oog, wil om wil. Ze weigerde naar het wapen te kijken dat hij op haar richtte. In plaats daarvan concentreerde ze zich op het trillen van zijn lippen, de frons op zijn voorhoofd en de uitdrukking in zijn ogen. Ze wist ineens dat hij nog steeds een bang en eenzaam klein jongetje was, moe en in de steek gelaten. Een jongetje dat gewend was om alle problemen met geweld op te lossen zodra hij het gevoel had dat er geen andere uitweg was.

Die gedachte kalmeerde haar een beetje. Natuurlijk kon hij op haar schieten, maar hij had er geen reden voor. Hij had niets te winnen en heel veel te verliezen, in elk geval als hij wilde blijven leven. Ze besloot te glimlachen en daarmee was de betovering verbroken. Fassidy kreeg een onrustige blik in zijn ogen.

Marcin liep snel langs haar, pakte het pistool resoluut uit Fassidy's hand en legde het op de vloer. Daarna pakte hij Fassidy's schouders vast. 'Je moet rusten. De mannen uit Eskilstuna kunnen er sneller zijn dan je denkt. Je zult al je krachten nodig hebben voordat dit achter de rug is.'

Fassidy liet zich achterover op het bed vallen. Hij zei niets en ging ineengedoken met zijn gezicht naar de muur liggen. Plotseling had Sanna het gevoel dat hij er niet langer was, dat wat er daarnet was gebeurd niet meer dan een droom was geweest. Ze besefte hoe moe ze was en hoe koud ze het had.

Ze ging samen met Jimmy bij de keukentafel zitten terwijl Marcin koffie inschonk. 'Je kent Fassidy dus. Daarom hebben de mannen uit Eskilstuna hem gestuurd, nietwaar?'

Het was duidelijk dat Jimmy er behoefte aan had om het verband uit te zoeken. Het verbaasde Sanna niet. Ze had een dubbelspel gespeeld, ook al was dat niet haar bedoeling geweest, in elk geval niet tegenover Jimmy. Ze glimlachte verontschuldigend en knikte. 'Ik heb eerst met hem gepraat. Ik heb hem gevraagd het idee aan zijn vrienden voor te leggen.'

'Ik kon het nauwelijks geloven toen ik het hoorde.'

Jimmy glimlachte terug en ze besefte dat hij onder de indruk was. In zijn wereld had ze iets goeds gedaan. Het was moeilijk te begrijpen.

Ze nam een slok van de smerige koffie en genoot van de warmte.

'Hoe heb je zo'n fantastisch plan kunnen bedenken?'

Jimmy's vraag interesseerde Marcin duidelijk ook. Hij lachte en deed alsof hij applaudisseerde. 'Ja, vertel hoe dat is gegaan. Hoe komt een mooi meisje zoals jij op iets wat zo verduiveld...'

Het woord klonk grappig uit Marcins mond en zijn lach was aanstekelijk. Hij had gelijk, ze was een deel van het team, en hoe het ook was gelopen, ze zaten hier samen en deelden hun lot. Bovendien vleide het haar dat deze mannen interesse voor haar hadden, niet omdat ze een vrouw was, maar als medeplichtige.

Ze begon haar verhaal. Ze vertelde dat ze het haatte om in Mariefred te wonen en dat ze er jarenlang over had gedroomd om het stadje te kunnen verlaten. Ze beschreef haar verhouding met PO en hoe die haar eerst gelukkig had gemaakt, maar haar daarna volkomen had verscheurd. Ze vertelde over Simon Theorins rol en hoe minachtend hij haar daarna had behandeld, dag na dag, uur na uur. Hoe ze elke ochtend misselijk was geweest voordat ze zichzelf dwong om naar haar werk te gaan en hoe ze in beslag was genomen door de gedachte aan wraak op die arrogante vent die alles voor haar had verpest. Ze vertelde niet over Anna-Lena en dat hun sterke en sensuele band haar had geholpen het veel langer te verdragen dan ze voor mogelijk had gehouden, maar ze vertelde wel over de fantastische Duitse man, die haar tweede liefde was en die nu dood bij het meer lag.

Ze vertelde gedetailleerd hoe ze had bedacht hoe de perfecte bankroof uitgevoerd kon worden en hoe Simon de schuld ervan zou krijgen. Het was perfect. PO hield meer van zijn bank dan van haar en Simon greep elke kans aan om over haar te roddelen en haar belachelijk te maken. Ze zou de bank en daarmee PO's hart raken en tegelijkertijd zou ze Simon laten voelen hoe het was om verdacht en geminacht te worden. PO en Simon pochten tegen Petra en haar over de veiligheid van de bank en de beroemde dubbele code. Het was heel gemakkelijk geweest om Simons code te bemachtigen. Hij vertrouwde niet op zijn geheugen en moest alles opschrijven, hoewel hij het tegendeel beweerde. Hij legde zijn mobiel altijd op zijn bureau en nam nooit de moeite om hem te vergrendelen. Tijdens een van zijn gesprekken met PO in diens kantoor had ze zijn mobiel gepakt. Bij de tweede poging had ze de code. De rest was eenvoudig geweest. Ze zocht uit wanneer Simon een vergadering in Stockholm had en er tegelijkertijd veel geld in de brandkast zou liggen. De middag ervoor verwisselde ze zijn telefoon met hetzelfde model met een prepaid kaart die ze had gekocht. Ze besefte dat hij in het ergste geval zou beseffen dat hij de verkeerde mobiel had, maar dat was een klein risico. Simons telefoon stopte ze in haar zak en ze zette hem op stil. Toen Marcin daarna volgens het plan met PO in de kluisruimte was, hoefde ze alleen het sms'je dat ze al had getypt naar Marcins telefoon te sturen. De volgende dag had ze Simons mobiel teruggelegd op zijn bureau. Ze vertelde echter niet hoe haar hart op hol was geslagen toen eerst Anna-Lena en daarna de politie binnengekomen was. Gelukkig had Simon zich aan zijn routines gehouden en had hij de 'kapotte' telefoon op het bureau gelegd zodat ze hem kon verwisselen, maar het plan zou anders ook hebben gewerkt, daar was ze zeker van.

Ze vertelde niet hoe ze zich had voorbereid op hun ontmoeting van vandaag en dat ze van plan was geweest om misbruik van Stanse te maken om het geld in ontvangst te kunnen nemen. Wat had dat voor zin?

Terwijl ze vertelde keek ze naar Marcin, naar de manier waarop hij zijn voorhoofd geconcentreerd fronste, tussen de tafel en het aanrecht heen en weer liep om meer koffie te halen en af en toe met zijn hand over zijn kale schedel streek. Ze combineerde het met zijn stem, die ze eerder had gedacht te herkennen. Misschien hadden de verschillende talen haar op het verkeerde been gezet, maar nu wist ze het. Ze hoefde zich maar een beetje in te spannen om de andere stem net zo duidelijk te horen alsof hij naast haar stond. Een melodieuze stem die in het Duits tegen haar sprak.

45

Anna-Lena lachte hardop. Ze had nooit gedacht dat ze er weer van zou genieten om verleid te worden door een man. Misschien kwam het doordat ze het gevoel had dat ze de situatie meester was, dat het niet om liefde ging, maar om de passie van het moment, om begeerte en blijdschap in plaats van schaamte en schuld. Na de grenzeloze druk waaronder ze de afgelopen maanden had gewerkt, was deze heerlijke avond zonder verantwoordelijkheid een heerlijke onderbreking geweest. Göran had haar niet teleurgesteld, hij had haar enorm verwend. Hij had haar opgehaald in Mariefred, bij haar voordeur. Ze had om zich heen gekeken naar zijn auto, maar zag hem niet staan. In plaats daarvan had hij haar arm gepakt als een gentleman in een ouderwetse matineefilm en had hij haar meegenomen naar het water.

Daar stond de helikopter op hen te wachten. Hij had de piloot gevraagd om achterin te gaan zitten en had zelf gevlogen, met haar naast zich. Hij had gezegd dat het hoofd van het toeristenbureau het mooiste wat haar gemeente te bieden had vanuit de lucht moest bekijken en was over kasteel Gripsholm gevlogen voordat hij koers zette naar de kust. Toen ze op het eiland Oaxen landden, had ze al zo veel indrukken opgedaan dat ze het eerste glas champagne nauwelijks proefde. Skärgårdskrogen, volgens velen het beste restaurant in Zweden, was een belevenis die ze niet zou vergeten. Ze keek naar de knappe serveerster, maar werd al snel in beslag genomen door het gesprek met Göran. Hij charmeerde haar met zijn onverwachte humor en zijn verhalen uit een wereld die haar volkomen onbekend was. Daarnaast was ze nieuwsgierig naar elke nieuwe gang en voelde ze spanning over wat er na het etentje zou gebeuren. Jan-Börje was verdwenen, Sanna was verdwenen, er was niets meer dan dit moment waarin alles mogelijk was. Ze merkte dat ze lachte om dingen die ze anders niet grappig zou vinden. Ze was gevleider door zijn blikken dan door wat hij tegen haar zei. Toen ze in de zomernacht terugvlogen naar Strängnäs kuste ze hem en kroop in zijn armen. Pas nadat ze zonder een woord te zeggen zijn grote slaapkamer in zijn landhuis waren binnen gelopen, pas nadat ze naakt tegenover elkaar stonden en elkaar bewonderden, dacht ze na over wat er gebeurde en waartoe het zou leiden, maar op dat moment was de aantrekkingskracht en de ongeremde begeerte allesoverheersend geweest.

Nu was het bijna lunchtijd en ze was gênant laat. Hij had haar naar Strängnäs gereden en had haar op haar verzoek afgezet bij de kruising Storgatan en Järnvägsgatan. Ze had hem op zijn wangen gekust voordat ze uit de auto stapte en had zijn oor gestreeld, maar zonder een belofte over meer. Lachend hadden ze tegen elkaar gezegd dat ze elkaar die avond bij het concert van Diana Krall zouden zien. Zij en haar minnaar. Ze proefde de woorden. Sanna had minnaars, zij niet.

Het was fijn om door het centrum te wandelen en de versierde stad te zien. Er hing verwachting in de lucht en voor de eerste keer kon ze ervan genieten zonder dat ze meteen dacht aan al het werk dat nog verzet moest worden.

Bij de ingang van het stadhuis knikte ze zoals gewoonlijk naar de dames bij de receptie en liep naar haar kantoor. In de gang kwam ze Sune Holmgren tegen. Zijn gezicht was rood en hij keek gespannen. Toen hij haar in het oog kreeg bleef hij plotseling staan en staarde naar haar. Zij bleef ook staan en keek verbaasd terug.

'Wat is er?' Ze besefte dat ze defensief klonk. Ze had geen behoefte aan een zeurderig gesprek over het belang van op tijd komen.

'Eh… Hallo. Ik weet niet wat ik moet zeggen…'

Ze keek hem onderzoekend aan. Het was niets voor hem om zo verlegen te zijn.

'Ik kan alleen zeggen dat ik het heel erg vind, echt waar. Het is een beetje veel in één keer, neem ik aan.'

Waar had hij het over? Wist iedereen over haar ruzie met Sanna? Hoe was dat mogelijk?

'Ik vind het heel moedig van je om toch naar het werk te komen. Maar dit is natuurlijk een belangrijke dag.'

'Het spijt me, Sune, maar ik heb geen idee waar je het over hebt.'

Hij zag er verbaasd uit, opende en sloot zijn mond een paar keer zonder dat er geluid uit kwam. 'Aha… Op die manier… Eh… Heb je niets gehoord over de brand in de schuur?'

Ze schudde haar hoofd.

'En ook niet over wat er vanochtend is gebeurd?'

'Nee.'

Verbaasd zag ze dat hij zijn handpalmen tegen zijn wangen duwde. 'Hoe moet ik dit zeggen... Je ex-man is sinds gisteren verdwenen. En een niet-geïdentificeerde man is gisteren omgekomen bij een brand in een schuur op zijn terrein.'

Ze hoorde de woorden, maar besefte de betekenis niet. Bedoelde hij dat Jan-Börje dood was?

'Ik weet niet of ik je moet condoleren. Het is nog niet zeker. En dat is niet het enige.'

'Niet?'

Hij keek naar zijn schoenen. Het duurde een paar seconden voordat hij verderging. 'Tja... Eh... We hebben het bericht nog geen uur geleden van de politie gekregen... Maar het lijkt erop dat Stanislaw Crantz vanochtend tijdens een kajaktocht in Åkers Bergslag is neergeschoten en...'

'Ja?'

'...je vriendin Sanna lijkt erbij te zijn geweest.'

'Wat? Maar... Is zij ook beschoten?'

'We weten het niet. Ze is spoorloos verdwenen.' Hij keek weer op. 'Dus ik neem aan dat zij de medewerkster van de bank was die Crantz al eerder had ontmoet.'

Anna-Lena knikte, maar het lukte haar niet om commentaar te geven. Wat moest ze zeggen?

De ijzige kou in haar borstkas verminderde langzaam en werd vervangen door een enorme woede. Dit kon gewoon niet waar zijn. Ineens bedacht ze hoe griezelig gelijk ze de vorige dag had gehad. Jan-Börje was verdwenen, Sanna was verdwenen.

Jezus, wat gebeurde er allemaal?

46

Het wilderniscafé in Krampan was een opgeknapte garage. Alle tafels, inclusief die welke in alle haast buiten waren neergezet, waren bezet door journalisten, politieagenten en nieuwsgierigen.

Fredrik en Emilia dachten er ernstig over na om in de deuropening om te keren, maar plotseling kwam er een tafeltje vrij en ze gingen zitten.

'Wat denk jij hiervan?' Emilia hield haar hoofd scheef en keek onderzoekend naar Fredrik. 'Inmiddels hebben we een moordaanslag op een beroemde jazzmusicus en een verdwenen baliemedewerkster. Wat zijn de kansen?'

Fredrik schudde verbaasd zijn hoofd. Het was natuurlijk lastig te volgen, maar hij vond het niet moeilijk te begrijpen wat erachter zat. 'Die overvallers zijn weerzinwekkend. Heb je gehoord over Stanislaw Crantz' schotwonden? Hij is met hagel beschoten, net als Bertil Lindby. Het moeten dezelfde criminelen zijn geweest.'

Emilia nam een slok koffie en keek door het kleine raam naar de groeiende mensenmassa. 'Maar weten we dat heel zeker?'

'Tja, niets is zeker, maar het patroon is toch duidelijk? En nu is er weer een vrouw ontvoerd. Ik word misselijk als ik bedenk wat ze op dit moment misschien met haar doen.'

'Maar waarom vallen ze toeristen aan? Dat lijkt volkomen zinloos...'

'Wie weet hoe zulke criminelen functioneren? Ze wilden misschien een paar getuigen het zwijgen opleggen en bedachten toen dat ze wat plezier van de vrouw konden hebben.'

'Ze heet Sanna en vergeet niet dat ze niet zomaar iemand is. Ze werkt bij de bank... Zou dat niets te betekenen hebben?'

Fredrik begon te begrijpen welke kant ze op wilde. Hij had haar toch duidelijk verteld dat het zinloos was om theorieën op speculaties te bouwen? Hij voelde zich een beetje een zeurende ouwe vent, maar ze moest het tenslotte toch leren. 'Nee, Emilia, dat hoeft niets te betekenen. Ze was waarschijnlijk gewoon op het verkeerde moment op de verkeerde plek, dat komt voor. We moeten ons aan de feiten houden, anders maken we onszelf alleen belachelijk.'

Hij dacht dat hij een blik van pure woede en frustratie in haar ogen zag, maar dat duurde maar even. Even later glimlachte ze zelfs.

'Oké, en hoe gaan we dit dan doen? Wat is onze invalshoek?'

'Ik denk dat we ons op Crantz moeten concentreren. Een nieuwe, meedogenloze misdaad, de beroemde jazzmusicus zweeft tussen leven en dood, zoiets, wat denk jij daarvan?'

'We schrijven dus niets over Sanna?'

'Alleen dat ze verdwenen is. Wie weet vinden ze haar snel. Ik heb begrepen dat er meerdere hondenpatrouilles naar haar op zoek zijn.'

'We hebben dus nog steeds niets?'

Maria hield de hoorn stevig vast. De druk was ondraaglijk. Het was alsof ze in een doolhof rondliep. Ze haatte het om erbuiten te staan, om geen controle te hebben, maar het was nog erger om de gelaten klank in hun stemmen te horen. Zoals van Rufus Södergren, politiechef in Södertälje, die haar vertelde dat ze geen vooruitgang geboekt hadden.

De grootse politie-inzet in Sörmland gedurende de afgelopen jaren en toch geen resultaat. Een ontsnapte moordenaar, een meedogenloze bankoverval waarbij twee doden waren gevallen, de beschieting van een geldtransportauto, een aantal vernielde politieauto's, een platgebrande schuur, politieagenten met brandwonden, een neergeschoten en halfverdronken Duitse jazzmusicus op de intensive care in het Mälarziekenhuis en een verdwenen bankmedewerkster.

Rufus praatte verder, maar ze luisterde nauwelijks. Mechanisch stelde ze de volgende vraag. 'Wat vind jij dat ik moet doen?'

Rufus aarzelde. Het was gemakkelijker om zich te beklagen dan met iets bruikbaars te komen. 'Eh... Jullie hebben je handen toch vol aan het festival?'

Maria zuchtte geïrriteerd. Natuurlijk hadden haar collega's en zij geen gebrek aan werk, maar dat was niet van belang. De golf van geweld in haar district moest stoppen. Bovendien was ze ervan overtuigd dat de escalerende situatie haar en haar collega's zou treffen. Het was geen oplossing om haar hoofd in het zand te steken en zich bezig te houden met de veiligheid van het jazzfestival.

'Dat redden we wel. De hondenpatrouilles zijn dus aan het zoeken? Dat is in elk geval iets.'

'Ja, maar ik heb niet veel hoop. Er zijn heel veel sporen, maar het is niet zeker dat ze daar iets aan hebben. Het bosgebied rond Nedre Marviken is een populair wandelgebied en er zijn overal platgetrapte paden. Ik heb trouwens een auto naar Sanna Friborgs woning gestuurd met de opdracht om een persoonlijk voorwerp van haar op te halen. We hebben op de plek van de overval en bij de bank niets gevonden. We moeten er maar het beste van hopen.'

Ze bedankte hem en hing op. Dit kon zo niet verdergaan. Ze kon het niet hebben dat de hele stad naar haar keek terwijl zij hier maar zat. Het was tijd om zelf aan de slag te gaan, daarna mochten haar bazen zeggen wat ze wilden.

Ze had een idee, en ze wist precies wie ze daar de verantwoordelijkheid over moest geven. Ze pakte de telefoon weer en toetste een nummer in. 'Ingvar, kun je hiernaartoe komen? Ik heb een opdracht voor je, maar alleen als je het aankunt.'

Ze lachte toen ze ophing. Het was precies het juiste om te zeggen tegen de oude vechter. Hij had een nacht in het ziekenhuis doorgebracht om zijn brandwonden te laten behandelen, maar nu wilde hij zo snel mogelijk aan het werk. Toen hij vanochtend op het politiebureau was verschenen, had ze meteen een kantoor aan hem toegewezen.

Na minder dan twee minuten stond hij in de deuropening. 'Wat wil je dat ik ga doen?'

'We kunnen het niet langer aan anderen overlaten. We weten allebei dat de overvallers nog in de buurt zijn en ik denk dat er mensen zijn die weten waar ze zijn of ze in elk geval hebben gezien. Ik wil dat je negen mannen meeneemt en dat jullie langs de deuren van alle vakantiehuisjes in de buurt van Åkers Bergslag gaan. Begin op de plek van de laatste aanval en kam het gebied uit. Lukt dat?'

'Je kunt op me rekenen, maar heb je dan geen personeelstekort voor het festival?'

'Jazeker, maar daar kan ik niets aan doen. Per Strand moet het daar maar regelen. Hij heeft er tenslotte een opleiding voor gevolgd.'

Het was een goed gevoel dat ze een beslissing had genomen. Hemel, wat was het heerlijk om het initiatief weer te nemen.

Wachten was het moeilijkste wat er was. Marcin wist het, maar dat hielp niet. Hij liep naar de rand van het bos om een sigaret te roken, ademde de frisse boslucht diep in en dacht na. Hij was hier net zo opgesloten door de omstandigheden als toen hij in de gevangenis zat. Ze leefden in een zeepbel die elk moment uiteen kon spatten. Het maakte niet uit hoe nauwkeurig hij alles had gepland of dat Jimmy zichzelf had overtroffen. Er zou al snel van alles gebeuren en dat verontrustte hem. Hij was bezorgd om Jimmy en Sanna, maar minder om Fassidy. Buiten de zeepbel waren bijna alleen vijanden en dat was niets nieuws, maar het spel dat met steeds hogere inzetten werd gespeeld, had een enorme invloed op hem, vooral nu hij het gevoel had dat het contact met degenen op wie hij vertrouwde verbroken was.

Hij bevond zich in een extreme situatie die een wanhopige oplossing vereiste. Hij wist dat Budde en zijn bende hem dood wilden. De inzet was een bondgenootschap met zijn concurrenten in Krakau. Met dezelfde bendeleiders die hem in deze situatie hadden gebracht en die misbruik hadden gemaakt van zijn menselijke zwakte.

Dat het niet was gelopen zoals de bedoeling was geweest, kwam alleen door gierigheid en het inschakelen van de verkeerde huurmoordenaar. Dat was Fassidy namelijk, dat had Marcin al heel snel beseft door de manier waarop hij naar hem keek en zijn obsessie voor zijn wapens. Inmiddels twijfelde Marcin er echter sterk aan dat het gevaar van zijn kant zou komen. De man was zo instabiel dat hij niet goed functioneerde. Op het moment dat het schot in Mariefred was gevallen, had Marcin beseft hoe slecht het ervoor stond. Fassidy was op dit moment meer een gevaar voor zichzelf dan voor iemand anders en bepaald niet het gewillige moordwerktuig dat Budde had ingehuurd.

Na hun aankomst in het huisje had Fassidy hem in vertrouwen genomen. Terwijl Marcin zijn wond verbond, had Fassidy verteld over zijn beste vriend Richard, een tiener die in een smerig trappenhuis aan een overdosis was overleden. Vanaf dat moment was Fassidy vervuld van haat geweest. Hij had Richards dealer een keer ontmoet, maar wist niet hoe hij heette of waar hij vandaan kwam. De haat had Fassidy ertoe gebracht om van autodiefstallen en kioskoverallen naar koelbloedige executies over te stappen. Op die manier probeerde hij om te gaan met een werkelijkheid die van het begin tot het eind verkeerd voelde. Uiteindelijk was hij naar Mariefred gekomen en Marcin twijfelde er niet aan dat Berra had gekregen wat hij verdiende.

Fassidy kon zijn werk echter niet afmaken en dat maakte zijn aandeel van de buit belangrijk voor hem. Hij wilde net als de anderen een nieuw leven beginnen en vertrouwde daarbij op Marcin. Budde was van het ene op het andere moment van een opdrachtgever in een bedreiging veranderd. Marcin en Fassidy waren het eens. De aankomst van de mannen uit Eskilstuna was hun vrijgeleide, maar op welke manier wilde hij pas op het allerlaatste moment aan Jimmy en Sanna vertellen.

Het was een lastige en ongewenste beslissing geweest om naar de Clan te bellen. Tot op het laatst had hij gehoopt op een andere oplossing, maar Rolf Heinz belde niet terug en Jacus nam zijn mobiel niet op. Het zwijgen van Heinz was onverklaarbaar, maar Jacus was waarschijnlijk bang geworden. Dat was net iets voor hem.

Alles was begonnen met Jacus, de broer die zijn slechte geweten liet spreken en besloot hem te helpen, hoewel hij niet voldoende moed of autoriteit bezat om het tot een succesvol einde te brengen. Jacus, die uiteindelijk wakker was geworden en besefte dat zijn broer misschien niet zo slecht was als de media hem graag afschilderden.

Het was moeilijk om te bedenken dat ze ooit de beste vrienden waren geweest, zoals alleen broers kunnen zijn. Niet veel mensen zouden hem geloven als hij vertelde dat Jacus de stoere en moedige grote broer was geweest en hij het kleine ventje dat achter hem aan rende. Misschien was het gemakkelijker om te begrijpen dat Jacus er toen al van hield om in het middelpunt van de belangstelling te staan en iedereen charmeerde met zijn levensvreugde en energie. Hij had zijn broer destijds bewonderd en deed dat misschien nog steeds, maar dat gevoel was tegenwoordig vermengd met minachting en de pijn van oude wonden die nooit echt genazen.

Hij was vanaf het begin op zijn hoede geweest toen Jacus contact met hem had opgenomen in de gevangenis. Als gedetineerde leerde je om niet veel hoop te hebben. Het risico op teleurstelling was veel te groot. Hij twijfelde er niet aan dat Jacus contacten had die konden regelen wat hij beloofde, maar de situatie was veel gecompliceerder dan zijn gevoelige broer kon begrijpen.

Marcin bevond zich in een persoonlijke oorlog die was begonnen toen hij dertien was. Het was een oorlog tegen degenen die geld verdienden aan menselijk lijden en de dood. Nee, hij was geen Moeder Theresa, absoluut niet. Hij leefde in een criminele wereld en wist niets anders. Zijn wantrouwen tegen het rechtssysteem en de politie was onvoorwaardelijk. Het geweld lag voortdurend op de loer, maar zijn woede over de drugshandel was allesoverheersend. Drugs hadden ervoor gezorgd dat Jacus en hij geen ouders meer hadden en degenen die drugs dealden verdienden het om te sterven. Daarin sloot hij geen compromissen en daardoor belandde hij in een ernstig conflict met de bendeleiders.

Het was moeilijk om een gedetineerde te vinden die niet beweerde dat hij onschuldig in de gevangenis zat. Elke drugssmokkelaar beweerde dat hij niets had geweten van de narcotica die bij hem waren gevonden, en toch was dat precies wat hem was overkomen. Hij was erin geluisd. Ze hadden in Krakau beslist hard gelachen toen het nieuws bekend werd en de rekrutering van drugsdealers was waarschijnlijk flink toegenomen nadat hij uitgeschakeld was. Hij had echter gezworen dat er een eind aan zou komen, op zijn eigen manier.

De liefde voor een kind, misschien nog meer dan voor een vrouw, had hem naar Zweden gebracht. Hij kon echter niet meer van Marika houden na wat ze had gedaan. Het verraad deed nog steeds pijn, en hij kon alleen maar hopen dat het bloedgeld op een of andere manier werd gebruikt voor zijn zoontje. Ze was zwak en dat had hij moeten beseffen. Hij wist dat ze nog steeds in Malmö woonde, maar hij was niet van plan om bij haar op bezoek te gaan. Dat zou te veel pijn doen en hij wist bovendien zeker dat Marika tegen hun zoontje had gelogen. Marcin Szalas maakte geen deel uit van hun leven en dat zou waarschijnlijk zo blijven.

Hij vroeg zich af of ze hem weleens miste, of alleen bang voor hem was. Ze had beslist bezoek gehad van de politie en het was overal bekend dat hij was ontsnapt.

Bij Jacus zou hij wel op bezoek gaan. Ze hadden veel te bespreken. Hij wilde niet geloven dat zijn broer hem had verraden, maar als hij bang was geworden, dan was dat bijna net zo erg.

Marcin doofde zijn sigaret tegen een boomstam en ging terug naar het huisje. Toen hij binnenkwam zaten Jimmy en Sanna nog steeds aan de keukentafel te praten. Fassidy sliep, of deed alsof. Hij ging bij de anderen zitten.

Sanna keek naar hem.

Hij zag de vraag in haar ogen. 'Je vraagt je iets af.'

Ze glimlachte onzeker naar hem. 'Je doet me aan iemand denken. Zo veel dat ik denk dat jullie familie moeten zijn.'

'O ja?'

'Misschien is het toeval, maar het maakt me nieuwsgierig.'

Er lag een melancholieke toon in haar stem die hem verbaasde.

'Wie heb je in gedachten?'

'Stanislaw Crantz.'

Het bleef even stil. Twee paar ogen keken in afwachting van zijn antwoord naar hem. Het was eigenlijk een geheim, maar hij had niets te vrezen van deze twee.

'Dat is mijn broer.'

Sanna's reactie was onverwacht. Plotseling glansden haar ogen van pijn. Het was alsof het antwoord haar overviel. Ze sloeg haar handen voor haar gezicht en begon te huilen.

Jimmy en Marcin wisten niet wat ze moesten doen en voelden zich duidelijk niet op hun gemak. Jimmy streelde voorzichtig over haar rug, maar niemand zei iets.

Uiteindelijk droogde ze haar tranen en keek ze met glanzende ogen naar Marcin. 'Ik hield van hem. Het spijt me zo, Marcin, maar hij is dood. Hij is vanochtend doodgeschoten. Ik dacht dat het een van jullie was...' Ze wierp een snelle blik op Fassidy. '...maar nu weet ik beter.'

Marcin knipperde met zijn ogen terwijl hij probeerde het te begrijpen. Hij zou moeten huilen, dacht hij, maar in plaats daarvan voelde hij alleen woede en de intense duisternis die hem soms overviel en alles verstikte. Hij hield het niet meer uit, kwam zo abrupt overeind dat zijn stoel omviel en liep naar de deur.

Buiten keek hij naar de zon, die hem verblindde. Hij dwong zijn kaken te ontspannen voordat hij een sigaret opstak en opnieuw naar het bos liep. Daar pakte hij zijn mobiel en bestudeerde de lijst met gebelde en aangenomen gesprekken. Het kon geen toeval zijn.

DEEL 9 - LIBIDO

I don't know why you came along at such a perfect time
But if I let you hang around I'm bound to lose my mind
'Cause your hands may be strong, but the feeling's all wrong
Your heart is as black
Your heart is as black, oh your heart is black as night

'Your heart is black as night' – MELODY GARDOT

47

Zaterdag 1 juli 2006, 15.27 uur

Het was een fantastische avond geweest die verkeerd was geëindigd.

De details begonnen in zijn geheugen te vervagen. Ze waren vermengd met andere avonden, met de geuren van andere vrouwen en het gevoel van hun lichamen. Eén beeld kwam echter telkens terug, vooral als hij bij de zee was. Hij kon eraan herinnerd worden door een stuk zeewier dat naar het strand dreef, door wiegend riet of een visnet. Dan verscheen het beeld soms als een bliksemflits en bleef op zijn netvlies branden: de koele reling onder zijn handen, de warme bries in zijn gezicht, het geluid van de zee, het geroezemoes van het feest. De vrouw, Johanna, die roerloos in het water dreef. Hij herinnerde zich haar naam. Dat deed hij anders niet, maar het was ook een speciale avond geweest. Hij zag de golven over haar heen rollen en wist dat hij nooit zou vergeten wat er was gebeurd. Het laatste wat hij zag voordat hij terugging naar zijn hut was het lange, blonde haar dat kronkelde als zeegras.

Dat het was gebeurd, was triest en onnodig. De avond had niet anders hoeven te verlopen dan zo veel andere avonden aan boord van het jacht. Het was de perfecte afsluiting van een mooi feest geweest, twee lichamen samen, hij en de veroverde vrouw. De tabletten hadden in het begin het verwachte effect gehad, en ze hadden een heerlijke tijd in de hut gehad voordat ze besefte wat er gebeurde en in paniek raakte. Als ze meegaander was geweest, zoals zo veel vrouwen voor en na haar, dan was alles goed gegaan.

In plaats daarvan worstelde hij al lang voordat Crantz hem onder druk had gezet met de angst om ontmaskerd te worden. De Pool zou dankbaar moeten zijn, maar had een ego dat voortdurend groeide en kon de kwestie niet laten rusten. God, wat verachtte hij al die musici en kunstenaars die zich zo grenzeloos verheven boven iedereen voelden. Ze begrepen de poëzie van volledige toewijding niet, om tot elke prijs te doen wat nodig was.

De beslissing om Crantz te laten boeten omdat hij zijn grote neus in zijn zaken had gestoken, was niet moeilijk geweest. Wat had hij trouwens voor keus gehad? Het was een kwestie van tijd voordat de Pool de waarheid aan zijn minnares zou vertellen, en dat mocht niet gebeuren.

Wat er bij de schuur was gebeurd, had hem geholpen om de weg die hij was ingeslagen te accepteren. En bij het meer had hij zich fantastisch gevoeld.

De boot was zijn oase en in zijn hut was het donker omdat hij de luiken had gesloten. Normaal gesproken genoot hij van het kalme geklots van het water, maar nu werd dat overstemd door de muziek en het geroezemoes van het festival. Dit was zijn houvast, zijn veiligheid en zijn liefdestempel. Hier hoefde hij zijn begeerte niet onder controle te houden, zich niet minderwaardig of zwak te voelen. Het was een plek om te genieten en zich over te geven. Hij had er moeite mee om hier weg te gaan, hoewel hij wist dat het nodig was.

De boer had er verbaasd uitgezien toen hij de trekker overhaalde, alsof hij niet begreep dat hij dood kon gaan. Het was zelfverdediging geweest. Hij had geen andere uitweg gehad. Hij verstond niet wat de boer zei, maar het was duidelijk toen hij op zijn tractor sprong en het jachtgeweer pakte. Een van de twee schoten die hij had afgevuurd miste en raakte in plaats daarvan de auto van de overvallers. Natuurlijk had hij terug geschoten, één volmaakt schot. Op dat moment was alles helder geworden. Hij besefte waartoe hij in staat was, en dat hij alleen voor zichzelf en niet meer voor anderen wilde werken.

Toen de boer dood op de grond lag, had hij haast gehad. Hij had Marcin beloofd om de auto in brand te steken, en het had de beste oplossing geleken om de boer de schuur in te trekken. Verteerd worden door vuur was een mooi einde. En het jachtgeweer van de boer was daarna verdomd goed van pas gekomen. Crantz en zijn hoer moesten dood. Ze hadden hem waarschijnlijk niet herkend, maar hij moest zijn mislukking rechtzetten. Gelukkig wist hij waar ze was en zodra hij voldoende moed bij elkaar had geraapt, zou hij ernaartoe gaan. Hij durfde er niet op te vertrouwen dat het anders opgelost zou worden. Bovendien wilde hij haar absoluut hebben. Die slet was van hem.

DEEL 10 - EINDAFREKENING

I raise my voice
And shake the walls
But if I chance to cry at all
I hope you hear me now
I'm coming through

'I'm Coming Through' – DIANA KRALL/ELVIS COSTELLO

48

Zaterdag 1 juli 2006, 16.46 uur

De redactie was bijna leeg. Degenen die niet vrij waren versloegen het festival. Fredrik had zijn deadline gehaald en stond op het punt om weg te gaan. Het concert van Diana Krall begon om zes uur en hij zou er met Ulrika naartoe gaan. Op het laatste moment had hij een babysitter kunnen krijgen, wat een hopeloze situatie had gered.

Hij had met Ulrika afgesproken bij de wafelkraam in Västerviken en hij moest zich haasten als hij op tijd wilde zijn. Het kon een mooie avond worden.

Toch had hij moeite om zich vrolijk te voelen. Zelfs de verrassing met de kaartjes was niet geworden wat hij zich ervan had voorgesteld. Hij was zich doodgeschrokken toen hij besefte dat het concert uitverkocht was. Diana Krall was Ulrika's favoriete artiest en hij had al maanden geleden besloten dat ze ernaartoe zouden gaan, maar toen hij kaartjes wilde kopen was het te laat geweest. Op een of andere manier had Ulrika het idee gehad dat hij een verrassing voor haar had en ze had meerdere keren laten doorschemeren dat ze ernaar uitkeek om verwend te worden. Hij had ontwijkend geantwoord om het zogenaamd spannend te houden terwijl hij er geen flauw idee van had hoe hij zich uit de situatie moest redden. Hij had kaartjes voor Sophie Zelmani voor overmorgen, maar hij wist dat Ulrika net als alle anderen in het festivalprogramma had gekeken en lange tijd had een mislukking onvermijdelijk geleken. Gege was vanochtend zijn reddende engel geweest. Zij en haar man Bosse waren verhinderd en ze had hun twee kaartjes aan hem verkocht. Hij was zo blij geweest dat hij zijn best moest doen om niet te gaan huilen.

Eindelijk ging er iets naar zijn zin, eindelijk had hij een verrassing voor haar die ze zou waarderen. Misschien kon dit het juiste moment zijn om samen blij te zijn. Maar het was natuurlijk op het laatste moment en hij had geen tijd om naar huis te gaan en zijn vrouw te verrassen, dus moest hij genoegen nemen met een telefoontje. Haar reactie was niet geweest waarop hij had gehoopt.

'Ik heb kaartjes voor Diana Krall vanavond, wil je met me mee?'

'Leuk. Natuurlijk wil ik dat. Wat doen we met de kinderen?'

Geen lach, geen opwinding, alleen aandacht voor de praktische kant: het had hem bijna sprakeloos gemaakt. Daarna schaamde hij zich natuurlijk. Hij had aan de overburen gevraagd of ze overmorgen op Klara konden passen en hij had er geen idee van of ze vandaag konden. Er waren natuurlijk andere alternatieven, maar geen ervan was vanzelfsprekend. Bovendien had hij geen tijd. 'Ik ben bezig een oppas voor Klara te regelen, maar misschien kunnen we Hampus meenemen?'

Ulrika's geïrriteerde zucht deed bijna lichamelijk pijn. 'Natuurlijk. Hoe laat spreken we af?'

Hij voelde zich verschrikkelijk onzeker over hoe de avond zou worden. Ze moesten praten, echt praten, en hij vroeg zich af of dit de gelegenheid was waarop hij wachtte. Ulrika leek niet bepaald open te staan voor hem. Hij had gedacht dat het verschil zou maken als hij iets leuks regelde, maar het was niet gemakkelijk om dat voor elkaar te krijgen.

Emilia keek naar binnen. Ze zag er nieuwsgierig uit, maar ook een beetje nadenkend. Ze dacht ergens over na, dat was duidelijk. Ze stortte zich in haar rol als misdaadverslaggever op een manier zoals hij zelf nooit had gedaan. Ja, natuurlijk, in het begin bij *Expressen* had hij zijn best gedaan...

Vandaag had hij haar niet veel ruimte gegeven voor eigen initiatieven, maar dat kon nu eenmaal niet anders. Hun reportage was interessant, daarvan was hij overtuigd. In het begin was hij heel erg onder de indruk van haar geweest en had hij haar een extreem goede zomerstagiaire gevonden, maar nu besefte hij dat hij in het begin jaloers was geweest: op de heldere blik in haar ogen, haar tomeloze energie, de manier waarop ze alle kritiek naast zich neerlegde en een spoor bleef najagen waarvan zij, en alleen zij, lucht had gekregen. Hij werd bijna een beetje bang dat wat hij als jeugdig enthousiasme beschouwde in werkelijkheid een bijna volleerde journalist met een primeur binnen bereik was.

Ze glimlachte naar hem. 'Ga je vanavond naar het concert?'

'Jazeker! Jij ook?'

'Nee, helaas, ik heb geen geld. Ik had gehoopt dat ik naar binnen kon als geaccrediteerde journalist, maar je weet hoe dat afgelopen is.'

De leiding van het festival was keihard geweest als het ging om accrediteringen van verslaggevers. De drukte was zo groot dat niet alle plaatselijke journalisten bij elk concert aanwezig konden zijn als maar een fractie van hen daar was om iets over het optreden te schrijven. Gege en Fahlner waren gedwongen om voor elke festivaldag namenlijsten in te leveren.

'Maar het is niet anders. En nu moet ik iets controleren. Ik ga proberen om Anna-Lena Olofsson zo snel mogelijk te pakken te krijgen.'

Fredrik lachte. Ze zat echt vol verrassingen en was koppig als een ezel als ze iets in haar hoofd had. Het zou niet gemakkelijk zijn om juist vandaag met Anna-Lena te praten, maar Emilia leek zich nergens iets van aan te trekken. Zijn irritatie omdat ze vanochtend zo laat was geweest had ze zwijgend geaccepteerd, in de vaste overtuiging dat haar prioriteiten de juiste waren. Het was irritant en tegelijkertijd bewonderenswaardig. Plotseling kreeg hij een inval. Misschien was het verraad, hij wist het niet goed, maar dat kon hem eigenlijk niet schelen. Het was wat hij wilde.

'Luister, wat zeg je ervan als we overmorgen samen naar het concert van Sophie Zelmani gaan?'

'Meen je dat?' Emilia lachte en zag er heel blij uit. 'Gaaf, wat lief van je! Ik wil heel graag!'

'Mooi, dat is dan afgesproken.'

'Dan heb ik echt iets om naar uit te kijken. En nu moet ik gaan. *Wish me luck!*'

Hij voelde dat hij rood werd toen hij alleen was achtergebleven. Waar was hij mee bezig? Waarschijnlijk probeerde hij alleen iets leuks voor haar te doen. Hij wilde haar zijn waardering tonen, dat was alles.

Zaterdag 1 juli 2006, 17.15 uur

Ingvar Lundmark reed het erf op met Fritte Fredriksen achter zich aan. Ze waren al bij minstens twintig vakantiehuisjes langs geweest die afgelegen genoeg lagen om interessant te zijn. Ze hadden geen spoor van de overvallers gevonden of een aanwijzing dat iets anders dan anders was, maar dat had hij ook niet verwacht. Net als Maria vond hij het beter om iets te doen dan op het bureau te zitten, maar hij maakte zich geen illusies dat ze succes zouden hebben. Hij had waanzinnig veel geluk gehad dat hij Boel op tijd had gevonden. Dat het geluk hem zo snel weer zou toelachen, leek op zijn minst gezegd onwaarschijnlijk.

Naast Fritte had hij de beschikking over vier motoragenten en twee patrouillewagens van Strängnäs. Alle motoragenten reden twee aan twee met de strikte opdracht om bij elkaar te blijven en geen verdachte personen te benaderen zonder dat eerst met Ingvar te overleggen. Hij luisterde nauwgezet naar de politieradio in zijn helm om te horen of er nieuws was. Behalve de helikopters was er één hondenpatrouille die misschien een spoor had gevonden.

Het vakantiehuisje leek verlaten, net als de meeste andere. Het was weliswaar vakantietijd, maar alle politieactiviteiten en het vermoeden dat er criminelen in het gebied waren, hadden veel mensen afgeschrikt. Hoewel sommige eigenaren waren gebleven, en dat maakte het er niet eenvoudiger op. Hoe moesten ze weten wanneer en of ze bij het juiste adres waren? Als de overvallers iets meer dan zaagsel in hun hoofd hadden, zouden ze waarschijnlijk doen of ze de eigenaars waren. Hoewel nog moest blijken of ze dat konden. Criminelen vonden het meestal niet gemakkelijk om te doen alsof ze een normaal gezin waren. Bovendien hadden de meesten tatoeages en littekens die je voornamelijk bij beroepscriminelen zag. Hij moest er gewoon in geloven en er het beste van hopen. Er was geen alternatief.

Op het moment dat hij van zijn motor wilde stappen, kreeg hij een mededeling door zijn portofoon. Het waren de mannen die een paar honderd meter verderop controleerden. 'Lundmark, we gaan een vakantiehuisje bekijken. Ligt afgelegen aan een bospad. Op de brievenbus staat Ahlgren.'

'Mooi, succes. Ik denk dat wij over een paar minuten bij de hoofdweg zijn. Het ziet er hier verlaten uit.'

'Begrepen. We melden ons als we hier klaar zijn. Over en sluiten.'

Anna-Lena probeerde zich te concentreren op alles wat ze nog moest doen. Dat was veel. Sune kwam met de ene onbegrijpelijke instructie na de andere. Hij was uitermate gespannen over het diner dat Mariefred organiseerde en viel haar lastig met de tafelschikking, wie aan wie voorgesteld moest worden en duizend andere details. Tegelijkertijd stelde Per Strand vragen over de veiligheidsvoorzieningen, die nu nog actueler waren geworden. De binnenlandse veiligheidsdienst was zelfs ingeschakeld om de veiligheid van de artiesten te beoordelen na wat er met Crantz was gebeurd. Daarnaast had ze te maken met allerlei managers en artiesten die zich zorgen maakten. Ze probeerde hen te kalmeren door te vertellen dat wat er met Crantz was gebeurd niets met het festival te maken had, maar eigenlijk wist niemand wat er precies aan de hand was.

Nu liep ze over het festivalterrein, sprak met functionarissen en nam poolshoogte bij de medewerksters van het toeristenbureau die het razend druk hadden met overnachtingen regelen voor iedereen die niet vooraf had gereserveerd.

Ze was vanbinnen net een ballon, tot barstens toe gevuld met verwarrende gevoelens. Vreemd genoeg had het nieuws over Jan-Börje haar het meest geschokt. Ze voelde geen verdriet, maar eerder opluchting omdat hij er niet meer was. Ze had zijn dood nooit gewild, maar nu het was gebeurd, besefte ze hoe groot de druk was geweest waaronder ze de hele tijd had geleefd. Jan-Börje was een dreiging geweest, een boosaardige kracht die zijn plaats in haar leven weer dreigde in te nemen op het moment dat ze er het minst op verdacht was. Tegelijkertijd maakte ze zich zorgen over Sanna. Wat was er met haar gebeurd? Niemand wist het, maar de mensen die ze erover had gehoord, leken allemaal van het ergste uit te gaan. Ontvoerd, verkracht, vermoord, of elke mogelijke combinatie daarvan.

Ze kon het niet echt geloven. Sanna was levendig, onverschrokken en sterk. Anna-Lena moest telkens terugdenken aan hun gesprek in de bank. Ze koesterde een verdenking waarover ze zich schaamde, maar die ze niet los kon laten. Misschien had Sanna meer mensen verraden. Stel dat ze een meedogenloos plan had bedacht en Stanislaw Crantz in een val had gelokt om wraak op hem te nemen omdat hij haar onrecht had aangedaan?

Sanna kon berekenend zijn, een karaktertrek die Anna-Lena heel aantrekkelijk had gevonden, in elk geval zolang ze er niet zelf aan blootstond. Sanna nam onrecht bovendien persoonlijker op dan de meesten. Had ze haar vriendin verkeerd begrepen? Vooral de laatste opmerking die Sanna had gemaakt, bleef in haar hoofd rondspoken. Ze had Anna-Lena gesmeekt om het te begrijpen voordat die naar buiten was gerend.

Het spijt me. Het is zo ingewikkeld. Het is niet wat je denkt. Absoluut niet, maar we moeten praten. Kunnen we straks met elkaar afspreken? Ik ben om drie uur klaar.

Wat had ze daarmee bedoeld?

Door haar woede over Sanna's verraad had Anna-Lena niet goed naar haar geluisterd, en daarna hadden ze elkaar niet meer gesproken en was ze uit eten gegaan met Göran.

Ze kon het gevoel niet kwijtraken dat Sanna misschien een antwoord had gezocht en had gevonden. Dat ze had geprobeerd dat te vertellen, maar de kans niet had gekregen. Maar als Sanna leefde en niet was ontvoerd, waar kon ze dan zijn?

Anna-Lena besefte dat ze het antwoord misschien wist. Toen Emilia naar haar toe kwam, vroeg ze zich net af of ze alles moest laten vallen om ernaartoe te rijden.

'Hallo! Hemel, wat heb ik naar je gezocht. Ik wil je graag een paar vragen stellen.'

'Helaas, ik heb nu geen tijd voor een interview. Er is zo enorm veel te doen.'

'Het is geen interview. Ik heb een paar dingen ontdekt waarover ik nadenk. Het is niet voor een artikel, maar ik kan het niet loslaten.'

Jij ook al, dacht Anna-Lena.

Ze kon het niet laten om haar met Sanna te vergelijken. Emilia deed haar op veel manieren aan Sanna denken. Ze hadden dezelfde intensiteit en energie, maar ook een enorme kwetsbaarheid en een uitgesproken verlangen naar bevestiging.

'Goed, waar gaat het over?'

'Het gaat om Sanna Friborg. Ik… Ik heb gehoord dat jullie een relatie hebben.'

Anna-Lena trok haar wenkbrauwen op. Emilia keek een beetje verlegen, maar ging verder.

'Daar heeft het niets mee te maken. Ik dacht alleen dat jij het me daardoor kunt vertellen als ik het verkeerd zie.'

'Ja?'

'Ik heb gisteren met Arne Kyrkström gesproken. Ik wilde bepaalde informatie over Taubermann door hem laten bevestigen. Ik heb begrepen dat Kyrkström heeft geholpen om Taubermann hiernaartoe te halen. Hij wilde echter niet met me praten.'

Anna-Lena glimlachte. Dat verbaasde haar niet. Nieuwsgierige journalisten stonden niet hoog aangeschreven bij de autohandelaar, en als het om Taubermann ging was hij zo gesloten als een oester.

'En waarom denk je dat ik er meer aan toe te voegen heb?'

'Omdat je waarschijnlijk meer om Sanna geeft dan om een of andere Duitse bobo.'

'Oké, vertel.' Het gesprek begon haar te interesseren. Hoeveel wist Emilia?

'Tja, Kyrkström heeft wel iets gezegd. Hij vertelde dat Sanna Friborg hem op het idee heeft gebracht om contact op te nemen met Taubermann. Ze meende dat het de juiste manier was om Stanislaw Crantz hiernaartoe te halen en dat jij en Holmgren het contact zouden waarderen. Zij heeft Kyrkström blijkbaar aan je voorgesteld.'

Anna-Lena deed haar best om een neutrale gezichtsuitdrukking te bewaren. 'Waarom heeft hij dat verteld? Hij is anders niet bepaald mededeelzaam.'

Emilia lachte. 'Dat was waarschijnlijk omdat ik suggereerde dat Taubermann contacten met de maffia heeft. Dat vond hij helemaal niet prettig. Hij was er heel resoluut in dat het kwaadwillende roddels moesten zijn en dat hij juist bijzonder gerespecteerd wordt. Ik geloof dat hij een beetje geschokt was.'

'Denk je echt dat Taubermann bij de maffia hoort?'

'Ik weet het niet, maar iets klopt er niet. Het blijkt dat zijn advocaat Szalas heeft verdedigd, je weet wel, de gevangene die uit Bondhagen is ontsnapt en die ervan wordt verdacht betrokken te zijn geweest bij de bankoverval. Er is geen twijfel over dat die vent deel uitmaakt van de georganiseerde misdaad. Dat bewijst natuurlijk niets, maar zoals het er nu voor staat geef ik hem liever niet het voordeel van de twijfel. En zijn lijfwacht is een heel onguur type. Hij schijnt drugs te dealen en heeft veel beroemdheden als klant.'

Anna-Lena dacht meteen aan Johanna. Ze huiverde. Ze had nooit geloofd dat haar zusje zelfmoord had gepleegd, een theorie die al snel de ronde had gedaan in Åker. Aan de andere kant had ze ook nooit geloofd dat Johanna was vermoord. Het leek veel te onwaarschijnlijk en wat Sanna erover had verteld, was geen bewijs voor zulke vermoedens. Nee, een ongeluk was het waarschijnlijkst. Net als Sanna had ze vaak gedacht dat er mensen waren die meer wisten dan ze hadden verteld, maar ze zou het veel te pijnlijk vinden om op zoek te gaan naar de waarheid. Nu had ze echter een reden om die mening bij te stellen. Als Sanna leefde en op een of andere manier betrokken was bij wat er was gebeurd, dan bevond ze zich in een heel riskante situatie. Anna-Lena's vermoeden waar Sanna kon zijn was niet meer dan een inval, maar het leek nu nog belangrijker om te controleren of ze gelijk had. Tegelijkertijd begon ze echt bang te worden.

Er was iets aan Emilia wat vertrouwen inboezemde en ervoor zorgde dat ze haar voorzichtigheid liet varen. 'Luister, waarom ga je niet met me mee?

Ik weet misschien waar Sanna is. Ik kan het mis hebben, maar ik wil het zeker weten.'

Emilia knipperde verbaasd met haar ogen, maar knikte daarna enthousiast. 'Graag. Ik heb geen andere plannen. Dan kun je me onderweg misschien vertellen wat je hebt bedacht.' Ze stopte even. 'Maar… Kun je hier echt weg? Je zei daarnet toch dat je het zo druk hebt?'

Anna-Lena glimlachte vermoeid. 'Dit is belangrijker.'

49

Zaterdag 1 juli 2006, 17.21 uur

Iedereen zag er gespannen uit toen hij binnenkwam. Het geronk van de motoren stroomde door de ramen naar binnen. Marcin, die bij de bosrand was geweest, was naar het huisje teruggerend. Ergens ver weg klonk hondengeblaf.

Fassidy was opgestaan en frunnikte zenuwachtig aan zijn wapen. Jimmy stond achter het gordijn bij een van de ramen die uitkeek op de voorkant en controleerde of hij koplampen zag. Hij had een machinegeweer in zijn handen. Sanna zat nog bij de tafel, maar had een pistool voor zich liggen waar ze verbaasd naar staarde. Marcin vermoedde dat het van Jimmy was.

'We moeten heel kalm blijven. Als het smerissen zijn, dan weten ze waarschijnlijk niet dat we hier zijn. Anders zouden ze stiller zijn.'

Jimmy knikte, maar zag er niet bepaald overtuigd uit.

'En wat doen we als ze aankloppen?' vroeg Fassidy.

'Dan reageren we niet. Als ze denken dat het huis leegstaat, is alles goed.'

'Maar als ze de situatie begrijpen? Wat doen we dan?'

'Dan moeten we hier weg.'

Marcin keek om zich heen. 'Fassidy, blijf bij het bed, maar hou je geweer op de deur gericht. Ik neem het andere raam, dan kun jij daar blijven staan, Jimmy.'

Het geronk nam snel in volume toe en even later reden twee politiemotoren tot voor het huis.

Marcin vloekte zachtjes toen hij besefte dat de garagedeur op een kier stond. Daarbinnen stond de Volvo met al het geld.

De politieagenten keken lusteloos om zich heen. Het begon laat te worden en ze hadden waarschijnlijk al een lange dag achter de rug. Een van de agenten klapte de steun naar beneden, stapte van zijn motor en begon in een rustig tempo rond het huis te lopen. Zijn collega bleef op zijn motor zitten.

Marcin draaide zich om, liep snel naar het raam aan de achterkant en keek voorzichtig naar buiten. Hij zag de politieagent niet. Geschrokken merkte hij dat de deur aan de achterkant niet op slot was en een centimeter openstond. Voorzichtig liep hij naar de deur en legde zijn hand op de deurkruk.

Het gekraak van de houten trap verraadde dat de politieagent aan de andere kant van de deur stond. Als hij probeerde of de deur open was, kon Marcin niet anders dan hem openduwen, de agent overrompelen en hem het zwijgen opleggen voordat de agent aan de voorkant besefte wat er aan de hand was. Hij wilde echter niet schieten als hij dat kon voorkomen. Hij schoot niet graag op agenten.

Sanna zat nog steeds bij de tafel, maar keek nu naar Marcin. Ze had het pistool weggestopt. Hij had het gevoel dat ze hem taxeerde, maar dat kon verbeelding zijn.

Vier harde bonken dreunden door het huisje.

Marcin kon de politieagent buiten horen mompelen dat het een zinloze rotklus was. Daarna volgden de bevrijdende stappen naar beneden.

Marcin zocht oogcontact met Jimmy en stak vragend twee vingers omhoog. Na een paar seconden knikte Jimmy, en Marcin trok de deur voorzichtig dicht en deed hem op slot.

Toen hij weer achter het gordijn stond, zag hij de politieagenten met elkaar praten, maar hij kon niet horen wat ze zeiden. De man die rond het huis was gelopen haalde zijn schouders op en ging weer op zijn motor zitten, waarna ze hun motoren startten. Het leek erop dat ze klaar waren met hun controle. Met een beetje geluk had het hondengeblaf ook niets met hen te maken. Het was ontzettend gemakkelijk om paranoïde te worden, dacht Marcin.

De motoren begonnen te rijden en verdwenen over het bospad.

Marcin liep weg bij het raam. Sanna zag er een beetje trillerig uit terwijl ze met haar beker naar het koffiezetapparaat liep. Fassidy hijgde toen hij ging liggen.

'Wacht, ze komen terug,' fluisterde Jimmy hees van de spanning.

Marcin liep terug naar zijn raam, Sanna zette de koffiepot voorzichtig neer en Fassidy stond weer op.

'Ze gaan de garage controleren.'

Er was geen raam aan die kant van de gevel, zodat niemand van hen kon zien wat er gebeurde. Jimmy had het beste uitzicht, maar zag alleen de geparkeerde motoren.

Ze hadden de open deur blijkbaar gezien. De auto was in elk geval op slot, dat wist hij zeker. De oude auto kon bijna niet opvallen, maar je wist het nooit zeker.

Ze wachtten ongeduldig. Waren de smerissen naar binnen gegaan?

Er ging een minuut voorbij, daarna dook er een schaduw op aan de kant van Jimmy's raam en hij begreep dat minstens een van de politieagenten terug was. Meteen daarna gingen ze allebei weer op hun motoren zitten.

'Ze praten in hun portofoon.'

Fassidy gromde. Hij leek eerder bang dan agressief. 'Er komen er zo vast meer. We moeten iets doen!'

Marcin gebaarde dat Fassidy moest kalmeren en vooral stil moest zijn. Jimmy bleef de politieagenten in de gaten houden terwijl de anderen wachtten.

Eindelijk startten ze hun motoren weer. Het leek alsof ze klaar waren, maar misschien gingen ze alleen versterking halen. Het leek Jimmy beter om die gedachte niet met Fassidy te delen.

Ze verdwenen uit zijn gezichtsveld en het geluid stierf weg.

Hij wilde net bij het raam weglopen toen hij het motorgeluid weer hoorde aanzwellen. Wat was dat verdomme? Waarom kwamen ze voor de derde keer terug?

Hij zei niets tegen de anderen, eerst wilde hij het zeker weten. Het geluid bleef, maar nam niet in kracht toe. Plotseling wist hij hoe het kwam. 'Er komt een auto aan!'

Nu liep zelfs Sanna naar het raam. Ze ging naast Jimmy staan terwijl Marcin zijn pistool met een grimmige uitdrukking op zijn gezicht nog een keer controleerde.

Jimmy en Marcin beseften tegelijkertijd wie het waren.

'Het is de Clan. Ze zijn er.'

50

'We moeten onderweg even stoppen.'

Emilia knikte afwezig. Anna-Lena had net verteld waar ze naartoe gingen en waarom. Het was duidelijk dat ze nadacht.

'Waarom wilde je dat ik meega?' vroeg ze, waarna ze haar keel schraapte. 'Ik stel het natuurlijk op prijs, maar waarom?'

'Omdat ik niet alleen wilde gaan en omdat ik denk dat jij iemand bent die het hoofd koel kunt houden.'

Emilia liet het compliment op zich inwerken. 'Denk je dat het gevaarlijk kan worden?'

'Daarom moeten we onderweg stoppen.'

Ze reden een paar minuten in stilte, eerst door Åker en de omgeving van de fabriek, daarna langs het water en door het bos. Het was dezelfde weg die de overvallers een paar dagen eerder hadden genomen. Dat leek een eeuwigheid geleden.

'Ben je bang voor haar?'

Anna-Lena lachte om de onverwachte vraag. 'Voor Sanna? Nee, helemaal niet, maar je weet nooit in wiens gezelschap ze zich bevindt.'

'Zoals wie?'

'Geen idee. Het kan iedereen zijn of helemaal niemand. We moeten afwachten.'

Emilia besefte dat Anna-Lena meer wist, of in elk geval een vermoeden had dat ze niet met haar wilde delen. De rit gaf haar een nogal surrealistisch gevoel. Het zou fantastisch zijn als ze Sanna inderdaad zouden vinden. De spanning van Anna-Lena begon over te slaan op Emilia. Waar had ze zich mee ingelaten?

Anna-Lena sloeg af van de hoofdweg en reed verder tot een slagboom. Ze haalde een sleutelbos uit haar zak en stapte uit de auto om hem te openen.

Toen ze de slagboom was gepasseerd, liet ze hem open en reed het erf op.

'Wie woont hier?'

'Hier woonde Jan-Börje Larsson, mijn ex-man. Degene die gisteren is doodgeschoten.'

'Aha.' Emilia had natuurlijk gehoord over het drama in de schuur en de vermoorde boer, maar ze had de koppeling met Anna-Lena niet gelegd.

'Je mag blijven zitten. Ik ben zo terug.' Anna-Lena stapte uit de auto en liep naar de veranda. Er was geen teken dat de politie hier al was geweest, maar Jan-Börje werd ook nergens van verdacht, hoewel ze het moeilijk vond hem als een slachtoffer te zien. Ze stak haar hand achter een pot met een verwelkte geranium die op een vensterbank stond en haalde een sleutel tevoorschijn. Jan-Börje had zijn gewoonten niet veranderd. Ze maakte de deur open en liep de hal in. De stoffige, maar vertrouwde lucht vulde haar neusgaten. Het was de lucht van thuis, maar toch ook niet. Ze zag dat hij bijna niets veranderd had. Het huis maakte een verlaten indruk die niets met de dood van Jan-Börje te maken had. Dit huis was de afgelopen herfst al verlaten na de mishandeling tijdens de vreselijke avond die ze zichzelf dwong om nooit te vergeten, maar tegelijkertijd was het een gebeurtenis die iets van zijn angstige betekenis was kwijtgeraakt.

De wandklok in de zitkamer sloeg. Hij had in elk geval de moeite genomen om hem op te winden, dacht ze terwijl ze de trap op liep naar de bovenverdieping. De loper op de treden was versleten en smerig. Die was beslist niet gewassen sinds die dag in oktober, een week voor de laatste mishandeling en haar vertrek. Het was alsof ze zijn verraad en laaghartigheid opnieuw voelde nu ze door het huis liep en zag hoe hij alles had verwaarloosd terwijl hij altijd had gezegd dat het zo belangrijk voor hem was. Dat was echter niet nieuw, hij had zich nooit echt druk gemaakt over het huis of de spullen die erin stonden. Het enige wat hij had gewild, was macht over haar hebben.

Het was natuurlijk belachelijk dat hij de zware wapenkast op de eerste verdieping wilde hebben. Het was een verschrikking geweest om hem naar boven te krijgen, maar Jan-Börje was eigenwijs geweest. Hij wilde zijn wapens in de buurt van de slaapkamer hebben.

Op de boekenplanken in de hal lag een dikke laag stof. Daar stonden al haar boeken, die de laatste tijd niet aangeraakt waren, net zo min als de fauteuil waarin ze altijd zat te lezen en naar een andere, betere wereld verdween.

In de slaapkamer was het bed niet opgemaakt en zijn kleren lagen op een hoop op de grond.

Precies zoals ze had gehoopt, was de wapenkast niet op slot. Het elanden-jachtgeweer stond op zijn gebruikelijke plek en ze vond een doos patronen in een van de laden.

Op weg naar buiten stopte ze bij de boekenplanken. Ze vond het dunne boekje bijna meteen, pakte het en liep voorzichtig de trap af. Een elanden-jachtgeweer en de verzamelde gedichten van Edith Södergran, meer wilde ze niet hebben.

Het voelde als een symbolische daad en een stap in de toekomst toen ze de voordeur achter zich dichttrok. Ze was hier klaar en beloofde zichzelf om niet meer achterom te kijken.

Er werd op de deur geklopt. Marcin keek naar Fassidy, die het geweer op-nieuw vasthield. Hij wees naar Jimmy en zei zachtjes: 'Doe open. Ik ga achter de deur staan.'

Jimmy zag er bang uit. Alle geforceerde stoerheid was verdwenen. Nu was het ernst en dat wist hij.

Er werd opnieuw ongeduldig geklopt. Jimmy liep naar de deur en deed hem op een kier open met het machinegeweer in de aanslag.

Op de trap stond een lange man in een bomberjack. Zijn kale schedel glom van het zweet en zijn gezicht was rood aangelopen. Hij zag eruit als een parodie op een crimineel en was dat waarschijnlijk ook. 'Ben jij Jim-my?'

Jimmy deed de deur een stukje verder open en knikte.

De man keek de kamer in en trok zijn wenkbrauwen op toen hij Fassidy en het jachtgeweer dat op hem gericht was zag. 'Hallo Fassidy! Mooi, ik ben hier dus goed. Jezus, hebben jullie bezoek van die smerissen gehad?'

Hij grinnikte en deed een stap de kamer in terwijl Jimmy met tegenzin een stap naar achteren deed.

Daarna zag de bezoeker Sanna, die met haar handen onder de keuken-tafel naar hem keek. 'Ha! Hebben jullie hier een wijf? Jullie hebben het helemaal voor elkaar, zie ik.' Hij grijnsde om zijn eigen grapje, maar keek tegelijkertijd zenuwachtig naar Fassidy. 'Is het geregeld met die Pool? Wat een toestand, maar nu hebben we in elk geval een paar dankbare bazen.'

Fassidy gaf geen antwoord, maar kon het niet laten om naar Marcin te kijken, die achter de deur stond. Ineens ging alles heel snel. Marcin duwde de deur dicht. Hij sloeg het kussen dat hij van de bank had gepakt tegen het achterhoofd van de bezoeker, zodat deze naar voren vloog. Daarna gaf hij de man een duw in zijn rug en haakte zijn been onder hem vandaan, zodat hij viel. Marcin liep snel naar hem toe, duwde het kussen met zijn ene hand tegen het achterhoofd van de man terwijl hij tegelijkertijd het pistool in het kussen duwde en de trekker overhaalde.

De knal was dof, niet erger dan een gevallen kopje of een haastig dichtgeslagen deur.

'Jimmy, controleer wat die andere vent aan het doen is.' Marcins gezicht was uitdrukkingsloos, zijn ogen hard en geconcentreerd.

Jimmy keek weg van het lichaam op de vloer dat nog steeds schokte en keek naar buiten. 'Jezus, het is Gordo. Waarom hebben ze hem gestuurd?'

'Wat doet hij?' Marcins stem was geconcentreerd en dringend terwijl hij de vraag herhaalde.

'Hij zit in zijn auto.'

'Luister, hij is de echte beroeps en hij is hier om ons te vermoorden. We moeten hem voor zijn, Jimmy, dat snap je toch wel? Bovendien hebben we verdomd weinig tijd. Ik vertrouw dat hondengeblaf niet.'

Sanna slikte. Ze wilde niet naar Marcin kijken. Smerige moordenaar. Misschien klopte het dat ze in levensgevaar verkeerden, maar zijn onvoorwaardelijke meedogenloosheid maakte haar bang. Ze kon zich bijna niet voorstellen dat ze daarnet nog een soort verbondenheid met hem had gevoeld in haar verdriet om Stanse.

'Fassidy, kun jij eerst naar buiten gaan? Jij kent hem en er staat duidelijk geen contract op jouw hoofd. Hij weet niets zolang hij ons niet gezien heeft. We moeten hem ook vermoorden, anders gaan we er zelf aan.'

Fassidy knikte langzaam, kwam overeind en liep met een grote stap over het lichaam op de vloer. Hij pakte de deurkruk, maar bleef staan en draaide zijn hoofd naar Marcin. Hun blikken ontmoetten elkaar en bleven elkaar vasthouden. Fassidy's mond had een verbeten trek en er lag een harde blik in zijn ogen. Ze zwegen een tijd, maar uiteindelijk klopte Marcin op zijn rug en knikte.

Fassidy keek naar de deur en zei zachtjes: 'Ik neem die klootzak te grazen. Verdomme, Marcin, het is *pay back time.*'

Hij ging naar buiten en liep snel de trap af naar de auto. Jimmy zag dat hij op het raam klopte en gebaarde. Gordo keek naar hem en draaide het raam half naar beneden. Fassidy boog zich naar voren en zei iets. Het had duidelijk effect. Fassidy deed een stap naar achteren en Gordo deed het portier open en zette zijn voeten op de grond. Jimmy zag een paar gepoetste cowboylaarzen. Daarna ging alles heel snel. Op het moment dat Gordo ging staan, haalde Fassidy zijn rechterhand achter zijn rug vandaan. Jimmy zag het lemmet in de avondzon glanzen voordat Fassidy het mes in Gordo's hals stak.

Jimmy keek snel weg van het bloed dat naar buiten stroomde. Door de halfopen deur hoorde hij een ratelend geluid en daarna twee ploppen als champagnekurken. Hij keek net op tijd naar buiten om te zien dat Fassidy spastische bewegingen maakte, waarna hij viel en op zijn rug bij de trap bleef liggen. Hij was in zijn borst geschoten. Gordo viel boven op hem en het pistool met de geluiddemper gleed uit zijn hand.

Het was te veel voor Jimmy. Fassidy had daarnet nog op bed gelegen, weliswaar met een ziekelijk grauwe huid, maar toch duidelijk aan de beterende hand, en nu lag hij dood voor de deur. Hij keek naar Sanna, die met een angstige uitdrukking op haar gezicht bij de tafel zat, maar waarschijnlijk niet wist wat er precies was gebeurd. Verdomme.

Dit hoefde ze niet te zien, dacht hij. Marcin deed de deur wijd open. Hij rende naar voren en trok Gordo weg om te controleren hoe het met Fassidy was, legde twee vingers tegen zijn hals maar haalde ze al snel weer weg. Ze konden duidelijk niets voor hem doen.

Plotseling hoorden ze het hondengeblaf naderen.

'Sanna, controleer jij de achterkant? Het lijkt erop dat we meer bezoek krijgen.' Jimmy herkende zijn eigen stem niet. Die klonk veel te kalm en beheerst.

Het zag er afschuwelijk uit, maar Jimmy bleef kijken naar Gordo's hals en het mes dat eruit stak. Het bloed stroomde nog steeds uit de wond.

Marcin sprong op de chauffeursstoel en draaide de auto.

Even later was Sanna terug. 'Ze zijn er! Ik zie een hondenpatrouille bij de bosrand.'

Ze bleef in de deuropening staan en hijgde. Ze had Fassidy en Gordo ontdekt. 'Is hij dood?'

Marcin knikte. 'We moeten opschieten. Jimmy en jij nemen deze auto, dan neem ik de Volvo. We laden een van de tassen over.'

Ze werkten in stilte met mechanische bewegingen terwijl ze hun gevoelens probeerden te verdringen. Er was geen tijd voor discussies of protesten.

272

Jimmy nam het automatische geweer en stopte een van Fassidy's pistolen bij zich. Sanna wachtte op hem, waarna ze samen naar de auto liepen. Intussen had Marcin de garagedeur opengezet en de Volvo naar buiten gereden. Daarna opende hij de kofferbak en zette een tas op de grond die Jimmy snel op de achterbank gooide, waarna hij achter het stuur ging zitten.

Marcin sleepte het lijk van de lange man uit het huis en legde het naast de twee andere, sloeg de voordeur dicht en deed hem op slot.

Sanna vocht tegen de misselijkheid. Ze deed haar hoofd tussen haar knieën en haalde diep adem terwijl Jimmy de motor startte en achter Marcin aan reed.

Het was op het nippertje. Een paar seconden later renden de honden en politieagenten het erf op. De honden blaften naar het motorgeluid, maar verloren al snel hun belangstelling. In plaats daarvan snuffelden ze aan de stapel warme lichamen, terwijl de hondenbegeleiders in hun portofoons om versterking schreeuwden.

51

Ingvar en Fritte wachtten ongeduldig op hun collega's. Ze waren weer op de hoofdweg. Zelfs Ingvar vroeg zich af of het niet beter was om het vandaag voor gezien te houden. Het zweet liep langs zijn rug en zijn lichaam voelde geradbraakt. Fritte zag eruit alsof hij er net zo aan toe was.

Hij dacht aan Boel in het ziekenhuis. Hij wilde morgen bij haar op bezoek gaan, maar wist niet op welk moment hij dat in zijn overvolle schema moest proppen.

Twee van zijn mannen naderden op hun motoren, stopten en deden hun helmen af. Zij zagen er ook doodmoe uit.

Er passeerde een auto met een vrouw achter het stuur. Ingvar vond dat ze er bekend uitzag, maar kon haar niet plaatsen. Hij zwaaide voor alle zekerheid en kreeg een knikje bij wijze van antwoord.

'En, geen nieuws? Ik denk dat we voor vandaag maar moeten stoppen.'

Pontus Göransson haalde berustend zijn schouders op en veegde het zweet van zijn gezicht. 'Dat klinkt goed, ik ben kapot. Het laatste huis waar we geweest zijn, leek veelbelovend, maar er was niemand thuis. Er stond zelfs een auto in de garage, een oude versleten Volvo, maar die zag er niet bepaald uit als een vluchtauto.'

'Nee, en toen we daar wegreden kwamen de eigenaars net aanrijden. Als je het mij vraagt leken ze eerder een paar stropers dan onze overvallers,' voegde zijn collega eraan toe.

Fritte vertrok zijn gezicht. 'Jullie zeiden toch dat het vakantiehuis van Ahlgren was?'

'Ja, wat is daarmee?'

'Dat is het vakantiehuis van de bankdirecteur. Ik betwijfel of hij een oude Volvo heeft en jullie kunnen hem daar onmogelijk tegengekomen zijn.'

Ingvar aarzelde niet. 'Dit moeten we uitzoeken. Laten we gaan.'

Ze waren bijna bij de afslag toen ze de oproep kregen.

Halverwege het bos stopte Marcin en stapte uit de auto. Hij liep naar achteren en gebaarde dat Jimmy het raam moest opendraaien. 'We moeten uit elkaar. Dat is onze beste kans. Op deze manier trekken we te veel aandacht. Zorg voor Sanna. Probeer een paar minuten te wachten voordat jullie verder rijden. Sla verderop links af, dan ga ik naar rechts.' Marcin glimlachte een van zijn zeldzame glimlachjes. 'Misschien zien we elkaar terug.'

Ze deden opnieuw wat hen was gezegd en wachtten terwijl de seconden wegtikten. Jimmy dacht wanhopig aan de auto die hij klaar had staan, het huis in Härad dat misschien niet veilig meer was, het geld in de tas op de achterbank, dat het hier al snel zou wemelen van de smerissen en vooral hoe belachelijk het was om stil te moeten staan.

Sanna dacht helemaal niet. Ze verloor het gevecht tegen de misselijkheid, deed het portier open en braakte hevig.

Toen ze klaar was gaf Jimmy haar een gekreukt, papieren zakdoekje dat hij uit zijn zak had gehaald en startte de motor. Langzaam reden ze over de heuvel naar beneden en sloegen links af, van de hoofdweg af. Het was niet veel meer dan een bospad en af en toe sloegen de stenen tegen het chassis.

Plotseling moesten ze stoppen omdat de weg werd geblokkeerd door een auto die stilstond met de motor aan en de neus in hun richting. Het was een Ford Focus zonder bestuurder.

Jimmy stopte. Wat moesten ze doen? De weg was volledig geblokkeerd en het was onmogelijk eromheen te rijden. Sanna keek verbaasd naar de auto voor hen en probeerde grip op de nieuwe situatie te krijgen. Ze voelde zich een buitenstaander die toekeek. Alles gebeurde om haar heen, terwijl ze er toch bij betrokken was. Ergens diep vanbinnen besefte ze dat ze een shock had. Ze was het kleine beetje houvast wat ze had, kwijtgeraakt, en nu had ze alleen Jimmy nog.

'Ik stap uit om te kijken.'

Ze wilde tegen hem roepen dat hij het niet moest doen, dat het een val was, maar er kwam geen geluid over haar lippen. Wat wist zij ervan? Het was niet meer dan een verschrikkelijk voorgevoel, een overtuiging die sterker was dan de misselijkheid die ze voelde en de vreselijke beelden die ze voor haar geestesoog zag.

Hij zette de auto in zijn vrij, trok de handrem aan, haalde het pistool uit zijn broekband en deed na nog een gespannen blik op de auto voor hen het portier open.

Sanna keek naar het pistool bij haar voeten. Moest ze het pakken?

Jimmy's portier sloeg dicht, maar niet voordat ze het gebrom van de automotor en het gekwetter van de vogels had gehoord. Ze keek op om te zien wat Jimmy deed. Hij was er niet.

Het was alsof de tijd plotseling stilstond. Ze voelde zich weer alleen op deze dag die ongelofelijk genoeg was begonnen in Stanses armen en waarop de ene angst razendsnel op de andere was gevolgd.

Waar was hij naartoe?

Daarna zag ze de contouren van een man en werd het portier opengerukt.

Anna-Lena zag de motoragenten in de verte. Ze hadden hun helm afgezet en praatten met elkaar. Dat betekende waarschijnlijk dat ze niet waren uitgerukt of er iets speciaals was gebeurd, maar toch gaf het haar een ongemakkelijk gevoel. Ze deed haar best om niet naar hen te staren toen ze langs hen reed. Een van de politieagenten, een oudere man met grijze strepen in zijn kortgeknipte haar, keek naar hen en zwaaide.

Emilia was ongewoon stil. Misschien kwam dat doordat het elandenjachtgeweer op de achterbank lag, of misschien werd ze in beslag genomen door het boekje met gedichten van Edith Södergran. Ze hield het stevig vast en leek elk gedicht nauwkeurig te lezen en te overdenken. Anna-Lena wist weliswaar dat er veel kracht uitging van het kleine boekje, wat de reden was waarom ze het uit de boerderij had meegenomen, maar toch was Emilia's reactie onverwacht. Het was tenslotte niet bepaald het juiste moment om poëzie te lezen.

Ze dacht aan een van de dichtregels: *Dat iets wat zo mooi is, kan voortkomen uit zo veel pijn...*

Ergens was er een sterke band tussen pijn en schoonheid en dat was nu duidelijker dan ooit. Het was een prachtige Sörmlandse avond, de zon speelde tussen de dennenbomen, de geur van de midzomerbloemen stroomde door de halfopen ramen naar binnen en er klonk vogelgezang. Toch was het tegelijkertijd een afschuwelijke, bittere dag.

Ze raakte er steeds meer van overtuigd dat ze het geweer zou moeten gebruiken, maar op één vraag wist ze het antwoord nog niet. Was Sanna of zijzelf degene die gered moest worden?

Emilia stopte met lezen en keek naar haar. 'Hoor eens, er is iets wat ik je wil vragen. Misschien kan ik dat net zo goed nu doen.'

'Ja?'

'Ik heb onderzoek gedaan naar Taubermann en zo heb ik ontdekt wat er met je zus is gebeurd.'

'Is dat zo?'

'Ik heb gelezen dat het een ongeluk was, maar toen ik hoorde dat Sanna haar best heeft gedaan om Taubermann hiernaartoe te halen, begon ik me af te vragen of er misschien een verband is.'

Anna-Lena knikte. 'Dat is beslist zo. Ik kan geen andere reden bedenken. Misschien was het haar alleen om Stanislaw Crantz te doen, maar dat geloof ik niet.'

'Crantz, de jazzmusicus?'

'Precies. Haar oude liefde.'

Het bleef een paar seconden stil. Emilia probeerde te begrijpen hoe alles verband met elkaar hield en Anna-Lena was verdiept in haar eigen gedachten.

'En nu is er op hem geschoten. Ik heb gehoord dat hij geluk heeft gehad omdat hij nog leeft.'

Anna-Lena knikte opnieuw. Haar stem trilde een beetje. 'Ze zei dat ze het hem nooit zou vergeven, maar ik vraag me af of dat echt zo is.'

Anna-Lena keek recht voor zich. Ze wist dat de afslag hier ergens moest zijn en inderdaad naderden ze die vlak daarna. Ze zette haar richtingaanwijzer aan en wilde net afslaan toen een blauwe Volvo vlak voor hen de weg op kwam rijden. Ze trapte hard op de rem en voorkwam ternauwernood een botsing. Achter het stuur zat een man. De auto verdween vlak daarna achter de bocht terwijl zij afsloegen naar het hobbelige bospad.

In de verte klonk hondengeblaf en even later zagen ze blauwe uniformen tussen de bomen.

Anna-Lena aarzelde en ging langzamer rijden. De politie was er al. Ze had het dus goed geraden, maar was te laat. Dat veranderde alles. Voor het eerst sinds ze het nieuws had gehoord dat Sanna verdwenen was werd ze bang.

Emilia merkte het. 'Ik regel dit wel.'

Ze klonk gedecideerd en Anna-Lena besefte plotseling dat dit Emilia's droom was: een nieuwe plaats delict waar zij als eerste journalist arriveerde.

'Goed, dan ben ik gewoon je chauffeur.'

Zodra ze het erf op reden zagen ze de lichamen. Drie dode mannen, maar geen vrouw. Onder de levenden waren alleen politieagenten en hun honden.

Anna-Lena zag ook dat er geen politieauto's waren. Zij en Emilia waren blijkbaar vlak na de hondenpatrouille gearriveerd. Ze wist bijna zeker dat Sanna hier niet was. Plotseling herinnerde ze zich de blauwe Volvo en de knoop in haar borstkas groeide.

'Denk je echt dat ze je hier laten blijven? Ze hebben het terrein nog niet eens afgezet.'

'We zullen zien of ze me kunnen tegenhouden.'

Emilia had haar perskaart gepakt en sprong uit de auto zodra Anna-Lena stopte.

'Wacht! Ik heb een idee.' Anna-Lena boog zich over de passagiersstoel om oogcontact met Emilia te krijgen. 'Als ik wegrijd, wordt het moeilijker voor ze om je weg te sturen.'

Emilia keek haar vragend aan.

'En dan hoef ik me niet ongerust te maken.' Anna-Lena keek veelbetekenend naar het geweer op de achterbank. 'Ik kan over een halfuur terug zijn. Als er iets gebeurt, kunnen we elkaar altijd bellen.'

Emilia leek het te begrijpen, of misschien was ze gewoon helemaal vol van het toeval en de kans op een primeur. Ze glimlachte in elk geval en haalde haar schouders op. 'Laten we dat doen. Rij voorzichtig.'

Inmiddels liepen er twee politieagenten met strenge gezichten naar Emilia toe. Anna-Lena wilde tegen elke prijs voorkomen dat ze in de auto keken. Ze trok Emilia's portier snel dicht, zwaaide en draaide de auto. Toen ze wegreed zag ze in de achteruitkijkspiegel dat Emilia gebaarde terwijl ze met haar perskaart zwaaide en in een heftige discussie met de agenten was verwikkeld.

Het lukt haar wel, dacht ze, opgelucht dat ze weer alleen was.

Jimmy knipperde met zijn ogen, maar de wereld bleef tollen. Zijn hoofd deed verschrikkelijk veel pijn. Hij lag op zijn buik met zijn gezicht in de bosbessenstruiken en voelde dat hij weer wegzakte, maar Sanna's gil bracht hem bij bewustzijn. Kreunend rolde hij op zijn zij.

De gil werd afgebroken door het geluid van een portier dat dichtsloeg.

Zijn geheugen werd helder en alle details kwamen stukje bij beetje terug. De auto die het pad had geblokkeerd, zijn beslissing om op onderzoek te gaan en hoe hij voorzichtig rond de auto was gelopen met het pistool in zijn hand. Hij was echter niet voorzichtig genoeg geweest, want de klap op zijn hoofd was vanuit het niets gekomen. Hij herinnerde zich een wazig gezicht van een persoon die hij niet kende, waarna alles in een zwart gat was verdwenen.

Het pistool. Hij had het waarschijnlijk laten vallen als de overvaller het niet had gepakt.

Ineens zag hij iets tussen de achterwielen glanzen en tot zijn opluchting zag hij dat het zijn wapen was. Hij duwde zich op zijn handen en knieën. De pijn in zijn nek straalde uit naar zijn hoofd. Er klonk opnieuw een gil, waardoor hij besefte dat Sanna in handen van zijn aanvaller was en naast hem in de auto zat. Martelde hij haar? Duizelig kroop hij voorzichtig naar de kofferbak. Zijn schouders waren helemaal verstijfd en hij had het gevoel dat hij elk moment kon omvallen. Maar hij had het pistool nodig.

Het moest een of andere klootzak van de Clan zijn. Verder wist niemand over de schuilplaats. En in dat geval mocht hij blij zijn dat hij nog leefde.

Bij de achterbumper kreeg hij de uitlaatgassen, die in een wolk achter de auto hingen, in zijn longen. Hij onderdrukte een hoestbui en haalde alleen adem door zijn neus terwijl hij zich uitstrekte naar het pistool.

De uitlaat brulde en plotseling schoot de auto naar achteren. Geschrokken liet Jimmy zich languit op de grond vallen, maar niet op tijd om aan een klap van de voorbumper te ontkomen. Het voelde alsof hij werd gescalpeerd met een bot mes. De metalen rand schraapte zowel haar als huid van zijn kruin en schuurde over zijn billen. Het deed ondraaglijk veel pijn, maar het ergste was de machteloosheid terwijl hij zich tegen de grond drukte.

Het was een gevoel dat snel overging in woede. Het pistool lag onder hem en zonder erbij na te denken trok hij het onder zich vandaan, draaide zich om en schoot op de verdwijnende auto. De knal echode in zijn hoofd en dwong hem om zijn ogen weer dicht te doen. Hij had er geen idee van of hij iets had geraakt en toen hij zijn ogen moeizaam opendeed was de auto verdwenen.

Het was een moment van totale mislukking. Sanna was verdwenen en hij had dat niet kunnen voorkomen. De woede verminderde en liet een zwart gat achter. De machteloosheid was terug en het beetje zelfvertrouwen dat hij de afgelopen dagen had opgebouwd, was verdwenen.

Langzaam probeerde hij te gaan staan. De auto waarin ze waren gekomen stond er nog, en hij moest weg. Misschien kon hij hen inhalen.

De wereld tolde en de misselijkheid volgde onmiddellijk. Hij zakte op de grond terwijl zijn maag opspeelde en verkrampte met elke golf braaksel die naar buiten stroomde. Uiteindelijk kwam er alleen nog gal.

Misschien merkte hij daarom de nieuwe auto en de voorzichtige voetstappen die dichterbij kwamen niet. Hij ging op zijn knieën zitten en keek met een verbaasde uitdrukking op zijn gezicht naar de vrouw die voor hem stond. Ze had een mooi gezicht dat was verwrongen in een minachtende grimas. Meteen daarna kreeg hij een stoot in zijn borstkas met de loop van het geweer.

'Waar is ze?'

Ze spuugde de vraag uit, bijna onhoorbaar door de haat die erin doorklonk. Hij was ervan overtuigd dat ze hem zou neerschieten, dat ze zijn borstkas uiteen zou rijten en een eind aan zijn leven zou maken. Hij twijfelde er niet aan dat het zijn verdiende loon was en gaf gelaten antwoord. 'Je bedoelt Sanna.'

Ze sperde haar ogen open alsof ze verbaasd was dat hij het verband besefte.

'Ik heb geprobeerd hem tegen te houden.'

Hij voelde dat de druk van de loop iets verminderde. Het was niet veel, maar ze luisterde naar hem en besefte misschien dat hij ondanks alles een mens was.

'Wat is er gebeurd?'

'We zijn overvallen. Een man heeft me neergeslagen en heeft haar meegenomen.'

'Ik heb een schot gehoord.'

Jimmy knikte. 'Dat was ik, maar ik heb blijkbaar gemist.'

'Wie was het? Hoe zag hij eruit?'

De loop drukte weer tegen zijn borstbeen, maar toch was hij plotseling kalm. Het ging niet om hem en hij wilde haar helpen. Hij was niet langer bang om dood te gaan. Het was niet moeilijk om haar minachting en woede te begrijpen. Degene die Sanna had meegenomen, was het niet waard om te leven. Hij koos zijn woorden zorgvuldig en deed zijn uiterste best om achter het starre masker door te dringen. Hij probeerde de aanvaller voor zich te zien en zich de details te herinneren. Het ging beter dan hij had gehoopt. Hij beschreef het kostuum, het donkere haar en het beetje wat hij van het gezicht had gezien.

Tot zijn blijdschap merkte hij dat zijn woorden haar bereikten en dat haar houding en gezichtsuitdrukking veranderden. De haat in haar ogen was er nog, maar was niet langer voor hem bestemd. Haar gezicht ontspande langzaam.

Hij besefte dat ze wist wie de man was. Hij kon bijna zien wat ze dacht en deed zijn best om dingen te begrijpen die verborgen voor hem waren. Hij probeerde zich meer details te herinneren.

Uiteindelijk haalde ze het elandjachtgeweer weg en deed een stap naar achteren. Hij ademde gulzig in en besefte dat hij nauwelijks had ademgehaald terwijl hij met haar praatte.

'Je kunt het best zo snel mogelijk vertrekken. De politie kan hier elk moment zijn.'

De aansporing overrompelde hem, maar hij was nog minder voorbereid op zijn reactie daarop. Hij kwam met tranen in zijn ogen wankelend overeind, knikte naar haar en strompelde naar zijn auto. De duizeligheid was er nog, maar die onderdrukte hij.

Hij ging naar huis, de enige plek die iets voor hem betekende. Zij was de wreker, hij niet. Hij moest andere gevechten zien te winnen.

Hij liet het pistool op de grond liggen, startte de motor en reed weg. In zijn achteruitkijkspiegel zag hij dat Anna-Lena roerloos bleef staan en hem nakeek.

52

Het was een intense belevenis om in de mensenmenigte te staan terwijl Diana Krall optrad. Het publiek volgde de muziek in een collectieve beweging terwijl alle aandacht op haar en haar piano was gericht. Het kalme tempo was niet slaapverwekkend, eerder stimulerend. Fredrik vond het een fijn gevoel dat hij hier met Ulrika was, en hoewel hij zich op dit moment wilde concentreren, speelde in zijn achterhoofd de gedachte aan zijn afspraakje met Emilia.

Het was natuurlijk geen moment om te praten, maar het was een stap in de goede richting. Hampus sliep kalm in zijn wagen met een enorme koptelefoon op zijn kleine hoofdje. Meer tijd voor henzelf dan dit moment was onmogelijk. Fredrik stond achter Ulrika en keek naar haar rug. Het verlangen naar haar sluimerde diep binnen in hem en misschien voelde zij hetzelfde. Nu ze dichter bij hem was gaan staan en tegen hem aan bewoog op de maat van de muziek leek het erop. Het was een beetje aarzelend en niet vanzelfsprekend, maar toch fijn. Een herinnering aan hoe het was geweest.

Hij had het heerlijk gevonden dat ze zwanger was, de vrouwelijkste toestand waarin ze zich kon bevinden. Hij begreep haar aandacht voor Hampus, hij kon zich ook niet verweren tegen zijn zoontje, maar er ontbrak iets. Het was moeilijk te zeggen of het gebrek aan interesse van zijn of van haar kant kwam. Hij had het gevoel dat ze hem niet zag staan, maar misschien behandelde hij haar ook meer als de moeder van zijn kinderen dan als zijn echtgenote. Waarom moest het zo moeilijk zijn? Het was alsof ze niet gesynchroniseerd waren en verschillende behoeften hadden.

Zijn mobiel trilde in zijn zak en hij begreep dat iemand hem probeerde te bellen. Fredrik haalde zijn telefoon tevoorschijn en zag een beetje schuldbewust dat het Emilia was.

Hij drukte het gesprek weg en stopte het toestel terug.

De muziek was betoverend. Het publiek was volkomen in de ban van de ster op het podium. Haar hese stemgeluid zweefde op een magische manier om hen heen. Fredrik zag meerdere mannen waarderend knikken terwijl ze heen en weer wiegden. Ze zagen eruit als tuinkabouters, met baarden die op en neer wipten op de maat van de muziek. Ze droegen bijna allemaal zwarte kleding, versleten leren giletjes en de verplichte Kånken-rugzak van Fjällräven. Het waren echte jazzkenners, dat was duidelijk.

Er werd gejuicht toen het nummer afgelopen was. Ulrika draaide zich om en keek naar hem op. 'Dat was prachtig!'

'Fantastisch!'

Hij kuste haar, legde zijn handen op haar billen en trok haar tegen zich aan. Om hen heen groeide een koor van stemmen.

'Besa me! Besa me! Besa me!'

Het was blijkbaar tijd voor Kralls paradenummer en dat kon niet op een beter moment gebeuren.

Plotseling voelde hij zijn mobiel weer trillen. Waarom had hij hem niet uitgezet, dacht hij geïrriteerd.

Hij kuste zijn vrouw nog een keer, maar toen de muziek begon en zij zich naar het podium draaide, pakte hij zijn mobiel nog een keer. Het was Emilia weer.

Fredrik begon nieuwsgierig te worden. Wat was er aan de hand? Ze wist dat hij bij het concert was, dus moest het met het werk te maken hebben. Als ze op dit moment belde, kon dat maar een ding betekenen. Het was belangrijk.

Hij kon Ulrika echter niet alleen laten. Dat zou heel erg verkeerd zijn.

Er leek geen eind aan de muziek te komen. Hij vond het een prachtig nummer, maar het was moeilijk om ervan te genieten. Er konden grote dingen gebeuren. Een doorbraak in de jacht op de overvallers? Maar daar had ze hem niet voor nodig. Emilia zou niet aarzelen om de verslaggeving zelf te doen, daarvan was hij overtuigd. Nee, het moest iets anders zijn.

De laatste tonen stierven weg en het stormachtige applaus en de vrolijke kreten vulden de zomeravond.

'Hé, ik ga iets te drinken halen. Wil jij ook?'

'Een cola light graag.'

Hij streelde haar schouder en laveerde tussen de mensen naar de kraam. Waarschijnlijk zou hij het kunnen regelen met een kort telefoongesprek, maar toch kriebelde de onrust in zijn maag en hij zorgde ervoor dat Ulrika hem niet kon zien toen hij zijn mobiel tevoorschijn haalde. Hij toetste het nummer in en Emilia nam meteen op.

'Goed dat je belt, ik werd al ongerust.'

'Wat wil je? Het concert is begonnen.' Jezus, wat klonk dat chagrijnig, dacht hij.

'Ik weet het. Het spijt me, maar ik denk dat je hierbij wilt zijn.'

'Wat is er dan?'

'Ik zit in een politieauto op weg naar Strängnäs. De jacht op de overvallers heeft een nieuwe wending genomen. Er heeft een bloedige bendestrijd bij een vakantiehuisje in het bos plaatsgevonden, waarbij drie doden gevallen zijn.'

'Wat?'

Emilia begon te fluisteren. 'Maar dat is niet alles. Anna-Lena Olofsson wist waar het huisje lag. Ze heeft me daar afgezet. Fredrik, ik denk dat zij er op een of andere manier bij betrokken is. En misschien...' Ze zweeg, een beetje onzeker of ze verder durfde te gaan. Alsof het waar zou worden zodra ze de woorden uitsprak 'Ik geloof dat ze razend is. Ze lijkt te denken dat Sanna Friborg in het vakantiehuisje is geweest. Toen we daarnaartoe reden, heeft ze onderweg een geweer opgehaald, en ik denk dat ze nu op weg is naar Taubermann.'

'Hij is er dus inderdaad bij betrokken?'

'Ik denk het wel. Ja, ik weet het bijna zeker. Er is zo veel dat je niet weet, dingen die ik uitgezocht heb. Ik vraag me af of jij naar het jacht van Taubermann kunt gaan om te controleren of er iets aan de hand is. Ga op zoek naar Anna-Lena. Ze rijdt in een witte Toyota Celica.'

'Hoezo? Je bedoelt dat ik bij het concert weg moet?'

Het leek belachelijk. Emilia had het gevoel dat er misschíen iets ging gebeuren en wilde vanuit een opwelling dat hij ergens naartoe ging. Het was weliswaar vlakbij, maar hij kon net zo goed meteen de echtscheidingspapieren aanvragen. Verdomme.

'Ja. Snap je niet wat ik zeg? Ze is gewapend en waarschijnlijk gevaarlijk. Hoe meer ik erover nadenk, hoe meer ik ervan overtuigd ben dat ze van plan is om iemand neer te schieten, waarschijnlijk Taubermann. Het gaat allemaal om Sanna en Johanna, haar zusje.'

Emilia praatte zachtjes, maar haar betrokkenheid was overduidelijk. Ze had al aangetoond dat ze een goede neus voor nieuws had en het was hoe dan ook moeilijk om nee te zeggen tegen een collega die vroeg om haar een dienst te bewijzen. Dat zou Ulrika echter nooit begrijpen. Kon hij verdwijnen om snel even te kijken? Waarschijnlijk niet, ze begon zich nu waarschijnlijk al af te vragen waar hij bleef. Maar toch... Als Emilia gelijk had, dan was dat het meest dramatische wat hij sinds vorig jaar zou meemaken. Het hoofd van het toeristenbureau in Strängnäs, de vrouw die net had gehoord dat haar ex-man was vermoord en haar vriendin was verdwenen, was onderweg met een geweer. Bovendien had hij een camera in de tas die hij bij de ingang had moeten achterlaten omdat fotograferen op het festivalterrein verboden was. Als het waar was, dan was het alles waar een journalist van kon dromen en hij zou het zichzelf nooit vergeven als hij die kans liet lopen.

'Oké, ik ga ernaartoe. Wanneer kun jij er zijn?'

'Binnen tien minuten, denk ik.'

Hij hing op. Hij kon niet nog een kwartier wegblijven zonder verklaring. Dat vereiste een leugentje om bestwil. Godzijdank dacht hij eraan om de drankjes te kopen, waarna hij terug laveerde tussen de mensenmenigte die heen en weer wiegde op de maat van de muziek. Plotseling werd er weer gejuicht en sommige toeschouwers begonnen te springen.

'Elvis, Elvis, Elvis!'

Eén moment dacht Fredrik dat ze Elvis Presley bedoelden, misschien een covernummer dat Krall ging zingen, maar daarna besefte hij wat er aan de hand was. Diana's echtgenoot, Elvis Costello, was het podium op gekomen. Jezus, dat wilde hij absoluut niet missen, maar daar was helaas niets aan te doen.

'Verschrikkelijk, wat een rij, maar hier is je drankje. Luister, ik heb een collega gezien die me iets wil vragen. Dat vind je toch niet erg? Het duurt maar een paar minuten.'

Ulrika knikte, maar keek niet bepaald vrolijk. Fredrik probeerde zich er niets van aan te trekken, glimlachte verontschuldigend en liep terug.

Toen hij bij de garderobe was, waren er al vijf minuten voorbij sinds Emilia en hij hadden opgehangen. Buiten het festivalterrein begon hij te rennen. De kleine rugzak hotste op en neer en maakte het moeilijk om soepel te bewegen, en hij was er verbaasd over dat het hem lukte om zijn snelheid vast te houden. Al snel zag hij *Der Schwan*, dat een groot deel van de kade in beslag nam, in de Västerviken liggen. Er scheen licht achter een aantal ramen, maar hij zag geen beweging.

Opnieuw kreeg hij het gevoel dat deze hele onderneming pure waanzin was. Wat dacht hij te kunnen ontdekken?

Op het festivalterrein werd gejuicht. Er gebeurde daar iets. Het begon als een fluistering, een geruis dat pas na een tijdje herkenbaar werd.

'Stanse. Stanse. Stánse. Stánse!'

Onwillekeurig draaide hij zijn hoofd om. Kon dat waar zijn?

Vlak daarna hoefde hij zich dat niet meer af te vragen. De eerste tonen van 'Danny's Dream', het nummer van Lars Gullin zoals alleen Stanislaw Crantz dat kon spelen, zweefden over de baai. Het was ongelofelijk.

In de verte zag hij een auto achter het terras van Riva staan. De afstand was nog te groot om het zeker te weten, maar het kon heel goed een Toyota Celica zijn. Hij verhoogde zijn tempo terwijl zijn longen begonnen te branden. Hij keek weer naar de boot. Iemand die zijn best deed om voorzichtig te bewegen, liep met iets langwerpigs voor zich de loopplank op.

Hij bleef staan bij het terras. Zijn hartslag was minstens tweehonderd slagen per minuut en hij hijgde. Zijn conditie was blijkbaar niet zo goed als hij had gedacht. Inmiddels was hij ervan overtuigd dat Emilia gelijk had. Alles aan haar beschrijving klopte. Het was de juiste auto en het juiste tijdstip. Hoewel hij niet met zekerheid kon zeggen dat hij Anna-Lena op de loopplank had gezien, was het meer dan waarschijnlijk. Wat moest hij in vredesnaam doen?

Hij moest het in elk geval aan Emilia vertellen, zodat ze de politieagenten kon vragen om haar hiernaartoe te brengen. Hij pakte zijn mobiel. Op het moment dat hij het korte sms'je verstuurde, brak de hel los.

53

De hoer lag op zijn bed, net als heel veel voor haar al hadden gedaan. Toch was het een gelukstreffer dat hij haar te pakken had gekregen, en misschien een bewijs van het feit dat hij nog steeds het vermogen had om alles in zijn voordeel te beslissen. Hij had het kleine weggetje genomen dat Marcin hem had beschreven, waar het minste risico bestond om te worden ontdekt. Met een gevoel van teleurstelling vermengd met opluchting had hij beseft dat hij te laat was. Hij had politiemotoren gehoord en de auto met het moordcommando van de Clan gezien. Hij herkende Gordo van een foto die Marcin hem had laten zien.

Dat de mannen uit Eskilstuna tot actie overgingen, kon maar één ding betekenen. Ze waren doodsbang en wilden niet langer wachten. Hij was ervan overtuigd dat Budde Andersson bereid was om bijna alles te doen om Marcin Szalas te doden. De Zweeds-Poolse relaties zouden anders een enorme klap te verduren krijgen. Bovendien was hij een bedreiging voor hem. Een man als Szalas wilde je niet tegen je hebben.

Hij wist niet of het was gelukt, maar vermoedde dat het niet zo was. Ze zouden hun auto nooit vrijwillig afstaan. Hij kon Sanna wakker maken om duidelijkheid te krijgen, maar dat was een risico dat hij niet wilde nemen. Marcins lot was zijn probleem niet.

Met een beetje geluk zou de verwarring die de Pool veroorzaakte zelfs een voordeel zijn. Misschien zouden er meer koppen rollen en dan werd er een vacuüm gecreëerd dat opgevuld moest worden. Hij was er meer dan klaar voor. De bescheiden schaduw achter Taubermann zou naar voren stappen en eindelijk het respect krijgen dat hij verdiende. Het prikkelde zijn fantasie dat hij – die zonder toekomstmogelijkheden was opgegroeid in Oost-Duitsland, voortdurend was gekoeioneerd en nooit had gekregen waarnaar hij verlangde – binnenkort in het bezit van geld en macht zou zijn.

Het plan was ontstaan in een moment van waanzin, maar het was absoluut geniaal. Hij had het bedacht terwijl hij in de auto hiernaartoe reed. Zijn gewoonte om situaties te analyseren en kansen te beoordelen op hun succes had hem al meerdere keren gered. Hij wist dat onverschrokkenheid en snelle, onverwachte acties de tegenpartij vaak overrompelden en een overwicht gaven dat zelden gecompenseerd kon worden.

Hij controleerde zijn Luger nog een keer. Hij had zich er niet van ontdaan, ook al wist hij dat het hem in verband kon brengen met wat er bij de schuur was gebeurd. Daar was echter niets aan te doen, want hij was nog niet klaar. Het jachtgeweer was te lomp en riskant om te bewaren. Daarna wilde hij het graag aan de politie overhandigen. Hij wist bijna zeker dat Jan-Börjes wapen bij de overval gebruikt was. Al het andere zou te toevallig zijn geweest. Hij zou ervoor zorgen dat er geen misverstanden ontstonden en de leugen waarheid werd. Maar helaas was het hem niet gelukt zo goed op te ruimen als hij van plan was geweest.

Telkens als iemand aarzelde liep hij het risico om alles kwijt te raken. Degene met het hardvochtigste karakter won.

Voor de keren dat hij had geaarzeld, had hij een prijs moeten betalen. Zo was het met Johanna gegaan en zo was het met Crantz en de hoer in de kajak gegaan.

In de auto had hij uiteindelijk beseft dat het niet voldoende was om iemand van het leven te willen beroven en tot actie over te gaan. Je moest eveneens de veiligste manier zoeken om het resultaat te controleren. Het was niet voldoende om iemand neer te slaan en over hem heen te rijden. Een kogel in het hoofd was beter.

Het resultaat moest gecontroleerd worden.

Als hij de angst om te worden ontdekt en zijn onbehagen om zwaargewonde of dode lichamen aan te raken had genegeerd, dan was alles veel beter gegaan. Dat was volledige controle. Hij had zichzelf eerder gedupeerd toen hij dacht dat hij met minder genoegen kon nemen.

Toen hij terug was in Strängnäs wist hij wat hij moest doen. Op het moment dat hij de auto op de Norra Strandvägen parkeerde en ging controleren of de kust veilig was, had hij de vrouw van de autohandelaar voorzichtig de loopplank af zien sluipen. Ze had het zonder enige twijfel heel gezellig gehad met zijn werkgever. Hij had Taubermanns waarderende opmerkingen te vaak gehoord. Heel even speelde hij met de gedachte om een crime passionel van de hele situatie te maken en de schuld in de schoenen van de bedrogen echtgenoot te schuiven, maar hij besefte al snel dat daarmee zijn andere problemen niet opgelost waren. Nee, er moest een verband gelegd worden tussen de slet van Crantz en directeur Taubermann.

Het gevaarlijkste deel van het plan was haar aan boord krijgen. De drugs die hij haar had gegeven, hadden haar afwezig en suf gemaakt, maar met een beetje hulp zou ze zelf kunnen lopen. Hij besloot dat onverschrokkenheid ook dit keer zijn beste kans was. Er waren veel mensen die kwamen en gingen op de boot en een niet onaanzienlijk deel van hen bestond uit sterren, of in elk geval mensen die van mening waren dat ze dat waren. Daarom arriveerden veel van hen in een auto met chauffeur.

Zijn Ford Focus was niet het juiste soort auto, maar hij moest het ermee doen. Verbazingwekkend veel echte sterren kozen ervoor om onopvallend door het leven te gaan.

Hij reed naar het Västerviksplein en parkeerde bij de loopplank. Met zijn jas aan en zijn hoed op liep hij rond de auto, deed het portier open en trok haar overeind. In de verte zag hij een paar mensen in hun richting kijken, maar hij probeerde hen te negeren. Toen ze eenmaal stond liep ze bijna zelf, ook al moest hij haar stevig vasthouden. Ze mompelde iets onhoorbaars. Het klonk alsof ze de hele tijd hetzelfde zei.

Hij bracht haar naar de hut, legde haar op bed en deed de deur zorgvuldig op slot voordat hij wegging. Hij had al een erectie. Hij moest zijn uiterste best doen om in een kalm tempo naar zijn auto terug te lopen, stapte in en vond vlakbij een parkeerplek.

Daarna was het tijd voor Taubermann geweest. Genietend herinnerde hij zich zijn glanzende ogen en verwarde blik.

Rolf, wat doe je hier?

Hij had geen antwoord gegeven, had de Luger tegen Taubermanns slaap gezet en had de trekker overgehaald. De knal was vrij hard, maar daar maakte hij zich niet druk over. De slaapkamer van de directeur was uitermate goed geïsoleerd. Nu lag Taubermann op zijn bed met het pistool in zijn hand. Het karakteristieke zelfmoordslachtoffer dat er spijt van had dat hij zijn laatste verovering, Sanna Friborg, had gewurgd. Dat het wapen in verband kon worden gebracht met de moord in de schuur was alleen maar gunstig.

Niets zou hetzelfde blijven, het kon alleen maar beter worden. Rolf had het beheer over alle documenten en alle rekeningen. Hij wist wanneer contracten afliepen en vernieuwd moesten worden. Hij werkte al zo lang voor Taubermann dat deze het geen dag zonder hem kon stellen, maar hij kon het probleemloos zonder Taubermann stellen. Het zou goed gaan, als hij maar orde op zaken stelde en banden met de politie aanknoopte. Hij moest het boek over Johanna Olofsson dichtslaan en de schuldige aanwijzen zodat niemand hoefde te twijfelen. Zelfs Crantz zou zich, als hij het overleefde, niet bezig kunnen houden met Sanna's dood als hij terug was bij zijn vrouw. Taubermanns dood zou alles overschaduwen.

Maar nu had hij haast. Sanna was zijn vijand, niet zijn beloning. Ze was medeschuldig. Zij was degene die hem ertoe had gedreven om dingen te doen waarvan hij niet wist dat hij ertoe in staat was. Ergens was hij haar dankbaar en hij was van plan haar op zijn eigen manier te belonen. Zijn erectie werd zo hard dat het bijna pijn deed.

Het was jammer dat het zo snel moest gaan. Hij kon haar niet lang in leven houden als hij de politie om de tuin moest leiden. Ze bleef mompelen en haar volle borsten rezen en daalden met elke ademhaling. Haar blouse was open, maar ze had haar beha nog steeds aan. Zou hij hem openknippen? Ze zou hem niet meer nodig hebben. Het was bovendien iets wat Taubermann fijn had gevonden om te doen.

Hij glimlachte weemoedig. Het zou heel bijzonder zijn om haar te bezitten. Hij kon zich niet herinneren wanneer hij voor het laatst seks met een rijpe vrouw had gehad. Johanna was negentien geweest en precies zijn type. Tenger, bruin van de zon en met een zacht, slank lichaam.

Johanna was een van zijn mooiste veroveringen geweest, maar wat hij nu ging doen was persoonlijker. Als hij zijn zaad in haar had geloosd, was de kwestie wat hem betrof afgesloten.

Hij trok zijn overhemd uit en hing het op een hanger in de kleerkast. Hij vroeg zich af hoe wakker ze was. De drug injecteren was betrouwbaarder dan wanneer deze gedronken werd. Hij hoopte dat ze het zou merken als zijn orgasme kwam.

Hij besefte dat hij de laatste tijd heel zwak was geweest. De vrouwen die hij had bezeten waren alle tegenstrijdige gevoelens niet waard. De meesten hadden genoten van de dingen die hij met hen had gedaan, en sommigen waren zelfs teruggekomen voor meer. Het werd echter snel saai. Niets kon de eerste keer, de verovering, overtreffen.

Gelukkig had Taubermann altijd achter hem gestaan en had hij zijn pleziertjes door de vingers gezien, maar als hij het goed aanpakte zou hij geen drankjes meer hoeven te prepareren. Vrouwen hielden van macht en daarom zouden ze ook van hem houden.

Hij trok zijn broek uit en hing hem over de stoel. Het had natuurlijk niet zo hoeven te gaan als hij het werk de eerste keer goed had gedaan, maar aan de andere kant zou dit veel bevredigender zijn.

Hij deed haar schoenen uit zodat hij haar broek kon openknopen en voorzichtig kon uittrekken. Hij gooide hem op de vloer. Daarna trok hij haar schoenen weer aan. Zo wilde hij het hebben.

Visholmen was vol mensen, maar bij het Västerviksplein was het rustig. Anna-Lena parkeerde op haar gebruikelijke plek in de buurt van het toeristenbureau. Ze aarzelde een seconde voordat ze het elandjachtgeweer van de achterbank pakte. Alles was op zijn plek gevallen toen ze het signalement hoorde van de man die Sanna had ontvoerd. Ze twijfelde er niet aan dat het Rolf Heinz was.

Ze wist niet of hij zelfstandig opereerde of in opdracht van iemand anders, wat dan waarschijnlijk Taubermann was. Ze wist dat Taubermann aan boord zou zijn. Hij had haar 's middags gebeld om zijn excuses aan te bieden omdat hij verhinderd was om aanwezig te zijn bij het avondprogramma.

Ze wist trouwens ook niet zeker of Rolf Sanna hiernaartoe had gebracht. Maar als dat niet zo was, wilde ze zijn hut toch graag zien. Misschien kon ze daar op hem wachten.

Voordat ze Västerviken bereikte en het geluid en lawaai van het festival hoorde, had ze beseft dat het om Johanna moest gaan. Die avond aan boord van *Der Schwan* was blijkbaar niet zo anders geweest dan deze avond, met het essentiële verschil dat het feest nu niet op de boot plaatsvond maar een stukje verderop.

Het was een perfecte avond om jonge, mooie vrouwen te verleiden en als je zelf knap of heel rijk was, was dat inderdaad een mogelijkheid, maar dat gold niet voor Rolf Heinz. Daarom was hij waarschijnlijk niet in Sanna's herinnering gebleven. Hij was een onbeduidende man. Een employé die deed wat hem werd opgedragen en in alle situaties aan de leiband van Taubermann liep. Geduld door zijn omgeving vanwege zijn juridische bekwaamheid, maar vooral vanwege zijn sterke band met de directeur. Ze herinnerde zich dat Taubermann haar tijdens hun eerste etentje grinnikend had toevertrouwd dat hij Heinz als zijn liefdadigheidsproject zag. Hij had de getalenteerde, maar berooide jurist uit voormalig Oost-Duitsland onder zijn hoede genomen en had hem de sleutels van zijn koninkrijk gegeven. De zielenpoot zou dankbaar moeten zijn.

Anna-Lena twijfelde eraan of Rolf Heinz het ooit op die manier had gezien, maar dat was niet belangrijk. Als haar vermoeden dat hij verantwoordelijk was voor de dood van haar zusje klopte en hij Sanna nu misschien in zijn macht had, zou ze ervoor zorgen dat hij niet ontsnapte.

Er waren niet veel goede dingen die je over Jan-Börje kon zeggen, maar hij had haar in elk geval geleerd om met een vuurwapen om te gaan en vanavond zou dat van pas komen. Misschien was er nog steeds een kans om Sanna te redden.

Ze rende naar het jacht en besefte plotseling dat ze niet wist waar de hut van Rolf Heinz was, maar er scheen licht in een van de hutten op het achterdek. Dat was haar beste kans.

Ze sloop de loopplank op met het geweer voor zich. Waar was Taubermanns lijfwacht? Was hij hierbij betrokken?

Ze keek ongerust om zich heen. Er leek niemand te zijn, maar ze zag een schaduw bewegen achter het gordijn waar het licht brandde. Ze voelde de zachte bries vanuit zee. Het rook naar zomer.

Anna-Lena rende over het dek naar de hut en trok de deur open.

Rolf Heinz lag naakt op bed met een grote schaar in zijn hand. Hij had net Sanna's beha opengeknipt en haar borsten ontbloot. Ze bewoog niet.

'Ga bij haar vandaan, klootzak!'

Rolf viel op de vloer. Het was een absurd gezicht toen hij probeerde zijn naaktheid te bedekken.

'Wat heb je verdomme met haar gedaan?'

Ze sprak Zweeds tegen hem. Hij gaf geen antwoord, maar dat was niet omdat hij haar niet verstond. Hij staarde naar haar met ogen waarin onbegrip te lezen stond.

'*Mein Gott im Himmel!* Anna-Lena!' Hij kroop over de vloer naar haar toe en keek naar beneden of hij iets zocht.

Ze hield het geweer op hem gericht. 'Niet dichterbij komen! Blijf uit mijn buurt!'

Hij bleef staan, maar stak een arm uit en legde zijn hand op haar laars. Hij ging liggen en kermde in het Duits. 'Alsjeblieft, niet schieten.'

Ze zei niets en hield de geweerloop op zijn nek gericht. Als ze nu schoot, zou zijn hoofd exploderen of van zijn lichaam gescheiden worden. Ze gluurde naar Sanna.

De vrouw van wie ze hield verroerde zich niet. Ze was zich godzijdank niet bewust van wat er gebeurde.

Rolf trok zijn benen onder zijn lichaam en bleef jammeren.

Wat moest ze nu doen? Haar vastbeslotenheid was verdwenen op het moment dat ze had gezien dat Sanna leefde en dat ze blijkbaar ongedeerd was. Toch dacht ze er serieus over na om te schieten. De klootzak aan haar voeten verdiende niet beter. Zou hij aarzelen als de rollen omgedraaid waren? Beslist niet.

'Ga staan!' Ze schopte hard tegen zijn schouder zodat hij achteruit vloog.

Hij kreunde en wreef over de plek waar ze hem had geschopt. Daarna kwam hij langzaam omhoog in een gehurkte houding, nog steeds met een gebogen hoofd.

'Ga staan, zei ik!'

Hij hief zijn hoofd en keek naar haar. Ze zag de angst in zijn ogen.

Ze kon het niet helpen dat ze vond dat hij er idioot uitzag, met zijn bleke, pafferige, harige lichaam, de uitpuilende buik en de kleine penis daaronder. Daar zou ze op moeten schieten.

Hij kwam langzaam overeind. Zijn knieën trilden, net als zijn handen. 'Alsjeblieft, niet schieten. Je ziet dat ze ongedeerd is. We... hebben niets gedaan.' Hij keek van het geweer naar Sanna en weer terug.

Onwillekeurig keek Anna-Lena ook naar Sanna. Misschien tilde ze het geweer zelfs een stukje op.

Dat was alles wat hij nodig had. Ze had zijn wanhoop verkeerd ingeschat.

Hij dook onder het geweer door en ramde zijn hoofd met een schreeuw in haar maag. In een reflex haalde ze de trekker over. Het schot dreunde en maakte een gat in het dak. Ze tuimelde achterover in de kleerkast met hem boven op zich.

'Rotkreng. Ik zou jou ook moeten neuken.'

Zijn toon was nu heel anders. Hij probeerde het geweer te pakken, maar ze hield het stevig vast. Haar maag deed pijn, maar ze kon nog lucht krijgen. Ze duwde hem met het wapen van zich af en plantte haar knie in zijn kruis.

Het was geen voltreffer, maar hij voelde het wel. Hij hijgde en trok zich een stukje terug.

Sanna kreunde en ging zitten. Ze knipperde niet-begrijpend met haar ogen.

Ze zag Anna-Lena half in de kleerkast liggen met het elandjachtgeweer in een krampachtige greep. Daarna keek ze naar haar opengeknipte beha, haar kapotte blouse en haar blote benen. Ze probeerde te begrijpen wat er was gebeurd terwijl ze eerst naar de naakte man keek die met een hand tussen zijn benen zijn ballen masseerde, en daarna naar Anna-Lena die moeizaam ging zitten terwijl ze tegelijkertijd probeerde het geweer op de man gericht te houden. Wie was hij?

Ze steunde op haar ellebogen op het bed en voelde koud staal onder haar rechterhand. Een schaar.

Nu liet de man zijn ballen los en rende met een schreeuw weer naar voren.

Langzaam herinnerde ze het zich weer. Het portier dat werd opengetrokken, hoe ze wanhopig naar het pistool op de vloer had getast, zijn gewicht boven op haar en de naaldenprik.

Ze zag Anna-Lena en de man op de vloer worstelen en besefte dat ze iets moest doen, maar het was alsof al haar kracht verdwenen was. Wat had hij met haar gedaan?

Anna-Lena schopte naar hem, maar raakte hem dit keer niet goed. Het lukte hem het geweer met één hand vast te pakken terwijl hij tegelijkertijd probeerde om met zijn andere hand in haar gezicht te slaan. Ze weerde de klap af en duwde hem met de geweerkolf van zich af. In de beweging stootte ze tegen een schoenendoos, die daardoor op de grond viel. De inhoud verspreidde zich over de grond: ondergoed in verschillende kleuren, panty's, een ceintuur, een paar armbanden en een ketting.

Sanna's traag werkende brein kon het niet goed begrijpen, maar de aanblik van de ketting sloeg in als een bom. Die was van Johanna. Die had ze gedragen toen Sanna haar de laatste keer had gezien. De pijn van het besef sneed diep in haar.

Anna-Lena gilde. Hij hing nu boven haar, klauwde naar haar gezicht en probeerde haar keel vast te pakken. Sanna's vingers sloten rond de schaar en ze hief haar arm. Het voelde vreemd, als iemand anders de beweging uitvoerde. Haar hoofd tolde en ze moest steun zoeken tegen het bed.

Zijn handen lagen nu rond Anna-Lena's hals. Hij duwde haar met zijn naakte lichaam op de vloer en het lukte haar niet hem weg te duwen. Hij duwde het geweer met zijn ellebogen tegen haar borstkas.

Sanna haalde diep adem en nam een aanloop. Ze voelde meteen dat haar benen haar niet droegen, maar struikelde naar de twee op de vloer. Met alle kracht die ze kon opbrengen stak ze de scherpe schaar in Rolfs achterwerk.

54

Zaterdag 1 juli 2006, 18.47 uur

Härad was uitgestorven, wat Jimmy goed uitkwam. Het laatste wat hij nodig had waren toeschouwers als hij thuiskwam. Hij had nog steeds niet besloten wat hij met de auto zou doen. Gordo's bloed zat op de bekleding en de vloer en inmiddels natuurlijk ook op zijn kleren. Toen de vrouw met het geweer hem had laten wegrijden, had hij opgelucht uitgeademd. Hij begreep nog steeds niet hoe hij het had gered. De hele weg naar huis was hij erop voorbereid geweest dat hij aangehouden zou worden en één keer had hij zelfs een politiehelikopter gezien die in de richting van het vakantiehuisje vloog.

Het was vreemd, maar hij was nu banger dan ooit. Hij was erop voorbereid geweest om dood te gaan en hij had zich zelfs ingebeeld dat hij er klaar voor was. Het zat hem nog steeds dwars dat hij Sanna niet had kunnen helpen, maar het was inmiddels een deel van de nachtmerrie van de afgelopen dagen. Hij voelde zich volkomen verloren. De Clan had het op hem voorzien, de politie zat achter hem aan en hij zat in een auto die onder het bloed zat, met een tas vol geld in de kofferbak. Als ze hem nog niet op het oog hadden, dan zou het meer dan voldoende zijn als ze hem nu aanhielden.

Hij had er geen idee van waar hij naartoe moest. Hij wist niet eens of hij op de vlucht was. In de tas had hij meer geld dan hij ooit had durven dromen, hij had barstende hoofdpijn en een stijve nek, een verschrikkelijk slecht geweten doordat hij gefaald had en hij was bang dat hij weer een stommiteit zou begaan. Hij moest de hele tijd aan Sanna denken. Waar was ze? Wat was die klootzak met haar van plan? Wat had de vrouw met het geweer geweten?

Het was een pure marteling.

Hij sloeg af en reed langzaam door de straat waar hij woonde. Bijna elk huis was donker, op de lampen na die brandden om mensen zoals hij af te schrikken. Hij stopte niet bij zijn eigen oprit, maar reed naar het eind van de straat en keerde daar. Hij was niet van plan onnodige risico's te nemen. Als er iemand op hem wachtte, dan wilde hij dat weten. Hij reed nog langzamer terug, maar zag ook nu geen teken van bezoekers toen hij zijn woning passeerde. Uiteindelijk reed hij drie woningen verder de oprit op. Degene die hier woonde was altijd de hele maand juli op vakantie. Toch controleerde hij heel nauwkeurig of er iemand thuis was. Hij draaide het raam naar beneden en luisterde naar de stilte. In de verte klonk muziek en hij besefte plotseling waarom er bijna niemand thuis was. Iedereen was natuurlijk op het festival. Hij liet de minuten verstrijken en kon bijna zien hoe de avondschaduwen dieper werden.

Uiteindelijk opende hij het portier en stapte uit. Alles leek in orde, maar hij wist dat hij misschien alleen zichzelf voor de gek hield.

Was hij er echt klaar voor om dit leven achter zich te laten? Niet dat hij een keuze had trouwens. De Clan had misschien grotere problemen dan hij, maar ze zouden hem niet vergeten en hij zou nooit kunnen vergeven. Als hij Budde Andersson ooit weer tegenkwam, zou hij eerst schieten en daarna vragen. Het was tijd om zijn eigen auto te pakken en zonder om te kijken plankgas weg te rijden.

Hij opende de kofferbak en haalde de tas eruit. Toen hij zich omdraaide stond Marcin er.

Hij schrok, maar was eerder verbaasd dan bang. 'Wat doe je hier?'

'Ik hoopte dat je hiernaartoe zou komen. Waar is Sanna?

'Ik ben haar kwijtgeraakt.'

'Wat bedoel je?'

Jimmy vertelde, wat deze keer veel gemakkelijker ging. Misschien was dat omdat hij niet duizelig op zijn knieën zat met de loop van een geweer in zijn borstkas gedrukt, maar waarschijnlijk was het voornamelijk omdat hij de herinneringen keer op keer als een film voor zijn geestesoog had afgespeeld. Marcin wilde ook weten hoe de aanvaller eruitzag en hij wist blijkbaar ook wie de man was.

Het was de eerste keer dat Jimmy Marcin zo verbaasd had gezien, maar zijn gezichtsuitdrukking werd al snel grimmig. 'Ik moet gaan. Ik neem deze auto mee. Zet de tas met het geld terug. De tweede tas staat in de Volvo. Ik zal je laten zien waar ik hem geparkeerd heb. Ga in de auto zitten.'

Marcin gaf de korte instructies met ingehouden woede. Het was een situatie waarin hij alleen kon gehoorzamen. Jimmy begreep dat hij misschien opgelicht werd, maar hij koos ervoor om het beste ervan te hopen. Marcin had hem op elk moment kunnen vermoorden en had de buit niet met hem hoeven te delen. Bovendien was het goed nieuws dat hij van de auto van de Clan af was. De Volvo was al van hem. Legaal en brandschoon, als je buiten beschouwing liet dat Fassidy's bloed in de donkere bekleding was gesijpeld.

Ze reden in stilte. Pas toen ze bij de Volvo aan de rand van Härad arriveerden, keek Marcin hem aan en stak zijn hand uit. Er lag een geamuseerde glans in zijn ogen. 'Je hebt het goed gedaan. Als je naar Krakau komt, spreken we af. En maak je geen zorgen over de Clan. Ik beloof je dat ze je niet lastig zullen vallen.'

Fredrik liep aarzelend de loopplank op. Hij was geen held, ongeacht wat sommigen over hem dachten, alleen een journalist die zijn werk probeerde te doen. Het voelde echter niet overtuigend. Hij zou met zijn armen om zijn vrouw heen naar de muziek moeten luisteren in plaats van illegaal binnendringen op een luxejacht. Een uit de dood herrezen jazzgigant op het podium zien was absoluut het hoogtepunt van het festival, maar hij had geen keuze. Misschien stond er iemand op het punt vermoord te worden. Hij kon de gedachte niet loslaten. Had de manager van het toeristenbureau Taubermann al doodgeschoten?

Hij hield de camera in zijn hand terwijl hij de hut naderde waar hij geluid hoorde en wilde net de deurkruk pakken toen de deur plotseling opengerukt werd en een naakte man naar buiten stormde. Fredrik blokkeerde zijn pad en de man moest blijven staan. Hij zag er angstig uit en er liep bloed langs zijn benen. Hij hijgde terwijl hij Fredrik heel even onderzoekend aankeek. Zijn blik bleef op de camera hangen en met een schreeuw ging hij in de aanval.

Fredrik was er niet op voorbereid en had nauwelijks tijd om zijn armen omhoog te brengen om zich te verdedigen. Maar ondanks zijn ontsteltenis lukte het hem op de ontspanner van de camera te drukken. De flits verblindde de man, die midden in zijn beweging bleef staan en zijn handen in een reflex voor zijn gezicht sloeg. In de deuropening van de hut verscheen een vrouw met kapotte kleding. Fredrik herkende Sanna meteen. Ze bewoog langzaam en onstabiel. In haar hand had ze een bebloede schaar. Ze staarde met troebele, met haat gevulde ogen naar de man. 'Hou hem tegen! Hij is een moordenaar. Moordenaar!'

De ogen van de naakte man schoten zenuwachtig tussen Fredrik en Sanna heen en weer. Plotseling dook hij langs Fredrik en rende hinkend op zijn bebloede voeten naar de loopplank. Hij kwam echter niet ver. Emilia liep samen met een politieagent de loopplank op. Emilia, die vooropliep, had ook een camera. 'Rolf! Kijk eens!'

Fredrik bedacht achteraf dat Emilia niet zonder bevrediging foto na foto van de naakte advocaat nam.

Vernederd besefte Rolf Heinz dat hij omringd was door vijanden. Hij was echter niet van plan zich zomaar gewonnen te geven. Met een uitzinnige brul veranderde hij van richting en rende naar de achterreling, waar hij een aanloop nam en in zee dook.

Emilia was het eerst op het achterdek en keek hem na, maar in het schemerlicht zag ze alleen de kringen in het water na zijn sprong. Toen de laatste tonen van 'Danny's Dream' weggestorven waren, was het wateroppervlak weer glad.

DEEL 11 - NASLEEP

Lights out
Here comes the night
As the darkness falls over the light
Lights out
I lost myself
In the space between heaven and hell

'*Lights Out*' – GREEN DAY

55

Sanna en Anna-Lena stonden op het dek en omhelsden elkaar stevig. Fredrik en Emilia waren er nog, maar waren discreet naar de loopplank gegaan om niet te storen. De kade was vol mensen. Overal was politie. Het gegons van opgewonden stemmen wedijverde met de muziek van Visholmen.

Uiteindelijk lieten ze elkaar los en keken elkaar verdrietig aan.

'Hoe kon je?' Anna-Lena stelde de vraag zachtjes, bijna aan zichzelf. Haar ogen blonken van de tranen. Er was geen woede meer op haar gezicht te lezen, alleen stille verbazing. 'Waarom?'

Sanna gaf eerst geen antwoord. Wat moest ze zeggen? Ze was voornamelijk opgelucht omdat ze nog leefde. Haar bloed stroomde door haar lichaam en spoelde de restanten van de drug weg, en ze genoot van de milde wind vanaf Mälaren en de nabijheid van Anna-Lena. Maar ze voelde ook wroeging en schuldbesef. 'Kun je het me vergeven?'

Anna-Lena keek weg. Ze nam in zich op wat er om hen heen gebeurde terwijl ze probeerde haar gedachten te ordenen. Ze zag een politieagent de loopplank op komen en snel naar Maria Carlson gaan. Hij zei iets en Maria trok een gezicht. Blijkbaar was het slecht nieuws. Overal flitsten camera's. Ze keek naar de mensenmassa op de kade en de politieagenten die met grimmige gezichten journalisten en andere nieuwsgierigen bij de loopplank wegstuurden. Haar ogen ontmoetten die van Emilia.

Ze draaide zich weer naar Sanna, boog zich naar voren en fluisterde in haar oor: 'Misschien, we zullen zien.'

Daarna pakte Maria Carlson Sanna's arm vast. 'We moeten gaan. Je bent aangehouden voor betrokkenheid bij de overval op de Mälardalsbank. We hebben kleding voor je, dus je hoeft niet in deze vodden te blijven lopen. Je kunt je in een van de hutten omkleden. Daarna ga je mee naar het politiebureau.'

Sanna knikte berustend, liet haar hoofd zakken en liep achter haar aan.

Een uur later was Anna-Lena eindelijk thuis. Een zwakke bries waaide in haar gezicht en alleen een dun gordijn verborg haar naakte huid voor de blikken van buitenaf. Maar het plein was uitgestorven. Ze was uitgeput en had het gevoel alsof dat nooit over zou gaan.

Mariefred was hetzelfde. Opnieuw. Ze kon niet anders dan van het stadje houden, maar het had haar ook nooit kwaad gedaan.

Het was moeilijk geweest om Sanna te zien vertrekken, maar het recht moest zijn loop hebben en ze wist dat Maria gewoon haar werk deed. Maria, die haar had gevraagd om de volgende dag naar het politiebureau te komen om een paar vragen te beantwoorden. Misschien zou ze Sanna dan zien.

Ze vroeg zich af of Sanna wist dat zij Maria Carlson had gebeld voordat ze aan boord van de boot was gegaan. Het was heel verdrietig, maar ze had niet anders gekund dan Sanna aangeven.

Anna-Lena weigerde echter zich schuldig te voelen. Sanna was degene die haar had verraden. Ze wist niet of ze Sanna kon vergeven, maar ze zou haar in elk geval laten vertellen. Er was zo veel dat ze niet begreep.

Ze voelde met haar hand aan haar keel en wreef over het punt waar het brok gemis zat. Een brok dat niet wilde verdwijnen.

Zaterdag 1 juli 2006, 21.52 uur

Jimmy zat thuis op zijn blauwe, leren stoel en dronk een biertje. Hij had geen haast. Dit was zijn woning en dat was een fantastisch gevoel. Er waren natuurlijk veel dingen om over na te denken. Het geld kon hier niet blijven en hij moest zich van de auto ontdoen. Hij droomde er al jarenlang van om mee te doen aan de Safari Rally en dit was misschien het moment om die droom te verwezenlijken. Als hij het slim aanpakte, hoefde hij waarschijnlijk niet meer in te breken. Het was zo'n duizelingwekkende gedachte dat hij het niet kon bevatten. En hij moest natuurlijk rekening met de politie blijven houden.

Hoewel hij niet bang meer was, had hij het gevoel dat Härad niet de juiste plek voor hem was. Er waren hier te veel slechte herinneringen en de mensen hadden een veel te negatief beeld van hem. Hij zou ergens anders opnieuw moeten beginnen. Nu was het echter tijd om te stoppen met rondsluipen en zich voor alles en iedereen verstoppen. Om dat aan zichzelf te bewijzen had hij bijna alle lampen in huis aangedaan en de stereo hard aangezet.

Zijn kleding zat in de wasmachine, het geld was zo opgeborgen dat er een grondige inspectie van het huis nodig was om het te vinden. Zijn grootste zorg waren de wapens, die zorgvuldig schoongeveegd in de garage lagen. Het voelde niet goed, vooral omdat hij Arnes pistool niet kon vinden, hoe hij ook zocht. Hij had geprobeerd zijn geheugen te raadplegen, maar kon zich niet herinneren wat ermee gebeurd was. Omdat hij wist dat zijn vingerafdrukken op het pistool zaten, gaf het hem een tintelend gevoel van onbehagen.

Voordat hij naar bed ging zette hij de radio aan en luisterde naar het nieuws. Hij was blij dat Sanna ongedeerd was, maar geschokt omdat ze was gearresteerd. De hoofdzaak was echter dat ze nog leefde. De politie zocht een buitenlandse man die werd verdacht van moord en ontvoering.

De opluchting was onbeschrijfelijk, maar hij miste haar nu al. Ze was het stralende lichtpunt in de duisternis geweest dat hem de afgelopen dagen overeind had gehouden. Hij zou haar dat nooit vertellen en hij verwachtte niet dat ze hem ooit nog zou willen zien. Maar hij was van plan ervoor te zorgen dat ze haar aandeel kreeg. Niemand had dat meer verdiend dan zij.

Hij moest natuurlijk wachten tot de politie en het rechtssysteem klaar met haar waren. Als ze uit de gevangenis kwam, zou ze een nieuwe start nodig hebben.

56

Zondag 2 juli 2006, 00.26 uur

Rolf had langer gezwommen dan hij voor mogelijk had gehouden. Het donkere water was zijn vriend, zijn bescherming tegen degenen die jacht op hem maakten, tegen de minachting en de schaamte. Hij zwom naar het open water en daarna naar het westen. Het was niet ondraaglijk koud, maar hij was blij met de onvermijdelijke onderkoeling. Het verzachtte de doffe pijn van de wond die de schaar had veroorzaakt. Zijn kapotte achterwerk hinderde hem niet, maar dreef hem voort. Hij zwom kalm maar stug door, voornamelijk bang voor wat er zou gebeuren als hij uiteindelijk zou moeten stoppen. Een paar keer kwamen er motorbootjes in zijn richting varen. Dan dook hij diep onder water en zwom tot hij dacht dat zijn longen zouden barsten, waarna hij weer naar het wateroppervlak kwam om adem te halen. Hij had altijd van zwemmen gehouden. Het kalmeerde hem en zorgde ervoor dat hij alles helder zag. Toen zijn krachten op waren, ging hij aan land bij een klein eiland achter de Strängnäsbrug. Het eiland, dat overwoekerd was met loofbomen en jonge bomen en struiken, vormde een perfecte groene bescherming. Tot zijn grote blijdschap ontdekte hij dat het eiland bebouwd was. Op het meest beschutte deel van het eiland stond een verbazingwekkend groot, donker gebeitst huis. Het wekte hoop op warmte en eten. Uiteindelijk bleek hij niet eens te hoeven inbreken. Nadat hij even had gezocht, vond hij de sleutel van de voordeur onder een losse plank naast de ingang. Binnen rook het heerlijk naar hout. De zitkamer was ruim, met grote ramen die een prachtig uitzicht boden op het eiland en het water achter de bomen.

Hij droogde zich af met een versleten, maar schone handdoek en in een kledingkast vond hij kleren. Ze waren een beetje te groot en roken muf, maar het was meer dan hij had gehoopt. Bovendien vond hij een paar rubberen laarzen.

Hij pakte iets te eten uit de koelkast en ging op een stoel zitten. Het deed pijn om te zitten, maar de stoel was zacht. Nu zijn paniekerige vlucht voorbij was en hij in relatieve veiligheid was, begon het gevoel van vernedering en schaamte te verminderen en plaats te maken voor verbittering omdat hij opnieuw vlak voor de finish was gestruikeld. Hij had op het punt gestaan om alles te hebben waarvan hij droomde, maar had die kans opgeofferd voor zinloze seks.

Als het hem echter lukte om thuis te komen, zou alles in orde komen. Daar wachtten de opdrachtgevers die hij altijd trouw was geweest, de bendeleiders bij wie Marcin zich onmogelijk had gemaakt met zijn onzinnige idealen. Dacht hij echt dat de georganiseerde misdaad kon bestaan zonder drugs en prostitutie? Hij had zijn rol gespeeld en nu stond er een prijs op zijn hoofd.

Het was merkwaardig. Zijn grootste angst om naar huis te gaan had niet te maken met wat ze zouden zeggen over Taubermann en de vrouwen met wie hij had gespeeld, maar of ze hem medeschuldig vonden aan het feit dat Marcin nog steeds leefde. Het was Rolfs taak geweest om de Pool naar de slachtbank te leiden. Hij had het grappig gevonden om Crantz het idee over de uitbraak in te fluisteren. Dat was niet moeilijk geweest. Crantz had een chronisch slecht geweten met betrekking tot zijn criminele broer. Daarnaast was hij net als andere sterren egocentrisch genoeg om te denken dat het zijn idee was geweest.

Rolf had geen rekening gehouden met de liefdesrelatie tussen Crantz en Sanna. Die had de situatie moeilijk gemaakt en had een reeks gewelddadige handelingen veroorzaakt. Crantz had gedreigd om alles wat hij over Johanna wist aan Sanna en Johanna's zus te vertellen. Toen Sanna al sliep en hij op het balkon stond te roken, had hij gezien dat Johanna en Rolf samen de bar uit kwamen. Hij had zijn ogen echter dichtgedaan voor de betekenis ervan. Pas lang daarna, toen hij zag dat Udo een drankje voor een van Rolfs veroveringen prepareerde, werd de afschuwelijke waarheid hem duidelijk.

Na de onaangename confrontatie in het hotel was Rolf in paniek geraakt. Het was niet moeilijk geweest om Udo te laten vertellen over de plannen van Crantz. Udo, die waarschijnlijk al terug was in Duitsland en het beste ervan hoopte. Smerig stuk ongedierte.

Maar het was allemaal niet belangrijk meer. Met de juiste contacten zou hij hier weg kunnen komen. Het deed hem goed dat de politie waarschijnlijk heel weinig tegen hem had, behalve de ontvoering van Sanna, maar als hij werd gearresteerd, zou hij Taubermann natuurlijk de schuld geven.

Ontkenning was alles. Hij had zijn hele leven volgens dat devies geleefd en had het ontelbare malen in de rechtszaal gebruikt. Hij was de situatie meester en zou zijn leven weer opbouwen. Meer geld en meer vrouwen, dat stond hem te wachten. Met die mooie gedachte viel hij in slaap.

Midden in de nacht werd hij wakker. Hij voelde zich rusteloos. Het was tijd om te vertrekken. Hij liep een laatste keer door het huis en pakte een dolkmes dat in de hal hing. Daarna deed hij de deur achter zich op slot en legde de sleutel op zijn plek terug.

In het ergste geval moest hij weer zwemmen, maar het idee om opnieuw nat te worden en af te koelen stond hem tegen. Hij vroeg zich af of er misschien een boot op het eiland was. Hij liep op de tast door de dichte struiken en tussen de bomen naar de oever. De muggen kwelden hem. Hij had het bijna opgegeven toen hij een lekke roeiboot en een paar aangetaste roeispanen vond.

Omdat de afstand naar het vasteland zo kort was, was het een poging waard. Hij kon de oever bij Strängnäs zien. Het was nog geen tweehonderd meter.

Zodra hij de roeiboot in het water legde, begon het water naar binnen te sijpelen, maar het ging niet zo snel als hij gevreesd had. Hij roeide zo snel mogelijk. Het water klotste al snel tegen zijn laarzen, maar hij bereikte de overkant.

Hij volgde een grindpad dat door een merkwaardig gebied slingerde. Enorme struiken stonden langs het pad, maar er groeiden bijna geen bomen. Achter de struiken zag hij groene velden, maar hij zag ook dat het geen landbouwgebied was. De grond was bezaaid met enorme, overwoekerde gaten, alsof er lang geleden grote machines op rupsbanden hadden rondgereden. Het was een griezelige, verlaten plek waar hij zo snel mogelijk weg wilde.

Het knerpen van het grind onder zijn laarzen echode in zijn oren. Hij moest naar de bewoonde wereld, een auto en een telefoon vinden. Hij was ervan overtuigd dat het verloren gevoel zou verdwijnen als het hem eenmaal was gelukt om Strängnäs achter zich te laten.

Rolf besefte dat hij in de buurt van Härad moest zijn. Marcin had hem verteld waar hij meteen na zijn uitbraak naartoe was gebracht en hij had het plaatsje op een kaart gevonden.

Na een paar minuten bereikte hij de hoofdweg. Hij zag de lichten van Härad en begreep dat hij niet ver hoefde te lopen. Het zou allemaal goed komen, dacht hij. Het was na middernacht, maar omdat het festival bezig was, waren er veel mensen onderweg. Het zou niet moeilijk zijn om een auto te regelen, dacht hij, niet als je zo wanhopig was als hij. Hij wilde het liefst ongemerkt verdwijnen, maar nood brak wet.

In de verte hoorde hij het geluid van een motor. De auto kwam uit de richting van Strängnäs en reed hard.

Het had geen nut om te aarzelen. Hij draaide zich om, liep de rijbaan op en begon met zijn armen boven zijn hoofd te zwaaien. De koplampen verblindden hem, maar hij hoorde dat de auto vaart minderde. Hij stopte recht voor hem.

Rolf kon het gezicht van de chauffeur niet zien. Hij liep naar de passagierskant en trok het portier open. Dit ging zo gemakkelijk. Hij sloot zijn vingers rond het dolkmes in zijn zak en voelde zich sterk en onoverwinnelijk. Waarschijnlijk hoefde hij het mes alleen te laten zien en dan zou de auto van hem zijn, maar als de chauffeur zich verzette zou hij niet aarzelen om het mes te gebruiken.

Voor het eerst sinds zijn moment van schaamte aan boord van het jacht glimlachte hij.

Hij keek naar binnen. Het gezicht van de chauffeur lag in de schaduw, maar hij gebaarde dat Rolf moest gaan zitten. Een vriendelijke ziel die beslist graag een gestrande medemens een lift gaf, dacht hij.

In de auto hing de onmiskenbare geur van modder, een combinatie van aarde en ijzer. Toen hij zat en opnieuw naar de chauffeur keek, besefte hij zijn vergissing.

Marcin keek hem geamuseerd aan. 'Ik heb dit op de grond gevonden.' Marcin hield een pistool in zijn hand en drukte dat tegen de slaap van Rolf. 'Ik wilde het terugbrengen naar onze vriend Jimmy. Ik heb begrepen dat het veel voor hem betekent, maar ik denk dat we de plannen moeten veranderen.'

57

Maandag 3 juli 2006, 09.07 uur

Tijdens zijn vijftien jaar als hoofdredacteur had Ragnarök nog nooit op zo'n korte termijn iedereen van de redacties van zowel Eskilstuna als Strängnäs voor een gemeenschappelijke vergadering bij elkaar geroepen. Alle journalisten van *Eskilstunaposten* die geen auto reden, hadden de ochtendtrein naar Strängnäs moeten nemen. Ragnarök was onvermurwbaar geweest. Nu keken ze allemaal verbaasd naar hem, als ze niet nieuwsgierig naar Fredrik en Emilia staarden die naast elkaar bij het whiteboard zaten dat vol stond met de hiërogliefen van de hoofdredacteur.

Emilia was rood van blijdschap en Fredrik keek trots. Af en toe zocht hij oogcontact met Ulla.

'Goed, dan zijn jullie het ermee eens? Natuurlijk zijn jullie dat, er is hier verdomme niemand die een beter idee heeft, of niet soms?'

Het was bijna komisch hoe de gezichtsuitdrukkingen aan beide kanten van de vergaderruimte verschilden. De geografische verbondenheid sneed als een scheermes door de vergadertafel. De journalisten van *Strengnäs Dagblad*, die bij de ramen zaten die uitkeken op de Storgatan, keken allemaal blij verrast. De collega's uit Eskilstuna, die aan de andere kant zaten, trokken chagrijnige gezichten en zuchtten. Toch protesteerde niemand. Ze wisten dat het geen zin had en dat ze de strijd voor later moesten bewaren. Misschien konden ze de vakbond erbij betrekken of eventueel een andere baan zoeken.

'Dit krantenconcern heeft de wind mee dankzij journalisten zoals deze twee. We zijn de enige krant in de wéreld die het hele nieuws over de maffiastrijd en de moord op Taubermann gisteren al hebben gebracht. Deze twee mensen barsten van het talent en het werd hoog tijd om daar iets mee te doen. Wat zeg jij ervan, Lasse?'

De vraag was gericht aan Lars Revquist, de misdaadverslaggever van *Eskilstunaposten* die eruitzag alsof hij elk moment kon exploderen. Het was duidelijk zichtbaar dat hij al zijn concentratie nodig had om alleen langzaam te knikken.

Lasse hoefde nog maar twee jaar voordat hij met pensioen ging en nu leek het erop alsof hij de tweede viool zou moeten spelen onder die snotneuzen uit Strängnäs.

'Samengevat profileren we ons in de misdaadverslaggeving voortaan op de manier waarvan Fredrik opnieuw heeft bewezen dat we daartoe in staat zijn. We creëren een speciaal team uit de twee redacties dat verantwoordelijk is voor de misdaadverslaggeving in de regio. We definiëren dat met de naam "misdaadjournalisten". Het is een logisch gevolg dat Fredrik de werkzaamheden coördineert en rechtstreeks aan mij rapporteert.' Ragnarök sloeg zichzelf demonstratief op zijn borst. 'Als ik een nieuw talent zie, dan aarzel ik niet. Ik heb met Gege gepraat en we zijn het erover eens dat deze jongedame, Emilia Gibson, onmiddellijk een vast dienstverband en een plek in het team krijgt. Daar hoort Lasse natuurlijk ook bij, net als je trouwe medewerkster...'

Iedereen keek naar de zenuwachtige, kleine, grijsharige vrouw naast Lasse die onafgebroken aan haar pennenetui pulkte als ze niet dwangmatig in haar notitieblok bladerde

'...Alma Strid. Ik heb Ulla Gense gevraagd om Fredrik in zijn nieuwe rol te steunen en ik verwacht een goede samenwerking.'

Ulla en Gege knikten instemmend.

'We leggen de lat hoog en gaan het gevecht om de lezers in Sörmland aan met de landelijke kranten. Daarin zijn we geslaagd als alle Stockholmers die hier wonen hun abonnement op DN of Svenskan opzeggen. Nog een paar van dit soort exclusieve reportages en we zijn er, daarvan ben ik overtuigd.' Ragnarök wreef in zijn handen. 'En laten we het nu vieren! Lukas, kun jij de taarten halen?'

Lukas knikte en verdween, om al snel terug te komen met twee grote taarten die waren voorzien van het logo van Eskilstunaposten. Ragnarök sneed twee flinke stukken af voor Fredrik en Emilia.

Fredrik had de hoofdredacteur zelden zo tevreden gezien. Dat was niet zo verwonderlijk, want hij werd overstelpt met telefoontjes van buitenlandse kranten die foto- en artikelrechten wilden kopen. Journalisten van meerdere Duitse kranten stonden in de receptie te wachten tot ze met Gege konden praten. Plotseling was er veel geld in omloop. Fredrik wist dat het heel weinig met hem te maken had, maar hij had geen nee gezegd. Nu was iedereen op de redactie zijn vriend en het leek erop dat hij heel nieuwe kansen in zijn werk zou krijgen. Emilia en hij hadden Strängnäs op de kaart gezet en dat betekende meer dan je zou kunnen denken. Hij begreep nu ook beter waarom Ragnarök, ondanks zijn lompe manier van doen en zijn feilloze talent om overal vijanden te maken, toch jaar na jaar aan het roer stond. Hij wist wat verkocht. Misschien had hij Fredriks potentieel vanaf het begin gezien. Er was alleen een eigenwijze zomerstagiaire, die bovendien een uitstekende journaliste was, voor nodig geweest om dat realiteit te laten worden.

Toen iedereen was vertrokken uit de vergaderkamer omhelsde Emilia hem spontaan. 'Je bent zo geweldig! Ik had dit nooit kunnen geloven.'

Hij vond haar lach onweerstaanbaar en absoluut aanstekelijk. Ze maakte hem vrolijk. Hij keek ernaar uit om voortaan met haar samen te werken. Opnieuw bedacht hij dat hij haar de ruimte moest geven die ze nodig had. Ragnaröks indrukwekkende project kon al snel op een flop uitdraaien, dus was het belangrijk om er zo veel mogelijk uit te halen zolang het duurde. De koppeling met Sörmland was niet onderhandelbaar en dat was een beperking die niet alleen noodzakelijk was, maar ook een vernietigend effect kon hebben. Daar was de juiste man voor nodig. En de juiste vrouw.

Hij dacht ook aan Ulrika. Het was hen gisteren gelukt om de lucht te zuiveren en hij dacht dat ze hem bijna had vergeven. Het gaf een rust die hij al heel lang niet meer had gevoeld.

Vandaag wilde hij vroeg naar huis gaan en haar verrassen met een lekkere maaltijd van het naburige Thaise restaurant. Dat zou haar beslist blij maken, want ze was gek op hun eten. Hij had een beslissing genomen. Hij zou eraan werken om een band te smeden en niet meer de hele tijd verongelijkt zijn. Dat was de juiste manier.

Ineens moest hij aan Sophie Zelmani denken. 'Luister, vanavond...'

'Ja, dat wordt zó gaaf!'

Emilia lachte nog breder, legde haar handen op zijn schouders, ging op haar tenen staan en fluisterde met haar mond vlak bij zijn oor. 'Je bent niet alleen een goede baas, je bent ook hartstikke lief.' Ze knipoogde naar hem en vertrok.

EPILOOG

It's a long, long road
From which there is no return
While we're on the way to there
Why not share
And the load
Doesn't weigh me down at all
He ain't heavy, he's my brother

'He Ain't Heavy, He's My Brother' – RUFUS WAINWRIGHT

Donderdag 6 juli 2006, 15.42 uur

Hij leunde op zijn kruk. Zijn lichaam deed nog steeds pijn. Het kerkhof was bijna verlaten. De grote ongelijke steen bij de voet van de eik lag vol bloemen. Zeer waarschijnlijk waren ze daar neergelegd door andere Duitsers. Toeristen die net als hij Kurt Tucholsky's laatste rustplaats wilden zien.

Stanse kon zijn geluk nauwelijks bevatten. Hij had dood moeten zijn, net als Sanna had gedacht. Het deed nog steeds pijn als hij daaraan dacht. Ze had hem gewoon achtergelaten zonder hulp te halen.

In het ziekenhuis waren ze verbaasd geweest. Het schot had eerder een shock dan schade veroorzaakt. Maar een paar kogels waren door het zwemvest gedrongen en hadden de huid geschampt. Het was een geluk voor hem dat Rolf Heinz niet met het geweer kon omgaan en te ver van de opening van de buis was gaan staan. Door de afgezaagde lopen hadden de kogels zich verspreid en hadden ze bijna niets geraakt. Toch was hij bijna gestorven. Door verdrinking. Het wanhopige gevecht van Sanna en hem op de bodem van het meer had hun beiden bijna het leven gekost. Daardoor was hij gewond geraakt aan zijn knie.

Hij herinnerde zich de laatste, pijnlijke afzet naar boven voordat alles zwart was geworden. Daarna had Sanna op een of andere manier geholpen in plaats van tegen te werken. Het was de enige verklaring waarom ze in elkaars armen op de oever waren beland. Sanna's wonden aan haar gezicht en hoofd hadden flink gebloed en hadden vlekken op het reddingsvest gemaakt.

Toen hij in de ambulance bijkwam wilde hij meteen terug om haar te zoeken, maar dat ging natuurlijk niet. Het had al zijn overtuigingskracht gekost om het ziekenhuis 's middags te mogen verlaten. Hij wilde zijn publiek niet teleurstellen en deze keer was dat belangrijker dan ooit geweest.

Het grind knerpte. Hij had gezelschap gekregen.

'Ze zeiden dat ik je hier kon vinden, Jacus.'

Stanislaw draaide zijn hoofd om en keek naar zijn broer. Ondanks zijn vermomming herkende hij hem meteen.

Marcin legde zijn hand op zijn schouder en keek naar het graf. 'Ik hoop dat je minder ongelukkig bent dan hij was.'

Stanislaw haalde zijn schouders op. Het was moeilijk om geen weemoed of verdriet te voelen. Zijn wereld had op zijn kop gestaan, hij had zijn grote liefde teruggewonnen om haar net zo snel weer kwijt te raken. Maar het was misschien beter zo.

'Ik vertrek morgen naar Polen.'

Stanislaw knikte. Zijn broer was vreemd kalm. De afgelopen weken moesten afschuwelijk voor hem zijn geweest en ook nu was hij niet veilig. Er werd weliswaar aangenomen dat hij het land uit gevlucht was, maar er was maar één oplettende persoon nodig om alles te kunnen veranderen.

'Ik ga binnenkort naar Duitsland. Naar mijn gezin.'

Marcin aarzelde een seconde, maar sloeg daarna zijn armen om zijn broer heen en omhelsde hem stevig. 'Dank je. Er was veel moed nodig voor wat je hebt gedaan.'

Ze glimlachten tevreden naar elkaar en gingen daarna ieder hun eigen kant op.

Broers. Dat betekende iets. Soms meer dan je zou kunnen denken.

Vrijdag 15 september 2006, 17.33 uur

Andrzej stond op het perron in Läggesta op haar te wachten. Toen de trein binnenreed lag er een verwachtingsvolle glimlach op zijn gezicht en was zijn vermoeidheid verdwenen. De vele nachtdiensten in de gevangenis eisten hun tol, maar dat kon hem op dit moment niet schelen.

Izabela Bialy had altijd van haar broer gehouden, maar op een bepaald moment hadden ze het contact verloren. Ze waren allebei uit Lodz in Polen vertrokken en waren hun eigen weg gegaan. Ze hadden allebei in de liefde geloofd. Hij had gewonnen en zij verloren. Ze had er nooit voor gekozen om prostituee te worden. Anderen hadden dat voor haar gedaan. Mannen die ze had vertrouwd. Ze was in opstand gekomen tegen de strenge, katholieke ouders met hun eeuwige zedenpreken en beperkte kijk op wat het leven te bieden had. Daar had ze geen spijt van, ook al deed de scheiding nog steeds pijn. Ze wist niet hoe vaak ze op de smerige matras in haar kamer had gelegen en huilend naar haar moeder had verlangd. Als de drugs uitgewerkt waren, als haar vriend gemeen tegen haar was geweest of als de voortdurende stroom mannen haar te veel werd.

Het was moeilijk te begrijpen, maar op veel manieren had ze Walther Zinder als haar redder in de nood gezien. Hij was een vaderfiguur en een gentleman die orde in haar leven bracht en haar een gevoel van stabiliteit en een ontluikend geloof in de toekomst had gegeven. Maar ze moest daar natuurlijk nog steeds voor betalen met haar lichaam. Dat was de voorwaarde die ze nooit in twijfel had getrokken. Ze kreeg minder klanten die beter verzorgd waren, bescherming tegen haar ex-vriend die had gedreigd haar te vermoorden en zelfs een afkickprogramma.

En nu had haar broer beloofd om voor haar te zorgen. Zonder dat daar iets tegenover stond. Ze durfde het nog niet helemaal te geloven, maar het was haar beste kans nu Walther er niet meer was. Ze was blij dat ze niet had hoeven zien hoe hij was gestorven. Marcin Szalas was een duivel, ook al had hij gezegd dat hij het goed met haar voor had. Ze begreep nog steeds niet goed hoe het was gegaan of waarom, maar ze was er zeker van dat haar broer dat kon uitleggen. Ze had al gezien dat Andrzej in één ding gelijk had gehad. Zweden was mooi. Hopelijk werd ze hier gelukkig.

Toen de deur van de trein openging sleepte ze haar koffer het perron op. Die bevatte alles wat ze bezat.

Hij stond op haar te wachten en ze kon zich niet herinneren dat ze hem ooit zo blij had gezien. Hij spreidde zijn armen en omhelsde haar stevig. 'Welkom, Iza! Welkom in Zweden. Welkom in Mariefred.'

DANKWOORD

Strängnäs en Mariefred kruipen onder iemands huid en blijven daar. Dat is natuurlijk alleen een gevoel en niet helemaal waar, maar toch bepalend. Toen ik dit boek schreef was ik van Strängnäs naar Stockholm terug verhuisd en zo'n gebeurtenis biedt een nieuw perspectief. Daardoor is het extra leuk om een nieuw stadje uit het gebied waar ik zoveel om geef te mogen presenteren. Mariefred heeft een heel ander temperament dan Strängnäs en biedt andere dingen. Dat kleurt een verhaal zoals dit natuurlijk.

Net als de vorige keer zijn er veel mensen die hun bijdrage hebben geleverd om dit boek mogelijk te maken. Ik bedank jullie allemaal hartelijk en maak een buiging voor jullie.

Een paar van hen wil ik apart noemen. Ann Ljungberg heeft me het hele traject, van de hemel naar de hel en weer terug, begeleid en gesteund. Van Ann-Sofie Sannemalm, misdaadjournalist bij vlt, heb ik waardevolle informatie gekregen, zodat ik de beschrijvingen van het werk van de journalisten en de voorwaarden waaraan ze moeten voldoen, kon aanscherpen. Kristina Simar, een manuscriptlezer die boeken verslindt, heeft commentaar gegeven en me aangespoord, net als Agneta Hedlund, een échte boekhandelaar. Anna, mijn vrouw, heeft het schrijfproces van begin tot eind gevolgd en heeft veel goede visies en invalshoeken gegeven waarop ik zelf waarschijnlijk nooit gekomen was. Net als mijn fantastische team bij uitgeverij Kalla Kulor, dat me heeft geholpen om de eindstreep te halen.

Een schrijver heeft goede mensen om zich heen nodig die ervoor kunnen zorgen dat alles loopt, ook als het niet om het schrijven zelf gaat. Daarom een speciale dank aan mijn agentschap Grand Agency, dat er niet alleen voor heeft gezorgd dat mijn boeken internationaal uitgegeven zijn, maar dat me eveneens heeft begeleid vanaf de pallets met in eigen beheer gedrukte boeken bij Gula Rosornas Företagsby tot het uitgeven van pockets en het vinden van een heel goede uitgeverij. Tenslotte wil ik mijn liefde voor mijn gezin betuigen. Nu hebben Astrid en Hedda allebei hun eigen boek.